제목을 못 정한 책

사운드 디자이너 김벌래의 전투일지

제목을 못 정한 책

김벌래 지음

순정아이북스

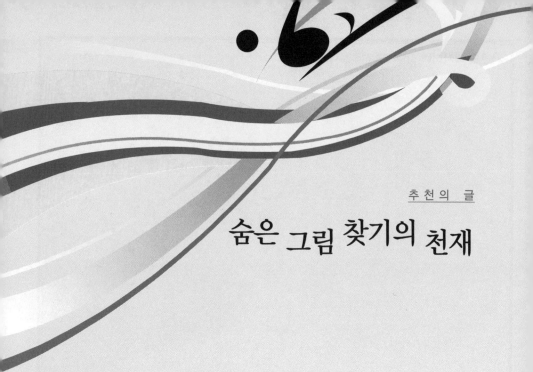

숨은 그림 찾기의 천재

소리 인생이라고 하지만 김벌래 님의 생은 결코 음향의 세계에만 갇혀 있는 것이 아니다. 왜냐하면, 그는 소리 없는 정적의 세계를 소리로 보여주는 놀라운 재능을 가졌기 때문이다.

서울올림픽이 열릴 당시 나는 개·폐회식 시나리오를 만들면서 비장의 카드로 '굴렁쇠'를 구상하고 있었다. 서부영화 〈하이 눈(High Noon)〉의 라스트신처럼 대낮의 햇빛이 흐르는 잠실 메인 스타디움의 텅 빈 공간에 여섯 살짜리 아이가 굴렁쇠를 굴리는 장면을 만들어 보려는 프로그램이었다.

그때만 해도 수십억 세계인들이 지켜보는 올림픽 개회식장에 아이를 등장시킨다는 것은 상상할 수조차 없었을 때였다. 그러나 무슨 일이 있어도 나는 한국 예술이 표현해 온 공백의 미, 그리고 정적의 퍼포먼스를 가시화하고자 했다. 거기에 자신감도 지니고 있었다.

하지만, 주변의 관계자들은 내 아이디어에 회의적이었고, 찬성하는 사람들이라고 해도 그 이미지를 올바로 이해하는 사람이 드물었다. 그래서 아이의 의상에서부터 굴렁쇠를 굴리는 자세와 그 동선에 이르기까지 내 성에 차지 않았다. 일일이 담당자들에게 내 의도를 되풀이해서 설명해야만 했다.

그런데 유일하게도 내 아이디어와 속마음을 단번에 알아차리고 기대 이상의 효과를 만들어낸 사람이 바로 김벌래 님이었다. 정적감을 나타내고자, 다른 음향 효과를 일절 배제하고 '삐이익' 하는 높은 헤르츠의 연속음만 사용하여, 그는 충분히 내 의도를 알아차리고 기대 이상의 멋진 배경 효과음을 만들어냈다.

그 일이 있고부터 나는 나 자신이 주도하는 국가의 모든 중요 문화 이벤트에는 예외 없이 그와 손을 잡고 함께 일해 왔다.

이런 작은 에피소드 덕분에 나는 그를 '숨은그림찾기의 천재'라 불렀다. 상대방의 숨어 있는 의도를 자신 이상으로 정확히 끄집어내어 그것을 소리로 표현할 줄 아는 상상력과 감수성을 갖춘 예술인이라는 뜻이다. 이는 인간의 삶을 꿰뚫는 깊은 통찰력 없이는 불가능한 일이다.

소리의 인생이 음향을 찾는 모험을 한 권의 책으로 정리하는 것을 보면서 나는 기쁜 마음을 감출 수가 없다. 그가 추구하는 삶의 모색이 이제는 글로써 완성 단계에 이르렀음을 확인했기 때문이다.

그를 소리의 마술사라고 불러서는 안 된다. 그는 청각의 이미지만

이 아니라 시각적 이미지, 그리고 삶의 내면을 통찰하는 시인의 마음을 함께 가진 것이다.

이 한 권의 책은 많은 사람에게 창조의 힘이 무엇이며 소리로 형상화한 삶의 내용이 어떤 것인지 깊은 감동을 불러일으키리라 믿는다. 그리고 창조된 소리는 사라지는 것이 아니라 조각처럼 영원한 조형으로 삶의 광장에 남는다는 메시지도 얻게 될 것이다.

2007년 여름 이어령 씀

'괴물 15843호' 김벌래.

별난 소리도 많다는 이 세상에 왔다가, 희한한 소리도 많이 들어
보고, 사람들한테 온갖 별별 소리도 많이 들려주고, 그리고 이것저
것 꾀 안 부리고 열심히 일도 하고 사랑도 해봤고, 그리고 또,

그리고 또 무얼 했더라,

그리고 또 무얼 했더라?

정말로 무얼 했더냐?

내가 뭘 했는지 돌이켜 보면, 기껏해야 '남의 집 좌판에 매달려 오
직 그 집 장사 잘되라고 한 것' 아닌가 하는 생각에 한심하기도 하
고, 세상과 한바탕 싸우기도 하고 놀리기도 했던 게 또 그렇게 우습

기도 하고 신나기도 하다.

하루하루가 전투지만 그 전투는 '신나는' 것이었다. 싸울 수 있다는 것은 싸울 힘이 있다는 것, 싸울 용기가 있다는 것, 내가 아직 김벌래답게 살아있다는 것을 의미하니까.

앞으로도 얼쑤, 신나게 일하고 신나게 놀고, 신나게 사랑하고 신나게 미워하고, 그렇게 신나게 살다가 신나게 죽어야지. 그래서 내 휴대폰 메시지도 '신나는 인생 김벌랩니다!' 이다.

그것참!

사운드 디자이너로서, 오직 '소리' 한길만을 신나게 걸어온 내 가슴속에서는 아직도 심장 뛰는 소리가 한창이다. 청춘이란 말이다. 돌이켜 보는 것보다는 앞을 응시해야 할 내가, 세상 사람들에게 인생에 대해 일에 대해 미주알고주알 무슨 말을 한다는 게 우습기도 하다. 하지만, 아직 이팔청춘인 열정의 나이에 비해 이 몸뚱이의 나이는 예순일곱, 늙었다면 늙었다.

소리 인생 40여 년, 한 번쯤 정리할 것도 있고 사람들에게 꼭 해주고 싶은 말도 있으리라. 그래서 글을 쓴다.

글을 책으로 만들다 보니 제목을 붙여야 한다. 그런데 도무지 제목을 정하지 못하겠다. 그럴싸하게 에세이풍의 제목이라도 떡 하니 붙이고 싶었는데, 그러자니 자꾸만 문학한테 미안해진다. 선뜻 제목을 못 붙이고 차일피일 미루던 차에 아예 책 이름 자체를 '제목을 못 정한 책'으로 정하고 말았다.

그러고 보니, 우리의 일생을 어떤 '제목'으로 요약할 필요가 있는

가를 생각하게 된다.

어떤 위대한 학자도, 예술가도, 쟁이도, 난놈도, 된 놈도, 미녀도, 추녀도, 장애인도, 비장애인도 별볼일없는 이름의 사람과 별 제목 없는 사람과 한 하늘 밑에서 끊임없이 공존하고 있다. 세상에는 우리가 모르는 이름의 사람도 많고 '제목' 모르는 생물, 풀, 야생화 등도 많다. 그런데 그 이름 없는, 제목 없는 그들도 모두 한결같이 제 나름대로의 역할을 해내며 일생을 멋지게 살아간다.

그까짓 이름, 제목, 완장, 명예, 지위 따위보다 더 소중한 것이 있을 것이다.

세상에는 거창한 제목의 이름을 가진 인형들이 참 많다. 스스로 생각하고 스스로 움직이는, 살아 있는 인간이 아니라, 아무 생각 없이 떠밀려 움직이는 인형, 자기가 무슨 실에 묶여 누구에게 어떻게 조종당하는지도 모르는 인형, 자기가 인형인 것도 모르는 인형. 아니면, 인형의 삶에 만족하는 인형.

겉보기에 아무리 화려해 보이더라도 분장을 벗고 나면 차갑고, 무표정한 인형일 뿐이다. 그런 인형하고는 절대로 술을 마시지 않는다. 아무리 내가 술을 좋아하고 술이 또 나를 좋아한다지만, 사실 술이 좋은 것은 술을 나누는 사람들의 체온이 좋은 거니까.

체온 속에 창조가 있고 발전이 있고 희망이 있다. 내가 수많은 소리를 찾아다녔지만 결국 원하는 소리는 체온이 느껴지는 소리, 곧 사람의 소리, 사람을 닮은 소리, 사람다운 소리였다. 세상이 아무리 기계화, 디지털화된다 하더라도 궁극에는 '인간적인 어떤 것'을 추구하기 마련이다.

사실, 내 40여 년 소리 인생에도 아직 그런 소리는 못 만들어 낸 것 같아 부끄럽기 짝이 없다. 바꾸어 말하면, 이제 우리 나이로 겨우 예순일곱, 앞으로 만들어야 할 소리가 있다는 게 또 신나는 일이다. 정말 신나는 인생이지 않나?

그것참!

어떻게 해야 신이 나는지 모르겠고 또 도무지 신나는 일도 없다고? 우선 자신의 체온부터 재어 보라. 바로 지금 눈앞에 놓여 있는 일에 얼마나 치열하게 열정을 쏟았고 내 속에 있는 능력을 끄집어냈는지, 내 안의 피가 아직 뜨거운지, 그것부터 살펴보라는 거다.

누구나 위대한, 행복한 날을 꿈꾸며 사는데, 사실 그런 날은 멀리 있지 않다. 사소한 일, 작은 일, 손 가까이에 있는 일부터 시작하다 보면 '위대한' 이나, '행복한' 은 저절로 오게 마련이다. 그것이 '최고' 가 되는 방법이다.

수천수만 가지 소리를 만들어 보았지만, 세상에 쓸모없는 소리란 없다. 아무리 사소한 소리도 그만의 몫이 있는 법. 태양만이 위대한 것이 아니다. 밤하늘에 또렷이 빛나는 별이 더 아름다울 때도 있다.

다만, 이것 하나는 알아야 한다. 별은 그냥 빛나는 것이 아니라, 그 빛은 까마득히 먼 우주 공간을 건너 가까스로 우리에게 왔다는 사실이다.

사람아! 청춘아!

무한한 이상과 그리고 정의에 찬 용기와 정열이 있으면, 누구나 청춘 시절이 되는 법!

저 무한한 우주 공간을 건널 자신이 있는가.

그럴 자신이 있다면 내 글이 오작교의 노둣돌 하나가 되어 줄 수도 있을 터, 그대의 앞길에 건투를!

2007년 여름

서울 삼성동 평석원 B1에서

平石 숲벌래(평호) 씀

vol

min

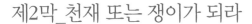

e

제5막_대중적으로, 한국적으로, 세계적으로

max

김벌래 약력 1959 : 국립체신고등학교 통신과 졸업 1959 : 국제무선통신사(2급) 국가자격 검정고시 합격 1960 : 서울 서대문우체국 통신과 1961 : 서울 국제우체국 소포과 1961 : 극단 〈행동무대〉 창립, 대표 1961 : 〈예그린 악단〉 음향 감독 1962~1975 : 동아방송국 제작1부 사운드 디자이너 PD 1975 : 사운드 프로덕션 〈38오디오〉 창립 대표 1975 : 《(주)서울동화》 만화영화 '로봇 태권 V' 사운드 제작, 감독 1976 : 《(주)선우광고》 프로덕션의 라디오 CM, TV CF 오디오 감독 1992 : 《(주)38오디오》 법인 전환, 대표이사 전 : 서울 강남구(삼성2동) 주민 자치센터 운영위원장 전 : 경기대학교 미술대학원 AUDIO IN ART 강사 전 : 서울예술대학 광고창작과 강사 전 : 한국광고연구원 PRO 강사 전 : MBC 방송 아카데미 PRO 강사 전 : 한국방송광고공사 교육원 오디오 강사 현 : 홍익대학교 광고홍보학부 교수 현 : 한국예술종합학교 연극원 강사 현 : 경희대학교 문화예술 경영대학원 PRO 강사 현 :

서막_ 이 소리가 들리나요?

신나는 인생 김벌랩니다. 제 소리가 들리십니까?

이 세상에 쓸모없는 소리가 없으니,

저의 이 너스레도 쓸모는 있겠지요.

김벌래라는 인간이

소리 하나에 목매달고 살아온 세월에 대해서

그 파란만장, 좌충우돌의 사연들을 털어놓아 볼까요?

물론, 언제나 그랬듯 '신나게' 말입니다.

자, 이제 막이 오릅니다.

세계를 상대로 사고를 쳐라

이것 봐!

　　　자존심이란 것은

　　떼었다 붙였다 하는 액세서리 같은 게 아니야.

　　　　　자존심은 있는 그대로의 자기 자신이라고.

　자존심을 버리는 것은

　　　　　자기 자신을 버리는 것과 같아.

　자존심을 버리고 얻은 성과는

　　　　　결코 내가 얻은 게 아니라는 의미야.

　　　• • • 1988년 10월 2일, 드디어 운명의 날이 밝았다. 피말리는 5년 세월을 보냈던 잠실 주경기장과 이별을 고해야 한다. 바로 오늘, 88서울올림픽의 폐막식을 끝으로…….

　　86아시안게임과 88서울올림픽에서 내가 개·폐회식 음향총괄 감독에 위촉된 것이 1984년, 그러니까 내 나이 40대 중반, '소리 일'과 '광고 소리' 작업에 대한 열정과 소신이 한창 고조되어 무르익어 갈 무렵이었다.

19

그것참!

이 대한민국 사회에서 별의별 높으신 대가들이 꽉 틀어쥐고 있다는 '학벌과 인맥', 그 고질적인 한국적 연줄을 제치고, '빽' 없고 '돈' 없고 '학벌'도 없는 이 몸이 그런 작업을 맡았다니, 이 어찌 '금화 김씨' 가문의 경사가 아니겠는가.

얼쑤, 경사났네! 어깨춤이 절로 났다. 이제 내 운도 활짝 피는 걸까, 그동안의 노력이 보상받는 거야, 그런 생각에 처음에는 가만히 있어도 저절로 웃음이 터져 나왔다.

하지만, 얼씨구, 육갑 떨고 자빠졌네. 경사라는 게 어디 함부로 나는 일인가? 내가 그 일을 위촉받는 순간에는, 이후로 고달픈 수련 과정이 5년 동안이나 계속될 거라고는 미처 예상하지 못했다. 지금 생각해 보니, 그건 경사가 아니라 5년간 초상을 치렀다고나 할까. 돌이켜 보면 진저리쳐지는 나날들이었다.

아무튼, 그 고생도 오늘로써 끝이다. 폐회식을 향해 시간은 비몽사몽으로 지나갔고, 해도 뉘엿뉘엿 지면서 결전의 시간이 초조하게 다가오고 있었다. 박세직 위원장을 비롯해 핵심제작팀 사람들도 저마다 걱정이 되는지 나에게 자꾸만 물어왔다.

"〈안녕〉에서 어떤 걸 쓸 거요?"

"아, 새로 만든 거 가지고 연습을 쭉 했잖아요!"

"그래요?"

그랬다. 〈안녕〉이 문제였다. 그로 말미암아 나는 세계를 상대로 엄청난 사고를 치게 된다. 참말로 우습지도 않은 일이지만 사연인즉 이러하다.

88서울올림픽 개·폐회식을 준비하느라 모인 핵심제작팀은 이어령 고문, 표재순 총연출, 유경환 연출, 김상열 극본, 김벌래 음향총괄 등으로 구성되었다.

우리는 이미 86아시안게임에서 '한국 소리'의 위력을 맛본 후였기에, 좀 더 아름답고 완벽하게 다듬어진 '우리만의 소리' 만들기에 몇 년 몇 개월 심혈을 기울였다. 그리하여 88서울올림픽 개·폐회식의 기본 소리 발상에서부터 주제 사운드 제작, 실연 등을 거듭해 가며 완성도를 높였다.

아직도 많은 사람이 기억하고 있는 '굴렁쇠 굴리기'는 개회식 행사 중 하나였다. '에밀레종'의 종소리로 시작한 개회식 오프닝 후 한국인의 저력을 상징하는 〈정적〉의 한 부분이었다.

이어령 선생은 그 장면의 배경음악으로 '적막의 소리, 여백의 소리 — 햇살 가득한 마당에서 느껴지는, 무언가 꽉 찼지만 아무 소리도 안 들리는, 그런 분위기'를 연출해 달라고 했다. 까다롭고도 묘한 주문이었지만, 그럴수록 불타오르는 게 이 김벌래가 아닌가.

나는 굴렁쇠 굴리기 소리로서 햇빛으로 꽉 찬 마당을 연상시키는, '삐이이'하는 이명(耳鳴) 같은 단음의 연속음으로 '우주 공간' 소리를 창작하였다. 소리가 깔리기는 하지만 마치 소리가 없는 듯 적막감을 느끼게 해주는 그런 분위기를 만들었다는 호평을 얻었다. 이어〈혼돈〉에서는 상징적 현대음인 '혼합의 소용돌이' 소리로 평화 화합의 마당을 만들어 냈다.

그런데 개막일을 몇 주 남겨 두고 문제가 발생했다. 성화점화용 음악에 문제제기가 들어온 것이다. 독일에 있는 친구 K에게서 들은 바

서막 — 이 소리가 들리나요?

에 의하면, 현재 독일에 성화점화용 음악과 흡사한 현대음악이 '국외반출 금지'라는 묘한 딱지가 붙은 음반으로 시중에 꽤 여러 장 나와 있다는 게 아닌가.

올림픽 같은 국제 행사에서 만에 하나 저작권 문제로 언짢은 일이 일어나서는 안 될 일이었다. 국외반출이 금지된 음반이라면 그들 나름대로 상당한 전략이 숨어 있는 음반일 터, 일단은 문제의 음반들을 카세트로 복사하여 인편으로 내게 보내주었다.

성화점화 음악과 문제의 음반들을 비교하고자 일단 1차적으로 총감독과 함께 비교 청취해 보았다. 총감독인 표재순 형은 연출 전공 이전에 연세대학 합창단의 베이스 부분을 담당했던 맹렬 음악도이기도 했다. 표재순 형이 내린 결론은, 음색, 진행 형식은 같지만 결정적으로 '표절'이라고 명확히 꼬집어 말할 수 없다는 것이다.

그래도 매사 튼튼! 혹 작곡자가 괜한 오해를 살지도 모를 사안이기에 2차로 핵심제작팀은 모 시간 모 장소에서 비밀리에 모두 모여 재차 비교 청취해 보았다. 청취 결과 각자의 답은 1차 때와 마찬가지였다.

우리는 다시 한 번 여러 경로를 통해 성화점화 음악에 별다른 문제점이 없음을 확인하면서 '소리의 느낌'이 이처럼 미묘하다는 것도 새삼 느꼈다. 음악이라는 장르가 '느낌의 세계'에 속한 장르이고 보면, 각자 듣는 이의 관념에 따라 다른 '느낌'을 감지하는 것이 바로 '음악'이라는 분야가 아닌가. 더구나 현대음악에서 전자, 신시사이저 음악 부분은 음원 구조 특성상 거의 대동소이하게 음색이 표출되고, 반복테마 진행 멜로디만 다를 뿐, 어느 작품에서나 전자 음악이

갖는 악센트나 모티브는 같은 것으로 나타난다는 사실이다.

아무튼, 모두 안도의 한숨을 내쉬었지만 나는 음향총괄 감독으로서 만약의 사태를 대비해야 했다. 그래서 성화점화 음악 대응책으로 '다듬이 소리'를 주제로 한 역동적인 소리 음악을 '채택되거나 말거나' 일단 제안해 보았다.

그것참!

이런 경우가 가끔이나마 있기에 사는 맛이 나나 보다. 뜻밖에도 핵심제작팀이 끽소리 한마디 없이 내 의견에 만장일치로 찬성했던 것이다. 정말 그때 기분은 요즘 아이들 말대로, '쩨지게' 좋은 날이었다.

그도 그럴 것이 이 5년간 나에게 가장 힘들었던 것 중의 하나가 바로 학벌과의 싸움이었기 때문이다. 이건 뭐, 그야말로 전쟁이었다. 서울대학 출신은 서울대끼리, 다른 대학들은 또 자기들끼리 어쭙잖은 전우애로 똘똘 뭉쳐, 자기 부대가 아닌 다른 부대원들은 일단 "그건 좀……"라며 배격하고 보는 것이다. 무(無)학벌인 나의 의견은 제작회의 때마다 사사건건, 일단 '그게 아닌데……'라는 말과 부딪히는 게 관례였을 정도였다.

어쨌든, 나는 성화점화용 '다듬이 소리' 음악의 작곡과 연주를 당시 고2였던 큰아들 태근이한테 의뢰했다. 태근이는 고1 때부터 〈비단뱀(Python)〉이라는 그룹사운드를 만들어, 학교 수업에 지장이 없는 범위에서 음악수련을 겸한 극장 콘서트 연주활동도 종종 하고 있을 때였다.

'The Wall'이란 앨범으로 세계적으로 폭발적인 인기를 얻은 '핑크 플로이드' 그룹의 음악풍에, 다듬이 소리를 주제로 역동적이고 한국적인 정서가 깔려 있는, 소위 '감상용'이 아닌 기능성 작품이 드디어 완성되었다.

저 달가닥거리는 방망이 소리가 과연 무엇이기에
우릴 이처럼 설레게 하는 걸까?
어떤 땐 아스라한 바람 소리처럼 들려오기도 하는가 하면
때론 폭풍처럼 온몸을 휘감으며
고부(姑婦)간의 온갖 갈등과 반목을 서로 부둥켜안고
진저리치듯 떨리는 화합을 향한 혼(魂)의 소리에
이를 뒷받침하는 저 신시사이저의 중저음이야말로
영혼의 입김 그 소리가 아닌가.
이 역동적인 소리는 기(氣)의 용트림처럼 시끄럽게 표면에 와 닿지만
속으로는 고요를 바라보게 하고 침묵을 느끼게 하는 소리다.
저 온 힘을 다해 연속하는 소리는 과연 무엇일까?
바로 사람의 심장 고동 소리일까?

문학 이외에 남달리 '소리'에도 엄청나게 조예가 깊은 이어령 선생은 비단뱀 멤버들의 젊은 감각과 상상력이 "핑크 플로이드를 초월할 정도로 진취적이었다."라며 대단한 칭찬을 해주었다.

또한, 핵심제작팀 전원은 이 다듬이 소리 곡을, 개막식 성화점화 음악의 '스페어'가 아니라 폐막식 중 〈안녕〉의 오프닝 음악으로 확정하였다. 특히 폐막식 후반부 흐름이 조금 지루해질 때 〈안녕〉 중에 수백명으로 조립되는 '오작교 다리 놓기'에 쓰면 지극히 한국적이면서 역

동적이고, 속도감 또한 일사불란한 동작에 적합하다는 의견에 일치를 보았다.

개막식 일주일을 앞두고 조직위원회는 개·폐회식 최종 점검차 시연회를 치르고 40여 명이 넘는 전체 제작단의 평가회의를 열었다.

평가회의가 순조롭게 진행되어 갔다. 폐회식 마지막 부분인 〈안녕〉 대목에 이르자 표재순 총감독이 '다듬이 소리'에 대해 몇 마디 설명을 하려는데, 누군가 기다렸다는 듯 문제를 제기했다.

"지금까지 다 좋았는데, 이런 큰 행사 마무리에 들입다 두들기는 잡소리가 말이나 됩니까?"

오호통재라! 문제의 다듬이 음악이 기어이 도마에 오르고 말았다. 거침없이 이런 발언을 한 사람은 서울대학교 음대 강 교수가 아닌가! '음대 교수'가 한 명도 없었던 핵심제작팀은 순간적으로 감전된 듯 표정이 굳어졌다.

"작품 전체에 혼란만 가져오는 게 아닌가요?"

역시 서울대학교 음대 이 교수가 찬조 발언을 했다.

"아니죠, 이때는 필드에 들어왔던 기본 조명이 전부 꺼지고 서치라이트로만, 다리를 들고 들어오는 수백 명의 길 안내를 하는 상황에다 오작교를 조립하는 시간이거든요."

유경환 감독의 무대 상황 설명이다. 그러자 서울대학교 음대 김 교수의 학자다운 발언이 이어졌다.

"조명이 모두 꺼졌으니까 〈안녕〉이란 포맷에 맞게 조용한 음악이 좋지 않을까요?"

"오늘은 생략했지만 이 상황이 전개될 때 운동장 필드와 트랙 경계선 전체 맨홀에선 줄기차게 불꽃이 솟으니까 '조용'과는 거리가 먼 상황이죠."

김정로 특수효과 총괄의 이러한 상황 설명이 과연 그분들의 머릿속에 그려질까?

"일단 시끄럽다는 것은 음악 행위가 아닌 거죠."

다시 강 교수의 반대론이다. 분위기는 마치 핵심제작팀 대 서울대학교 음대라는 전투 양상으로 흘러가는 것 같았다. 마땅한 소속 부대가 없는 위원들은 눈만 끔벅이고 평가회의장은 긴 침묵이 흘렀다.

그러자 이어령 박사가 서울대 출신임에도 그쪽 부대에 편을 들지 않고 다듬이 소리 찬양론을 문학평론가다운 능변으로 펼친다.

"저는 우리 행사에 꼭 음악으로만 행사를 치러야 한다는 법은 없다고 생각합니다. 우리나라 음악의 기초는 다듬이 장단 그 소리 자체가 기반이 되어 한국의 소리 가락이 완성되었습니다. 우리 고유의 장단이 살아 있는 다듬이 소리는 며느리와 시어머니의 가락이 어우러져서 가정의 조화를 표현하고 대립 관계의 부조화가 점점 조화를 이루어 가는 소리로, 마을, 촌락에서 나라로 이어지며 나라는 아시아, 유럽을 넘어 오대양 육대주 전 세계의 화합의 하모니로 전달되는 우리 소리의 원천이라고 생각합니다."

그러자 역시 강 교수의 반론이 이어졌다.

"글쎄, 그런 문학적이고 추상적인 다듬이 소리 찬양 말씀은 이해가 되지만 행사 음악으로서는 아니라고 생각하는데요!"

"아, 그게 아니죠."

그동안 이런 유의 싸움에 넌덜머리가 났던 나는 그들이 원하는 답을 빨리, 아주 쉽게 제시했다.

"아, 알았습니다. 교수님들께서 말씀하시는 뜻 잘 알았습니다. 일단은 '잡음 같은 다듬이 소리'를 빼고, 대신에 다른 현대 악기 리듬으로 대치하는 방법을 연구해 보도록 하겠습니다."

말이야 그리했지만 속마음은 편치 않았다.

'에라, 학벌은 고사하고 가방 끈이 16년도 아닌 12년짜리 주제에 이 막강한 학벌 패거리들이 말해대는 뜻을 어떻게 알겠어? 힝, 천만의 말씀이다.'

아무튼, 내 답변은 간단명료했다.

"다듬이 소리는…… 쓰지 않겠습니다."

시간도 얼마 남지 않았는데 준비된 음악을 쓰지 못하게 하니 문제가 생길 수밖에 없었다. 하지만, 아무리 무학벌이라지만, 내가 누군가? 어느 세상없는 경우라도 대치할 복안이 있는 게 '소리의 세계'라는 것을, 저분들은 물론 그 누구도 모를 터이다. 이런 위기도 못 넘긴다면, 김평호도 아님은 물론, 산전수전, 시궁창을 지나 청계천까지 건너온 '신나는 괴물 15843호' 김벌래가 아니잖은가!

태근이와 비단뱀들은 고매하신 교수님들께서 새로 내준 과제에 다듬이 소리를 빼고 베이스 리듬으로만 된 과제물을 또 해냈다. 물론 다듬이 소리보다야 극적이거나 역동적이지는 못했지만 새로 만든 음악에서는 그 교수님들이 지적하던 '잡소리'가 일단 없어졌고, 그렇게 된 이상 그 교수님들도 별다르게 짖고 까부는 '찍' 소리가 없으

서막 ─ 이 소리가 들리나요?

27

니 더더욱 조용해서 좋았다.

인생사 무슨 일이든 조용한 것은 말썽이 없다. 오죽했으면 불가(佛家)에선 선행 초심을 묵언(默言)이라 하였겠는가. 이 또한 오묘한 소리의 세계이다.

그것참!

아무튼, 개막식도 끝났다. 그리고 전 세계를 들끓게 했던 보름 동안의 온갖 기기묘묘한 올림픽 경기도 끝났다. 드디어 폐막식의 날이 밝았다.

폭풍 전야란 게 이런 것인가 보다. 나는 묵묵히 음향장비들을 점검하고 확인하고 또 점검하고, 벌써 몇 시간째인가, 오후 내내 그 짓만 반복하고 있었다.

옆에서 내 일을 돕는 자원봉사자들 역시 아무 말 없이 내 주변 일들을 거들고 있었다. 아내 황경자와 큰아들 태근이, 그리고 작은아들 태완이까지 와서 일을 도왔다.

어느 정도 일이 정리되자, 자원봉사자 세 명과 음향감독, 우리 식구 넷은 저물어 가는 서쪽 하늘을 바라보며 자동판매기에서 커피 한 잔씩을 뽑아 들고 조용히 휴식을 취했다.

내 스튜디오 녹음편집 장비를 아예 주경기장 라커룸으로 옮겨, 연출 상황에 따라 시시각각 변동하는 행사 음악과 사운드를 수정하고자 여기서 기거한 지가 몇 달인가.

우리 가족도 모두 자원봉사자로 지원했다. 아내는 나와 두 아들의 끼닛거리를 챙겨 주기 위해서라지만, 특히 두 아들은 올림픽이라는, 한국 역사상 두 번 다시는 없을지도 모를 대이벤트에 음향 실전을 체험하게 하고자 내가 음향 부분에 자원봉사자로 지원하도록 했고 가족들도 쾌히 승낙을 했다. 비록 정식 '제작단 작곡위원'이 아니라 자원봉사원일 뿐이지만, 아버지와 함께 본행사의 '다듬이 음악'을 만든 작곡자로 당당히 참여했다는 사실이 얼마나 의미 있고 신나는 일인가.

아무리 자원봉사라지만 한 가족이 한 분야에서 어떤 한 목표를 향해 함께 일할 수 있는 이런 행운도 좀처럼 흔치 않을 것이다. 물론 능률적인 행사진행을 고려해 한 가족을 한 부서에 배정해 준 조직위의 배려도 고마운 일이다.

머릿속에 떠오르는 이런저런 기억들을 돌이키다 보니, 어느새 행사 시간은 점점 가까워지고 있었다. 비록 말은 하지 않았지만 태근이는 물론 우리 가족들이 나를 보는 눈빛에 비장함이 어리기 시작했다.

"〈안녕〉은 새로 만든 걸로 가는 거예요?"

"그러기로 했잖아요."

시간이 갈수록 초조해지는지 사람들이 자꾸만 내게 물었다. 나를 안다면 아는 사람들이다. 그러니 내가 그냥 물러서지 않으리라고 예감한 듯했다.

드디어 〈안녕〉 프로그램이 시작되었다. 유경환 감독의 '큐' 사인을 받는 순간, 나는 일생일대의 결심을 내려야 했다.

그래, 사고 한번 크게 치자. 소신대로 하는 거야. 그리고 무슨 문제가 발생하면 우리 가족은 자유를 찾아 이민이라도 가버리면 될 게 아닌가. 그래, 사우디아라비아로 가자. 그 나라는 정부에서 전 학년 장학금을 다 대줄 테니 대학 다니래도, 이 핑계 저 핑계로 대학을 안 간다고 들었다. 그러면 이 빌어먹을 놈의 학벌도 없을 테니, 얼마나 행복한 나라인가! 예술가들이 가장 자유로운 지식인으로 대접받는 나라, 그 나라로 가자!

나는 이를 앙다물고 금방이라도 밖으로 튀어나올 듯한 고함 소리를 삼키며 속으로 외쳤다.

"야, 이 개새끼들아, 나는 간다! 우리 식구는 사우디로 간다, 잘 먹고 잘 살아라!"

그러고는 동시에, 새로 만든 A 테이프가 아니라 B 테이프에 준비된, 문제의 옛날 '다듬이 소리' 테이프의 스타트 버튼을 힘차게 눌렀다.

에라, 염병할 자식들아, 난 간다!

신나는 인생 '괴물 15843호'

인생은

　　　수많은 전투가 반복되는 전쟁 같아.

　　오늘은 승리하더라도 내일은 패할 것이

　　　　　　　　　인생 전투 아니겠어?

　이기고 지는 것, 그래서 얻고 잃는 것,

　　　　　　그런 것에 일희일비하느라

　　전투의 즐거움을 놓치지는 말게.

　　　　　　　　전투를 벌인다는 것은

　내가 아직 살아 있다는 증거니까.

　•　•　•"다가따가다가따가……."

　그 넓은 잠실운동장에 청명한 다듬이 소리가 울려 퍼지자, 트랙과 필드 사이 맨홀에서는 불꽃이 분수처럼 솟구치기 시작했다. 역사적인 순간이 전 세계로 생중계되기 시작했다.

　전 세계! 그랬다. 내 행동에 대한 책임은 전 세계를 상대로 짊어져야 하는 것이었다. 이왕 일은 저질러진 것, 무조건 밀고 나갈 수밖에 없었다. 입술이 바짝 말랐다.

　실제로는 몇 초에 불과한 시간이었지만, 내 일생을 몇 번이나 돌아볼 만큼 길게만 느껴지는 시간이 흘렀다. 그리고 드디어 첫 번째 반

서막—이 소리가 들리나요?

31

응이 스태프용 워키토키를 통하여 전해졌다. 표재순 총감독의 목소리였다.

"OK야, 굿! 장내 사운드 좀 키워!"

그 목소리도 떨리고 있었지만 대답하는 내 목소리는 더 떨렸다.

"오, 오케이!"

나는 장내 스피커 볼륨을 평소 연습했던 것보다 3데시벨쯤 더 올렸다. 소리가 커지면 받아들이는 이의 감정 역시 정비례하여 그만큼 더 고양된다는 사실을 그 순간에도 배우고 있었다.

다듬이 소리가 그야말로 질풍처럼 잠실벌을 뒤흔들고 내달렸다. 이미 필드에 입장해 있던 각국 선수단 천여 명의 입에서는 괴성에 가까운 탄성이 터져 나왔다. 사방의 출입문에서는 거대한 뭉치의 특수 조립 장치물들이 일사불란하게 장단에 맞춰 들어오더니, 힘 좋은 장정들에 의해 오작교로 착착 만들어져 갔다.

전광판에는 문창살에 비친 실루엣으로 고부간의 다듬이질하는 모습이 나타났다가 배경으로 깔리는 등 다양한 동영상이 투사되고 있었다. 갑작스레 음악이 바뀌었는데도, 한 치의 오차 없이 상황에 걸맞은 영상이 투사되었다. 5년 동안 생사고락을 함께한 팀워크 덕분인지, 아니면 내가 사고를 칠 줄 미리 알고 준비했던 것인지. 정수웅 영상감독! 소리를 듣는 순간, 동영상을 바꿔준 센스, 정말 대단하고, 정말 고맙소! 정말 그 순간은 스태프 한 명 한 명이 모두 고마웠다.

또다시 워키토키가 울렸다.

"나 평창동인데, 좋았어! 아주 좋아."

이어령 '사부님'이었다. 뒤이어 이런저런 치하의 메시지들이 쏟아져 들어왔다. 그 메시지들에 무어라 대답했는지 기억할 정신도 없었다. 그저 눈앞에 펼쳐진 열광적인 반응이 감개무량할 뿐이었다.

음향조정석은 본부석 맞은편의 관객석 쪽에 오케스트라석과 좌우로 배치되어 있었는데, 각자의 파트별 음향장비를 담당했던, 역전의 용사이자 끈끈한 동료인 조상무, 정해욱, 임학성, 김용기, 김경식, 정광국 등 스태프들은 물론 오케스트라석의 연주자들까지 일시에 자리에서 일어나며 괴성과 환성을 질러댔다.

"괴물 형! 좋아! 크아, 만세다!"

그리고 무엇보다도 감격스러운 찬사는 바로 잠실운동장에 모여 있는 사람들의 반응이었다.

"원더풀!"

"우와!"

필드에 입장해 있던 각국 선수단도 다듬이의 엄청난 랩 사운드와 거대한 오작교 조립 장관에 넋을 빼앗긴 듯 탄성과 괴성을 내질렀다. 운동장이 흡사 들끓는 용광로 같았다.

곧이어 승리를 축하하듯 우렁찬 남성 합창의 뱃노래가 시작되자, 오작교 위에서는 유유히 뱃놀이 무용이 펼쳐졌다.

"어기야디야 어기여차!"

그렇게 세기의 격전이 끝나는 데에는 불과 3분 40여 초도 걸리지 않았다. 사람들의 반응을 보아 이 전투는 완승임이 분명했다. 이것이 '한국적인 것'의 힘이다. 이것이 소리의 힘이다. 그리고 그 힘을 믿은 나의 승리다. 나도 모르게 안도의 한숨을 휴우 하고 내쉬었다.

다행스러웠다. 그래, 천만다행이야. 그러면 우리 가족, 사우디에

이민 가지 않아도 되는 거지! 아무렴! 사우디아라비아가 아무리 좋은 곳이라고 해도, 나에게는 역시 이 대한민국이 최고다.

그 짧은 시간에 모든 체력을 소진했는지 나는 마치 몇 끼를 굶기라도 한 것처럼 온몸에서 힘이 쪽 빠졌다.

지금이야 웃으며 농담처럼 이야기하고 있지만, 당시를 돌이켜 보면 그런 일을 저지르게 된 것은 우선 분노란 감정 때문이었다.

몇 년의 준비 기간을 보내며 그놈의 학벌이 뭔지, 내가 부딪혀야 했던 숱한 차별의 벽 앞에서 그대로 꼬리를 내리고 마무리하는 것은 죽기보다 싫었다. 어차피 내 삶이란 게, 하루하루 목숨 걸고 전투를 치르며 살아오지 않았던가.

내가 B 테이프의 스타트 버튼을 누른 것은 단순히 다듬이 소리를 살리고 싶은 예술적 욕심 때문이 아니라, 학벌 따위로 편 가르고 차별하는 세상에 대한 선전포고였던 셈이다.

하지만, 버튼을 누르고 나니 마음 한구석에서 두려움이 싹튼 것도 사실이다. 생각해 보라. 그런 사고를 치고도 담대할 사람이 누가 있겠는가. 전 세계를 상대로 사고를 친 것이니 말이다.

태근이와 식구들이 옆에서 "아버지, 파이팅!"이라고 외쳐 주지 않았더라면, 어쩌면 난 새하얗게 겁에 질려 내 이성을 놓아버리고 그 자리에 주저앉아 버렸을지도 모를 일이었다. 사실, 당시만 해도 시대가 시대다 보니, 잘못되면 내가 사우디아라비아로 쫓겨 가는 걸로 그치지는 않았을 것이다. 어디 안기부 같은 데로 끌려가서 웬 항명이냐고 고문이나 당하지 않았을까?

그것참!

그렇게 나는 팔자에도 없는 '민주 투사' 대우를 받았을 수도 있었다.

자, 이쯤 되면 내 소개를 해야겠다. 이름 김벌래, 직업은 사운드 디자이너(Sound Designer). 본명은 김평호, 호는 평석(平石)이고, 자신을 '괴물 15843호'라 칭하는 1941년생 남성이다.

나는 꽤 유명한 사람이다. 알 만한 사람은 다 안다고 할 정도로, 지나가는 풍문으로라도 내 이름을 한두 번 들어본 사람이 꽤 많을 것이다. 게다가 김벌래가 이런 일도 하고 저런 일도 했다고 말하면 '아, 그 사람!'이라며 알아볼 만큼은 된다.

요즈음은 내 얼굴을 알아보는 사람도 많다. 얼마 전에 KBS드라마 '눈의 여왕'에 미남 탤런트 현빈의 스승인 괴짜 천 교수 역할로 출연한 덕분이다. '이러다가 나도 한류 배우가 되면 어쩌지?'라는 괜한 걱정도 해본다.

내 본업은 연기가 아니다. 젊었을 적에는 연기에 꿈을 품은 적도 있었지만, 어디까지나 내 본업이자 천직은 사운드 디자이너이다. 사운드 디자이너 김벌래.

자랑삼아 말하자면 대한민국 광고 소리의 90%는 이 김벌래가 만들었다. 나머지 10%? 그건 김도향이나 윤형주, 강근식의 CM송이 차지할 것이다. 병마개 따는 소리에서부터 보글보글 찌개 끓는 소리, 뽀드득 이 닦는 소리, 종소리 등등 2만여 편이 넘는 광고 속 소리는 모두 내 손을 거쳐 '창조'된 것들이다.

Sound, Audio, 이 세상에서 들리는 온갖 '소리' 야말로 내 인생살이에서 가장 가까운 벗이자 동반자, 그리고 세상의 파도에 맞설 수 있게 하는 든든한 무기이다. 또한, 소리는 나에게 단순히 '귀'에 관한 것이 아니라, 사람의 마음, 사람의 본질에 관한 것, 인간적인 어떤 것을 환기하게 하는 그 무엇이다.

이런 생각, 이런 개똥철학을 가지고 여태껏 살아왔다. 광고뿐만 아니라 연극, 영화, 방송, 축전, 이벤트 등 이 나라의 문화, 공연예술 현장 언저리에 빌붙어 사운드 작업을 하면서 달려온 게 어언 40여 년. 미련할 만큼 한결같이 소리 작업 하나만을 붙들고 일생을 보낸 셈이다.

내가 시작할 때만 해도 소리는 사람들이 크게 관심을 두지 않았던, 아예 무시했던 분야였다. 음지라면 음지라고 할 그 분야에서 나름대로 창의성을 발휘하면서 온 정성을 다했고, 그 덕에 이제는 사람들한테 제법 인정받는 위치에 서게 되었다. 말이야 쉽지, 이런 위치에 서기까지 나는 그야말로 좌충우돌, 파란만장의 세월을 감내해야 했다.

그러다 보니 주위 선배들이나 동료한테서 "어디서 너 같은 괴물이 나왔어?", "괴물 같은 놈!"과 같은, 욕 같은 칭찬도 듣게 되었다. 그리하여 그 '괴물'이란 말이 내 별명 중 하나가 되어버렸다.

'괴물 15843호', 여기서 15843이란 번호는, 내가 클 만큼 다 큰 후로 지금까지 계속 키 158cm에 몸무게 43kg 정도를 유지해 왔다는 뜻이다. 키와 몸무게 모두 대한민국 성인 남자의 평균에 미치지 못하는 것은 물론이요, 몸무게는 성인 여성 평균에도 미치지 못한다. 듣자하니 12세 어린이의 몸무게가 그 정도라나? '더 크겠지!',

'더 커야 할 텐데……' 라고 기대했는데 결국 '어라, 안 크네.' 라는 탄식으로 끝났다. 연극계에 있을 때 누군가 나를 놀리기를, 앞에 머리 큰 사람이라도 앉게 되면 나처럼 작은 배우는 가려져 보이지 않게 된다나?

그것참!

그래도 이렇듯 왜소한 몸 때문에 얻은 게 있으니, 본명보다 유명해진, 본명을 대신하게 된 '벌래' 라는 별명이자 예명이다.

사람들은 종종 이렇게 묻는다. "이름이 왜 벌래예요? 본명이에요? 벌레면 벌레지, 벌래는 또 뭐예요?" 그러면 나는 '김평호' 라는 평범한(?) 본명을 말해 주고 "평호도 좋지만 벌래가 나한테 더 어울리지 않아?" 라고 되묻는다.

벌써 40여 년 전 내가 한창 연극판을 누빌 때, 연극인 이해랑 선생님께서는 "조그만 녀석이 여기저기 안 보이는 데 없이 벌레처럼 발발거리고 돌아다닌다." 라고 하시면서 내게 '벌레' 라는 별명을 붙여 주셨다. 존경하는 분께서 하사하신 이름인데, 황공한 마음으로 즐겨 썼더니, 아, 이게 본명을 대신해 버린 거다.

이왕에 일이 그렇게 된 것, 벌레를 벌래로 고쳐서 지금껏 쓰고 있다. 벌레는 듣기에도 좀 징그러우니까 말이다. 벌래나 벌레나 그게 그거라고? 무슨 소리! 아 다르고 어 다르다고 하지 않나. 특히나 내 직업이 소리니, 더더욱 민감하게 따질 수밖에 없다.

평석(平石)이라는 호에 담긴 사연을 이야기하자면 한 40년쯤으로 거슬러 올라가야 한다.

내가 돌에 관심을 두게 된 것이 1969년 11월 1일, 그러니까 김벌래와 황경자가 이해랑 선생의 주례로 가시버시 혼례를 치르면서였다. 지금 강원도 평창에 있는 목공예가 이규석 씨가 결혼 축하 선물로 아기 밥사발만 한 돌멩이 하나를 주었는데, 그게 인연인지 자꾸만 수석에 관심이 가는 것이다.

그래서 수석 동호인 모임인 '연석회(然石會)', '석통회(石通會)'에서 매 주말 탐석하러 갈 때 따라갔는데, 강가에서 쉴 때 보면 사람들은 영락없이 평편한 돌을 주워 깔고 앉는다. 그래서 '나도 저 돌처럼 평편하게 살자.'라는 생각을 했고, 그 생각이 평석이라는 호로 굳혀진 것이다. 나중에 석통회 회장, 서울수석연합회 이사라는, 돈만 쓰는(?) 감투까지 쓰게 되었으니, 이처럼 어울리는 호도 없을 것이다.

이 정도 소개면 나에 대해서 수박 겉핥는 정도는 되겠다. 진짜 내 이야기는 이 원고가 끝날 때까지 계속될 터이다.

그렇다, 나는 지금 나, 김벌래, 김평호의 이야기를 글로 쓰고 있다. 이전에도 책을 한 권 쓰기는 했다. 하지만, 그것은 어디까지나 학생들에게 소리를 가르치기 위한 교재용으로 만든 것이다. 몹시 자유로운 형식으로 써서 보통 교재와 다르기는 했지만.

아무튼, 언젠가는 자기 인생에 대해 돌아볼 필요가 있지 않나 싶었는데, 이렇게 글로써 그런 기회를 만들게 되었다.

예전에 어느 인터뷰에서 토로했듯, 2만여 편의 광고 작업을 하면서도 그게 다 '남의 집 좌판에 매달려 오직 그 집 장사 잘되라고 한 것'이라는 생각에 가슴이 허할 때가 잦았다. 이제 슬슬 좌판 걷고 퇴근할 준비를 해야 할 나이가 되다 보니, 무엇이라도 남겨야 하겠다는 생각에 자꾸 조바심이 난다.

한평생 '소리쟁이'였으니, 세상 사람들에게 들려주고 싶은 소리도 아직 많고, 만들어야 할 소리, 기록해야 할 소리도 너무 많다. 그런데 굳이 이렇게 글로 쓰는 것은, 이전에 내가 만들었던 소리와는 달리 온전히 김평호, 김벌래라는 인간 그 자체에 대해서 이야기하고 싶기 때문이다.

'흥, 잘난 척 좀 하겠구나.'라고 생각하면 맞다, 정답이다. "김벌래 같은 사람도 이렇게 잘나게 살았으니, 당신들도 좀 잘나게 살아봐!"라며 건방을 떠는 이야기다.

'김벌래 같은 사람'이란, 가진 것도 없고 '빽'도 없고 사실, 잘난 것도 없는 사람이다. 가슴속에 절절한 사연 하나쯤 없는 사람이야 없겠지만, 내 인생도 참으로 구구절절하다. 넉넉하지 못한 집안에서 태어나 자라온 이야기는 온통 가슴 아픈 사연뿐이고, 학력이라고는 국가에서 후원하는 기술고등학교를 간신히 끝낸 게 전부다. 그렇게 보잘것없는데, 이놈의 세상은 그런 사람에게 더더욱 가혹하다.

가혹한 세상에 맞서다 보니 내가 살아온 하루하루는 목숨을 건 전투였다. 그래, 인생은 전쟁이다. 아니, 전쟁보다 더 극한의 상황을 매일 겪어내야만 살아남는다. 나는 그런 전투를 수없이 겪어내면서 여기까지 왔다.

그러다 보니 나도 세상에 대해 할 말, 해줄 말이 많다. 그래서 이렇게 글을 쓴다. 부디 '잘난 척'이 아니라 '잘나지 못한 사람이 잘나게 살려면 얼마나 준비하고 노력하는지를 말하는 것'으로 생각해 주었으면 좋겠다.

자, 그럼 이제 본격적으로 너스레 한번 늘어놓아 볼까.

그것참!

미리 말해 둬야 할 게 있다. 이 김벌 아무개 이야기를 하면서 광고 이야기를 빼놓을 수는 없다. 수를 헤아릴 수 없을 만큼 광고 작업을 많이 했기 때문이다. 그러다 보니 특정 상품 이야기를 할 수밖에 없는데, 내 양심을 걸고 말하건대 절대로 간접광고가 아니다. 나는 떳떳한데, 조금 마음 쓰이는 구석이 있다.

우리 '주님들'(광고주를 우리는 이렇게 부른다) 중에 "경쟁 회사는 나오는데 우리 회사는 왜 안 나와?"라고 언짢아하실까 봐 그게 걱정이다. 글만 봐도 어느 회사인지 알 만한 것은 A회사 B회사 식으로 눈 가리고 아웅 해보았자 별 소용이 없을 것이다. 그렇다고 해서 '이 광고를 했으니 라이벌 회사 광고 이야기도 해야지!'라는 식으로 모든 광고를 다 적을 수도 없는 노릇이다.

주님들, 이 김벌래는요, 소주 마시러 가도 소주를 종류별로 다 시키거든요. 소주회사 광고주께서 "김벌래가 우리 회사 소주는 안 먹더라."라는 식으로 섭섭해하시면 안 되잖아요. 그렇죠?

제가 이런 사람입니다. 그러니 광고 이야기에 자기 제품이 나오지 않는다고 해서 괜히 오해하시거나 하여 제 밥줄을 끊지는 않으시겠죠, 네?

(사)WELCOME TO KOREA 이사 김벌래가 한 일
들 1962~1975 동아방송 라디오 드라마, CM 음향
효과 제작 PD 1975 만화영화 '로봇 태권 V' 사운
드 제작 감독 1982 미국 국제에너지 박람회 한국관
사운드 총괄 제작 1985 일본 국제박람회(쓰쿠바)
한국관 사운드 총괄 제작 1986 한국 SITRA 박람회
(서울 코엑스) 기아, 쌍용관 사운드 제작 감독 1986
제10회 86아시안게임 개·폐회식 사운드 총괄 제
작 감독 1987 '짚단 87' (사운드를 위한 총체연극)
중앙국립극장 작, 연출 1988 제24회 88서울올림픽
개·폐회식 사운드 총괄 제작, 감독 1990 제42회
국군의 날 행사 기획, 사운드 제작 연출 1991 제17
회 세계 잼버리대회 개·폐회식 사운드 총괄 제작
감독 1993 대전 세계엑스포93 개·폐회식 사운드
음악 및 컴퓨터 사물놀이 제작, 연출 – 엑스포 정
부관 '달리는 한국인' (70m/m 영화) 서라운드 음향
제작 – '20세기 최후의 음악' (한국의 생활도구를
이용한 음악공연) 작곡, 연출 – 엑스포 전 기간 '불
꽃놀이' 주말, 축제일별, 사운드 음악 제작, 불꽃

제1막_소리에서 길을 찾다

한때는

'죽느냐 사느냐?' 라던 햄릿, 심순애에 배신당한 이수일,

이런 무대 위의 배우를 꿈꾸었습니다.

그런 제가 소리로 성공할 수 있었던 것은

타고난 재주가 있었거나 운이 좋아서도 아닙니다.

오로지 소리 하나하나에 쏟은 정열과 노력의 힘입니다.

제가 '천재', '괴물' 등의 별명을 얻기까지

'맨땅에 헤딩' 한 이야기를 모아 보았습니다.

무대 뒤에서도 주인공이 되자

직업에 귀천이 없다는 말,

　　　　정말 그렇게 생각하는 사람은 아무도 없을걸.

　　다만, 직업의 귀천이

사람의 귀천을 의미하지는 않지.

　　　　　　귀한 직업을 가진 천한 사람은 여의도만 가도 수두룩해.

　　　아무리 천하고 사소한 일이라도

당당하게 온 정성을 다해야지.

　　　　그게 진정 스스로 존귀해지는 길이야.

• • • 때는 1958년, 새파랗게 어린 고등학생 시절이었다.

나는 너무나 연극이 하고 싶었다. 내가 인생과 미래에 대해서 생각하기 시작하면서부터 내 머릿속에는 온통 연극뿐이었다고 해도 과언은 아니었다.

그래서 시간만 나면 명동으로 나가 기웃거렸다. 당시 을지로 입구에 있었던 원각사나 명동 국립극장에서 정식 정통 연극을 표방하면서 '쟁이'를 찾고 있었기 때문이다.

그러던 어느 날 명동 국립극장 사무실 벽에 '제3기 배우 연구생 모집'이란 B4 크기의 쪽지 방이 붙었다. 후진 양성을 하고자 '연구생'

이란 명목으로 배우를 모집하는 '쪽지광고' 였던 셈이다.

옳다구나! 이건 바로 나를 찾는 쪽지 방이 아닌가! 나는 가차없이 극장 벽에 붙어 있던 쪽지 방을 모조리 뜯어내 뒷주머니에 쑤셔 넣었다. 다른 사람이 이 쪽지를 보고 응모하는 불상사(?)를 아예 막아버리겠다는 치기 어린 생각이었다.

그것참!

연극을 하고 싶은 욕심은 너무나 절절했고 앞뒤, 물불을 가릴 만큼 머리가 굵지는 못할 고2 때였으니, 그따위 짧은 생각밖에 더 나오겠는가.

면접차 찾아들어 간 극장 사무실 안엔 여러 명의 어른이 대본을 들고 무슨 연극인가 연습을 하던 중이었다. 이 작은 덩치가 들어서자 모두 나를 의아하게 쳐다보았다.

"무슨 일인가?"

"요 앞에 써 붙인 배우 연구생 모집을 보고 왔는데요."

"배우 하려고?"

"…… 네."

그때 내 모습이 얼마나 기가 찼던지 장내는 쥐 죽은 듯 조용해졌다. 사실, 작고 보잘것없는 내 외모도 외모였지만, 모집 규정에 학력이 고졸 이상으로 되었으니, 재학 중인 나는 아예 모집 자격에서부터 실격이었다.

자격 미달이면 또 어떠랴, 마치 연구생으로서 당연히 해야 할 일을 하는 것처럼 나는 다음 날도, 그다음 날도 극장 사무실을 무작정 찾아갔다. 일요일엔 아예 극장 연습실로 출근해 청소부터 했다.

얼굴에 철판을 깐 정성(?)이 통했을까? 처음에는 어색하게 굴던 극장 사람들도 그렇게 며칠이 지나자, 나를 볼 때마다 유쾌하게 한 바탕 웃으며 반겨 주었다.

"어? 명배우 또 왔네!"

그리하여 나는 졸지에 '명배우'의 반열에 접어들게 되었다.

나중에 보니, 극장 벽에는 '배우 연구생 모집'이란 쪽지 방이 새로이, 그전보다 더 큼지막하게 붙여졌다. 나는 힐끗힐끗 곁눈으로 바라만 보고 지나칠 뿐, 굳이 그 쪽지 방을 뜯어버리겠다는 생각은 하지 않았다.

그런데 얼씨구, 이게 어찌 된 일인가, 극장 측에서 무슨 연유인지 3기생 모집 계획이 전면 무산되면서 아예 '연구생' 제도가 없어지게 된 것이다. 학력 미달로 '연구생 배우 응모' 자격도 아예 없던 나에게는 그런 경사가 없었다. 정식 연구생이 들어와 내 자리가 위태로울 일이 없어진 것이다.

덕분에 나는 극단에서 확실히 자리를 잡을 수 있었지만, 그렇다고 '명배우' 대접을 받은 것은 아니다. 오히려 배우로서는 푸대접을 받았다.

"버러지, 너희 집에는 색경(거울)도 없어?"

"예?"

"그 꼬라지로 무슨 배우를 하겠어?"

이해랑 선생님이나 유치진 선생님은 나를 볼 때마다 이렇게 늘 면박을 주셨다. 내가 몸집이 작아 배우가 될 '꼬라지'가 아니므로 연극에 대한 정열이 있으면 스태프나 연출, 극작 쪽을 맡으라는 말씀이셨다.

꿈이란 게 그렇게 쉽게 버릴 수 있는 것은 아니지만, 내가 하고 싶은 일만 가려서 할 처지도 아니었다. 모양새야 어떻든 나에게는 극단에서 일하는 것 자체가 행운이고 행복이었다. 아무 정해진 보직도 없이 그저 극단 '잔심부름꾼'에 불과할지라도, 나에게는 '무대 뒤의 주인공'이라는 값진 배역이었다.

아무튼, 나는 이해랑, 이진순, 박진, 이원경, 유치진, 이기하, 조희영, 그야말로 연극계의 하늘 같은 선생님들께 귀여움을 받으면서, 선생님들이 하시는 〈국립극단〉, 〈신협〉, 〈민극〉, 〈여성국극단〉, 〈드라마센터〉 등에서 다양한 연극 일에 동행, 동참할 수 있는 행운을 얻었다.

아들처럼 동생처럼 나를 귀여워해 주셨던 분들, 최고령이셨던 변기종 어르신, 김동원, 최상현, 김성옥, 이순재, 김동훈, 고설봉, 강계식, 박상익, 최명수, 조항, 신영균, 백성희, 진랑, 정애란, 이순, 조희자, 오현주, 나옥주 등등의 분들이 새삼스럽게 옛날을 그립게 한다.

연습 때는 물론 공연 때에도 이분들의 잔심부름에서부터 별별 일을 다 하며 극장 무대에서 시간을 보냈다. 고등학생의 신분으로 학교 시간 이외의 시간은 거의 연극 무대에서 보냈다고 해도 과언은 아닌 셈이다.

비록 잡일이지만 내 생애에서 극단 일을 위해 이처럼 전력투구한 시절도 없을 것 같다. 덕분에 나는 이해랑 선생님에게서, '평호'라는 본명 대신 일생 달고 다닐 별칭인 '벌레'라는 이름을 하사받게 되었다. 그때가 연극 일을 시작한 지 1년이나 지났을까, 한창 전문 심부름꾼으로서 신임을 받고 일할 때였다.

그즈음에는 나도 연극이나 예술이 이따위로 생긴 거구나 하면서 듣고 보고 배워 제법 눈과 귀가 틔고 있을 무렵이었다. 일도 손에 꽤 익숙해져서, 무슨 연극이든 공연이 진행될 때면 프롬프터 박스(Prompter Box)에 숨어서 배우에게 첫 대사를 던져 주는, 소위 '대사 커닝'을 돕는 프롬프터 일에서부터, 무대 세트 뒤에서 대기하면서 '영원한 사부' 심재훈 선생님의 일을 도와 음향효과를 내기도 했다. 또한, 다음 막(장)에서 필요한 소품과 소도구들을 암전 중이나 막간에 재빨리 자리에 배치하는 막중한 임무까지 수행했다.

"어이, 평호 군, 다음 3장에 쓸 전화기하고 술잔 갖다 놓았지?"

"네, 벌써 갖다 두었고요, 테이블 밑에 술병도 하나 스페어로 놓아 두었습니다."

"술병?"

공연을 하다 보면 어떤 돌발적인 사태가 벌어질지도 모르니 미리미리 준비해 두자고 한 짓이다.

아무도 알아주지 않는 무대 뒤의 심부름 일이었지만, 그것도 '내일'이었다. 내가 정말로 하고 싶어 한 내 일이었기에, 누가 딱히 시키지 않아도 스스로 일을 찾아서 했던 것이다. 그리고 그것을 알아주는 사람도 있었다.

"술병 스페어까지? 히야! 벌러지만 한 놈이 정말 벌러지처럼 잘 기어 다니네. 어이구, 이쁜 벌러지! 잘해, 그놈 참!"

이해랑 선생님은 그 후 나를 찾으실 때면 늘 "어이, 버러지!"라고 다정다감하게 부르셨다. 그러니 신협이나 다른 극단의 어르신, 선배님들은 물론 연극계 동료까지 나를 부를 땐, 본명보다는 훨씬 재미

있는 '야, 벌러지', '어이, 버러지', '벌레 형!' 아니면 '벌레 킴' 으로 부르기 시작했다.

듣기에 그다지 어감이 좋은 말은 아니었지만, 그래도 칭찬인데 당연히 나는 어깨에 힘이 들어갔다. 특히, 거의 비슷한 시기, 같은 또래에 똑같이 연극 스태프 일에 입문한, 소위 '젊은 스태프 4인방' 인 유경환, 김상열, 이영식이 암만 앞에서 알짱거려도, 어르신이나 선배들이 담배 심부름이나 무슨 일을 시키려면 으레 "어이, 버러지 어딨어?" 라고 굳이 나를 찾았다.

'젊은 스태프 4인방' 은 김상열(극작, 연출), 유경환(무대감독, 연출), 이영식(방송PD, 이벤트 연출), 김벌래(38오디오 대표, 사운드 디자이너) 로, 네 명이 모두 1941년생 뱀띠 동갑내기에, 원적 또한 공교롭게 모두 이북 개풍군 '개성' 일원 출신들이다.

군대도 그렇고 어느 조직 사회나 마찬가지겠지만 특히 예술계에서는, '박박 기는 쫄따구' 시절 어르신이나 선배님들이 그 많은 식구 중에서 굳이 내 이름이나 별명을 불러 찾는다는 사실이 다른 또래 졸병들이 볼 땐 엄청난 선망의 대상이었다.

그렇게 지내다 보니, 본명 '평호' 는 서서히 뒤쪽으로 물러나기 시작했고, 그 자리를 이해랑 선생님께서 지어 주신 희대, 불후의 명작명인 '벌러지' 가 대신하게 되었다.

그것참!

정식 예명도 아닌 별명이 일생 동안 자리 매김할 줄을 그 누가 알았겠는가.

지금의 김벌래는 '벌러지' 에서 '벌레' 로 쓰이다가, 방송국 일을 하면서 '벌레'가 징그러운 것 같아, 발음상 비슷한 '래' 자로 표기했을 뿐, '레'나 '래'나 별다른 의미는 없다.

1958년 말 즈음이었을 것이다. 국립극장 연구생 출신들인 노덕삼, 문명철, 김인태, 정일성, 윤계영, 김순철, 이진수, 정욱, 오지명, 김상순, 최불암, 이치우, 김금지, 노경자 등등이 주축이 된 동인극장(同人劇場)이 창단되면서, 국립극장 쪽의 선생님들께서 배려해 주신 덕분에 나는 동인극장 전속 심부름꾼 스태프(?)로 길을 넓히게 되었다.

그런데 1959년 나는 국제무선통신사 제2급 자격 검정고시에 합격하면서 국립 체신고등학교를 국비로 졸업했고 그 이듬해에는 그 막강한 위력으로 '육상 공무원'이 되었다. 같이 졸업한 동기생 대부분은 국제해운항로의 국제화물 선박이나 항공회사에 통신사(通信士)로 발령, 취업했지만 나는 '연극'이라는 꿈 때문에 해상이 아닌 육상 근무를 극구 고집했다. 그래서 '육상 공무원'이란 말이 한때 우리 동문 간에 유행하기도 했다.

나는 체신부(지금의 정보통신부)의 공무원으로, 육상인 서울 서대문우체국 통신과에 발령을 받아 '똔스돈돈, 돈돈스 똔……'라는 모스(Morse)부호로 '전보'를 중앙전신전화국에 착·발신하는 통신업무를 맡게 되었다.

일단 직장인이 되고 보니 고등학생 때처럼 극장, 연극 일에 참여하는 것에 일일이 마음 졸이지 않아도 되어 한결 마음이 편했다.

왜 그런 멍청한 교육정책으로 일관했는지는 잘 모르지만, 당시에는 고등학생 신분으로 극장이나 영화관에 출입하는 것은 이유 여하를 막론하고 무조건 금지했고, 만약 출입하다가 교외 선도훈육 교사한테 발각이라도 되는 날이면 근신과 정학 같은 처벌을 호되게 당해야만 했다.

그런데 내 경우, 이건 구경도 아니고 아예 극장에서 살다시피 하는 학생이 아닌가. 한때 남영동 성남극장에서 김홍근 체육선생님께 들켜 2주간 정학을 받아본 적도 있었으니, 극장에 출입하기가 여간 마음 졸이는 게 아니었다.

하긴 내가 정학을 받았다고 해서 얌전히 있을 리는 만무했다. 물론 약간은 반항심도 섞인 오기였겠지만, 나는 정학기간 동안 등교할 일도 없으니 아예 '자빠진 김에 쉬어가'는 심산으로, 일곱 시 기숙사 아침 식사가 끝나면 전차를 타고 종로 쪽으로 나와 신세계영화관, 동영극장, 경남극장, 화신극장, 우미관, 계림극장, 광무극장 등등에서 조조할인으로 시작해 '2본 동시상영!'이라는, 즉 한 번 입장으로 두 편의 영화를 볼 수 있는 극장만을 찾아다녔다. 내 딴에는 더 많은 식견을 넓힌다는 명목으로 거의 매일 네다섯 편씩, 제목을 다 못 외울 정도로 엄청나게 많은 영화를 보았다.

그러고 보면 요즈음은 얼마나 좋은 세상인가? 그 서슬이 시퍼렇던 호랑이 선도훈육 선생님도, 그 누구도 뭐랄 사람이 없는 세상이 되었다. 아니, 이 바쁜 세상에 어떤 놈이 눈치 보며 굳이 극장까지 가나? TV가 있어 주말의 명화도 내 마음대로고, 케이블TV 영화 채널은 24시간 노다지 영화 아닌가. DMB로 아예 극장을 들고 다니면서 보는가 하면 휴대폰에서까지 영화를 다운로드 받아 이불 속이든 화장실이든 내 맘대로 즐기는 세상이 되었다.

우라질! 내가 학생이던 그 시절에는 '보호' 라는 명목으로 감시와 규제만 일삼았으니, 한껏 자유롭게 키워 나갔어야 할 상상력, 창의력이 얼마나 제약받고 메말라 갔겠는가? "좋은 배우가 되려면 공부도 소홀히 해서는 안 된다."라고 하는 선배님들의 말씀이 없었더라면 그까짓 학교 공부, 중도에 포기하고 말았을지도 모른다.

그것참!

어쨌거나, 용케도 고교 3년 동안 국비로 공짜 기숙사 밥을 먹으며 기술까지 익혔고, 덕분에 평생 밥걱정할 필요 없는 소위 '철밥통' 공무원까지 되었으니, 참으로 고마운 고교 시절이라 할 수밖에.

취업 시에 지켜야 하는 조건이 붙어 있었는데, 졸업 후 최소한 3년 동안 전공 해당 부서에서 의무복무를 해야만 하는 것이다. 의무복무 3년 이후에 연장할 것인가는 본인 결정에 달렸다. 이러한 조건이 붙은 까닭은 6·25 전쟁 이후 전문 인력이 워낙 부족했기 때문이다. 그래서 국가에서 전문 인력을 양성해 3년 의무복무 규정까지 두어 가면서 나라를 재건해야 했던 시절이었다. 어쩌면 오늘날의 대한민국이 있는 것도 모두 국비 고교인 체신, 철도, 사범, 이 세 학교 덕분이 아닐까 하는 생각이 들어, 그때 그 대열에 낀 내가 자랑스럽기까지 하다.

아무튼, 대한민국 전체가 가난했던 '보릿고개' 시절에 일단 밥걱정은 해결할 수 있는 좋은 일터가 생겼으니, 연극 일도 더 열심히 할 수 있지 않겠는가. 이 얼마나 행복하고 신나는 일인가.

두 가지 일을 동시에 하려는 마음을 먹은 것을 보면 나도 어지간히 겁이 없었던 모양이다. 앞뒤 가리고 계산하기에는 내가 아직 어려 철이 덜 들었기 때문일 것이다.

하지만, 나는 그 철없던 무모함을 조금도 후회하지 않는다. 당시의 나에게 연극은 그토록 갈망하던 꿈, 그것도 눈앞에 잡힐 듯이 보이는 꿈이었다. 그리고 꿈을 향해 달려가는 것, 나는 그것이야말로 지금껏 나를 지탱해 주는 힘이라고 생각한다.

일을 '돈벌이'로서가 아니라 '내 일'로서 받아들이는 것, 그게 바로 힘이다.

힘쓴다는 게 뭐 별거 있나!

우연한 기회는 인생을 바꾼다

기회가 오더라도

　　사람들은 그게 기회인 줄도 모르지.

　그래서 준비하는 사람만이

　　　　그 기회를 붙잡는 거야.

　　　　　　　'우연한 기회'라는 것,

　복권이나 도박 같은 것이 아니야.

　　　　　　준비하고 노력한 사람에게 오는 선물이지.

　　　　• • 나는 낮에는 공무원 일을 하면서, 1961년에는 극
단 '행동무대'를 창단해 극단 대표로서도 활발히 활동했다. 공무원
으로서의 일과가 끝나거나 어쩌다 틈이라도 생기면 나는 곧장 무대
로 달려가 연극 일에 몰두하고 있었다.

　그러던 어느 날, 나를 본격적인 소리의 길로 접어들게 한 계기를
우연히 만나게 되는데, 그것은 바로 방송국 성우 모집 공고였다.

　인사동 MBC에 이어 동아일보사에서도 민간 상업 방송국인 동아
방송국을 설립했는데, 1963년 개국을 대비하여 시험 방송을 송출하
는가 하면, 각 분야의 방송 요원을 충원하면서 제1기 전속 성우도 모

집하고 있었다.

나는 이 성우 모집 공고를 보는 순간, 내 진로를 놓고 고민에 빠져들었다. 아무리 좋아하는 연극 일이지만 일단은 '나에게 어떤 비전을 주는가?'라고 새삼스럽게 냉정하게 따져 보았다.

첫 번째로는 기술학교 출신이라 전문연극 일을 하는 데에 기초 철학 공부가 달린다는 것, 두 번째로는 아무리 극단 대표라고 해도 별 인맥도 없이 심부름꾼에 불과한 혼자라는 것, 세 번째로는 그냥 연극이 좋아 젊음의 열정을 다 쏟아 가면서 무작정 한곳만 바라보며 달려가는 것에 조금씩 불안감이 생기기 시작했다는 것, 네 번째는 아무리 온갖 노력을 다해 보았자 경제적으로 아무런 도움을 얻지 못하고 계속 배가 고프다는 것이다.

아, 어찌하오리까?

연극은 내가 정말 하고 싶어 하는 일이고, 공무원은 평생 밥걱정할 필요가 없는 좋은 직장이다. 하지만, 아무런 연관성도 없는 두 가지 일을 제대로 해내기에는 내 능력이 부족했다. 무엇보다도, 공무원과 극단 대표라는 이중생활을 계속하다가는 결국 두 마리 토끼를 모두 놓치고 말 것이라는 불길한 예감이 나를 괴롭혔다. 이렇게 아무 연관도 없는 두 가지 일을 동시에 진행하는 생활을, 내가 언제까지 버틸 수 있을지 도무지 자신이 없었던 것이다.

밥벌이 직업을 바꿀까? 그래도 성우라는 직업은 연극과 직접 연관도 있고 방송국에 직장도 생기잖아. 아냐, 직장이 내 맘대로 들락날락할 수 있는 것도 아닌데, 만약 아차 하는 날이면 평생을 후회할 것이 아닌가.

이렇게 우왕좌왕하는 생각들로 며칠 동안 골머리가 빠개지는 것 같았다. 그렇게 고민을 거듭하면 할수록 내 마음은 왠지 성우 쪽으로 기울기 시작했다. 성우가 공무원만큼 안정적인 직업은 아니겠지만, 돈을 벌면서도 연극 공부에 도움이 될 수 있는 직업이기 때문이었다.

무엇보다도 성우 역시 배우라는 사실이 내 마음을 사로잡았다. '사람 인(人)' 변에 '아닐 비(非)' 자가 합쳐진 자가 '배(俳)' 자이고 보면, '사람도 아닌 사람', 바로 가짜 사람, 대본에 의해 만들어진 사람이 배우(俳優)의 '배' 자인 셈이고, '우(優)' 자 역시 '사람 인(人)' 변에 '근심 우(憂)' 자가 합쳐진 글자이다. 글자 풀이를 해보자면 '사람도 아닌 가공의 인물이 사람들의 온갖 근심 걱정을 하는 모습을 몸소 대신 보여 주는 것'이 바로 배우라는 직업이다.

성우(聲優)는 '귀〔耳〕' 자 위에 '소리〔聲〕' 자이니 몸짓이 아닌 소리, 즉 '오로지 소리로 사람 걱정을 하는 것'이 성우(聲優)라는 직업이다. 다시 말해 성우는 인간을 걱정하는 모습이 직접 보이지 않고 '소리'로만 관객에게 전달하는 'Voice Actor'라는 것이다.

아무튼, 두 직업 모두 '사람을 걱정'한다고 함은 즉, '사람을 재창조해 내는 예술 작업'이라는 의미이다. 그렇다, 성우라는 직업이야말로 내가 진짜 가야 할 최적의 전공 분야이지 않은가. 내 작은 '꼬라지'를 타인에게 보이지 않아도 되니 말이다.

그래, 연극배우도, 영화배우도, 일단은 말(聲)을 하는 배우에서 출발하지 않는가. 이런 사실이 공무원직을 포기해야 하는 내 착잡한 마음을 한결 가볍게 해주었다.

제 1 막 — 소리에서 길을 찾다

드디어 성우 모집 응모 마지막 날이 되었다. 온종일 근무를 어떻게 했는지 아무 기억도 나지 않았다. 이날도 얼마나 망설였던지.

나는 접수 마감 시간이 다 되어서야 서대문 우체국에서 광화문 동아일보사까지 아무 생각 없이 터덜터덜 걸었다. 그리고 아무 생각 없이 응모원서를 접수했다. "맨 끝 번이십니다."라는 접수 담당자의 말이 어렴풋이 들려왔다. 그리고 내 원서를 끝으로 동아방송 제1기 전속 성우 모집 접수창구의 문이 닫혔다.

그것참!

며칠 후 동아방송은 놀랍게도 총 2천여 명이 넘는 응모자 중 서류 심사에 합격한 8백여 명을 대상으로, 고작 20여 명의 전속 성우를 선발하고자 성우시험 1차 면접을 드라마센터에서 벌였다.

그 8백여 명은 나와 안면이 있는 젊은 연극배우들이 대부분이었다. 하지만, 이날만큼은 연극 동지가 아니고, 방송국 측에서 나누어준 대본으로 '대사 구현' 능력을 평가받아야 하는 경쟁자였다.

각자 대본을 읽으면서 자기 차례를 기다리느라 그 좁은 공간은 와글와글 몹시 시끄러웠다. 나는 접수번호가 맨 끝 번이니 당연히 시험 순서도 오후 맨 나중이었다.

점심시간 후 난 방송국에서 나눠준 대본을 큰 소리로 열심히 연습하며 내 차례를 초조하게 기다리고 있었다.

그런데 그때 기적과 같은 행운이 내게 일어났다. 그 북적대는 응시생들의 면접 차례를 안내하던 분이 나를 발견하는 순간 희색이 만면해 내 손을 덥석 잡는 게 아닌가.

"어, 이게 누구야, 버러지 아냐?"

"아니, 심 선생님!"

바로 나의 '영원한 사부님' 이신 심재훈 선생님이셨다. 심 선생님은 서울대학교 사범대학 출신으로, 유치진 선생님의 처남 되시는 분이다. 당시 '신상옥 사단' 으로 유명한 신(申) 필름에서 영화 음향효과를 담당하셨고 충무로 청맥녹음실을 통해 '한국영화 음향효과의 대부' 로 이름을 날리셨다. 나는 극단 신협에서 음향 스태프를 담당할 때 선생님을 모시고 심부름꾼 노릇을 한 인연이 있었다.

"여긴 웬일이야?"

"성우 시험 보려고요. 맨 끝 번이네요."

"그래? 알았으니까, 나 좀 따라와 봐!"

나는 얼떨결에 심 선생님을 따라 면접장 한쪽 옆방으로 들어섰다. 그 방에는, 점심을 마치고 오후 면접 평가를 위해 방송국 시험관인 최창봉, 조동화, 김경옥, 안평선, 이윤하, 임영웅 등등 여러 분이 대기하고 계신 방이었다. 동아방송에는 개국을 준비하고자, 최창봉 국장을 비롯해 극단 제작극회에서 활동하던 연극인들이 대거 사원으로 근무하고 있었다. 평소 자주 보던 연극 선배들은 아니었지만 같은 소극장 운동을 하다 보니 안면은 충분히 익힌 사람들이었다.

쭈뼛쭈뼛 엉거주춤 따라 들어가는 나를 향해 심 선생님은 일행들에게 큰 소리로 외치듯 말했다.

"여기서 드디어 버러지를 잡았어! 끝 번이래요. 허허."

"끝 번? 성우 시험 보러 온 거야? 야, 다 집어치우고, 내일부터 방송국 제작부로 출근해!"

최창봉 국장님 특유의 허스키한 목소리가 나를 순간적으로 굳어지게 했다.

"고, 고맙습니다!"

나는 뜻밖의 행운에 연방 허리를 숙여 인사를 올렸다.

심재훈 선생님은 동아방송국 개국 준비위원 겸 제작부로 자리를 옮기면서, 임원들에게 사운드 전문 프로듀서로서 서슴없이 나를 천거하셨던 모양이다.

극단에 있을 당시 나는 심 선생님을 모시고 온갖 연극 효과음이란 효과음은 모두 해보았다. 당시는 지금처럼 제대로 된 음향시설이 없었던 시절이어서, 극 중의 효과음은 무대 뒤에서 직접 내야 했다. 그래서 무대 뒤에서 꽹과리와 징도 두들기고 총칼 소리도 직접 만들었는데, 그 일을 몇 번 하다 보니 제법 재미가 붙었고 일에 욕심도 생겼다. 그래서 제대로 된 효과음을 만들고자 노력한 끝에, 무대에 생명을 불어넣는 여러 소리를 만들어 낼 수 있었다. 이런 과정을 심 선생님은 곁에서 지켜보면서 나를 예쁘게(?) 보아 점찍어 두셨던 것이다.

심 선생님께서 나를 동아방송 드라마 파트의 첫 번째 방송 음향효과맨으로 확정해 놓고, '그놈의 작은 벌레'를 잡고자 사방으로 연락처를 수소문하던 중이었다고 하셨다. 그 말씀을 듣는 순간, 나는 감격의 눈물이 왈칵 솟구쳤다.

'아! 이게 기적이구나!'

그처럼 장래를 고심하고 불안해하며 성우시험 면접을 보러 왔다가 난데없이 제작부 직원으로 당첨됐으니, 이 어찌 기적이 아니랄 수 있겠는가.

그것참!

나는 아침나절에 방송국에서 테스트용으로 나눠준 셰익스피어인지 뭔지 하는 연극 대본을 힘차게 쓰레기통에 버렸다. 조금 전까지만 해도 연필로 악센트를 까맣게 그려 넣어가며 연습하던 대본이었지만 이미 합격한 나에게는 종이 뭉텅이에 불과했다.

오전까지는 성우 면접 응시자였던 놈이 점심시간이 지나 오후부터는 막강한 방송국 직원으로 삽시간에 바뀌어, 심 선생님이 하셨던, 응시자들에게 차례를 안내하던 그 역할을 내가 대신하고 있었다.

함께 시험에 응시했던 박정자, 전원주, 조명남, 이치우, 사미자, 박웅, 장미자, 김영식, 김태연, 김을동 등은 아까까지도 같이 연습을 하던 애가 갑자기 이게 무슨 변고인가 하고 어안이 벙벙한 표정이었다(물론 이들은 모두 최종 면접에 합격한 연극 동지들이다).

"뭐? 공무원?"

"예, 이제 그만둬야죠."

"아니, 그럼 지금까지 양다리 걸치고 있었던 거야?"

심재훈 선생님은 처음에는 내가 체신 공무원이었다는 사실을 모르고 계셨다. 그 사실을 알고서는 몹시 당황하면서 망설이는 내색을 하셨다. 방송국 직원이라고 해봤자 '촉탁사원' 신분이었으니, 요즘 식으로 말하자면 정규직인 나를 비정규직으로 스카우트한 셈이었다. 하지만, '촉탁'이면 어떻고 또 비정규직이면 무슨 대수인가. 내게 중요한 것은 그런 문제가 아니었다.

성우시험까지 응시하면서 공무원에서 이쪽으로 진로를 바꾸기로 한 그동안의 고민과 연극의 꿈에 대해서 나는 차근차근 말씀드렸다. 선생님은 한동안 눈을 지그시 감고 계셨다. 생각에 깊이 잠겼을 때마다 보이는 선생님 특유의 표정이다. 잠시 후 '나의 영원한 사부님' 께서는 내 두 손을 꼭 잡아 주며 어깨를 다독여 주었다.

"이 일이 그리 편하지는 않을 거야. 어려움도 많고 외로움도 느끼게 될 거야. 늘 함께 있을 순 없지. 우리가 찾아야 할 진리는 너무 멀리 있고, 그곳을 향해 가는 길도 사람마다 다르거든. 하지만, 이것만은 분명히 기억해 두게, 우리는 그곳을 향해 함께 가고 있다는 사실을 말일세. 그래, 세상에서 내가 찾는 진리 하나를 더하려면, 아무리 천재라 해도, 누구나 다른 사람의 도움이 필요하게 마련이야. 혼자서는 아무것도 할 수 없는 법이거든."

이렇게 심 선생님은 나에게 용기를 북돋아 주셨다. 이렇게 해서 나는 방송국 제작부 특수 분야의 PD로 당당히 발돋움하게 되었다.

이듬해 봄쯤 동아방송이 개국하면 직장을 옮기게 될 것이라고 서대문 우체국의 조진억 국장님께 우선 말씀드렸다. 남달리 예술에 관심을 두었던 조 국장님의 배려로, 명동 시공관(국립극장)에서 가까운, 비교적 통신사 업무보다는 시간을 많이 할애할 수 있는 충무로의 서울 국제우체국 소포과로 전출 발령을 받았다. 이때는 동아방송역시 개국 준비 단계라 실질적으로는 방송 업무가 없었기에 시간적인 여유가 있었다.

운 좋게 두 군데서 월급을 받는 행운을 근 1년간 누리다가, 결국 1963년 봄 공무원직에 과감히 사표를 던졌다. 그러고는 비록 촉탁 신분이긴 했지만 '예술 어쩌고'라는 원대한 꿈을 안고 동아방송으로 정식 자리를 옮겼다.

1963년 3월 25일 드디어 대망의 동아방송(DBS)이 개국했다. 나에게는 새로운 인생의 길이 열린 것이다. 무대에서 직접 보이는 연극 작업과는 전혀 다른 새로운 분야의 작업을 시작해야 했다. 관객에게 직접 보이지 않아 무한대로 청취자의 상상을 불러일으키는 라디오 방송 드라마, 그중에서도 무궁무진하고 변화무쌍한 사운드 작업을 하니 나로서는 너무나 좋았다.

매일 똑같은 작업에 판에 박은 듯 천편일률적인 기술 공무원의 일과에서, 이렇게 작품마다 생각이 매일 달라야 하고 매일 새로운 창작을 해내야 하는 그 기분은, 해보지 않은 사람은 모른다. 아이디어가 나오지 않을 때야 가슴에 무거운 돌덩이를 얹은 듯 답답하다가도, 고민 끝에 한 가닥 실마리를 찾았을 때, 그리고 거기서 문제가 술술 풀려 나갈 때, 하늘을 나는 듯 짜릿한 그 맛! 진짜 모르는 사람은 모른다.

특히, 연극무대 밑바닥에서 온갖 잡일을 도맡아 했던 경험은 방송 일에도 큰 도움이 되었다. 내가 그 잡일을 그냥 허투루 대충대충 했다면 그다지 도움이 되지 않았겠지만, 그야말로 열과 성을 다해 일하면서 정말 소중한 것들을 알게 모르게 배우고 있었던 것이다. 가령, 일을 하는 데에 필요한 성실성과 세심한 관찰력, 집중력 같은 것 말이다.

그리고 정말 중요한 사실 하나! 비록 주연배우처럼 스포트라이트를 받는 위치는 아니지만, 사소한 소품 하나, 작은 음향 하나야말로 작품 속에 풍부한 맛과 섬세한 향기를 불어넣는 요소임을 몸으로 배웠다.

제 1 막 | 소리에서 길을 찾다

63

말하자면, 연극무대는 내 소리 인생에서 첫 번째 훈련장이었다.

연극무대에서 온갖 궂은일의 기본기를 터득한 나는, 방송국에서는 탄탄대로를 달리듯 '사부님'이 말씀하신 '그곳'을 향해 마냥 신나게 달려가기 시작했다.

"그냥 뛰는 거여!"

2차원의 소리를 만들어라

남들 다 가는 길 그대로 따라가면

　　무슨 발전이 있고 무슨 새로움이 있겠어?

누가 뭐라고 지껄이든

　　가장 먼저 들어야 할 것은

　　　　자신의 목소리야.

그래야, 새로운 차원, 새로운 세상이 열려.

　　　　아랫배에 힘 꽉 주고 이를 악물어.

그리고 내 길로 가는 거야.

・ ・ ・언젠가 한번은 연속극 녹음 때 아찔한 사건이 터진 적이 있다. 얼마나 아찔했느냐 하면, 그 사건으로 말미암아 성우들은 한 시간 가까이 녹음을 중단하고 안정을 취해야 했고, 방송국 직원과 스태프들은 모두 일손을 놓고 멍하게 넋을 잃을 만큼 모골이 송연한 순간이었다. 그것은 아침 드라마 '삼국지'(이강우 연출) 녹음 때의 일이었다.

당시만 해도 마이크 시설이 열악해 지금처럼 스튜디오 하나에 효과음 전용으로 마이크를 여러 개 설치하지는 못했을 때였다. 기껏해야 무지향성 마이크(RCA 77-DX) 한 대로 성우와 사운드를 같이 녹음했다.

　나는 극 진행에 따라 성우들의 기합 소리에 맞춰 그 마이크 옆에서 열심히 '칼싸움' 사운드를 "챙! 챙!" 하고 신나게 내고 있었다. 그런데 그 순간 꿈에도 생각하기 싫은 아찔한 사건이 발생한 것이다.

　칼싸움에서 칼 부딪치는 소리를 내는 것까진 좋았는데, 미련하게도 나는 왜 진짜 부엌에서 쓰는 식칼 두 개를 들고 "챙! 챙!" 신나게 휘둘러댔을까? 우라질! 그때는 왜 그렇게 머리가 안 돌아갔는지 지금 생각하면 쓸쓸한 웃음만 나온다. 어차피 소리 내는 쇠붙이면 되는 거니, 다른 쇳조각으로도 충분했을 터였다. 손잡이가 있어 편할 것으로 생각해서였을까?

　아뿔싸! 칼 하나가 자루에서 쑥 빠지면서, 빠진 칼날이 이순재 형의 목덜미를 살짝 스치고 지나가 반대편 벽에 팍 박히고 말았다. 하늘이 도와 아주 미소한 찰과상만을 입힌 것으로 끝났지만, 만약 그 칼날이 정통으로 목이나 얼굴에 맞았다면 어떻게 되었겠는가! 순재 형은 배우만 못하는 게 아니라, 아예 영원히 이 세상 사람이 아니게 될 수도 있었던 상황이 아닌가!

　"순재 형! 얼마나 놀랬우?"

　"하아! 버러지, 너 오늘 황천 갔다 온 줄 알아!"

　만약 그때 잘못되었다면 형은 '대발이 아버지' 역도 못했을 거고, 국회의원도 못해 봤을 것이며, 명연기로 손꼽히는 연극 '세일즈맨의 죽음'도, 하이코미디인 '무슨 무슨 하이킥'도 못했을 게 아닌가. 만약 그때 잘못됐다면 나는 또 어떻게 되었을 것인가? 생각하면 지금도 소름이 쫙 끼친다.

제목을 못 정한 책

66

아무튼, 이 끔찍한 사건 이후 방송국 기술부에서는 부랴부랴 효과음 전용 지향성 마이크와 단독 콘솔 믹서를 설치하게 되었다. 그 덕분에 동아방송의 드라마는 타 방송극보다 앞서간다는 평을 듣게 되었다. 특히, 사운드의 원근과 확대, 소리의 클로즈업 등 라디오에서의 사운드 믹스 크리에이티브(Sound Mix Creative) 분야에서는 막강한 영향력을 발휘하는 선구자가 되었다(40여 년이 지난 지금까지도 나는 그 무지향성 마이크를 기념으로 소장하고 있다).

새로운 장비를 백분 활용하여 처음으로 만든 것은 칼 휘두르는 소리였다. 낚싯대의 날카로운 끝 부분 대를 흔들어 만든, "휙! 싹!" 하고 나는 칼바람 소리는 지금도 중국 영화나 칼싸움에서 빠지지 않고 나온다. 이 소리 덕분에, 칼 부딪치는 소리만 나던 단조로움에서 벗어나 한결 실감 나고 박진감 넘치는 칼싸움 현장을 만들어 낼 수 있었다.

따지고 보면 그 아찔한 시행착오의 결과가 나에게 오히려 큰 도움이 된 셈이다. 나는 이 새로운 장비에 금세 적응하면서 소리 작업에 더욱 몰입하게 되었고, 만들어 낼 수 있는 소리의 다양성과 폭도 확대되었다. 이처럼 새로운 장비나 기술이 등장한다는 것은 내가 능력을 발휘하며 신나게 뛰어놀 수 있는 공간이 넓어진다는 것을 의미했다.

그렇게 나는 점점 소리의 세계로 깊숙이 빠져들고 있었다. 소리의 세계에서 매력과 가능성을 발견한 나는 이제 새로운 시도를 해보고 싶었다. 소리가 대사나 상황에 종속되는 것이 아니라, 소리 자체로 대사나 상황을 대신하거나 암시하는 표현 방식을 실험해 보고 싶었다. 라디오에서만 할 수 있는 '청취자의 상상력을 극대화하는 사운드'를 형이상학적으로 표현하는 것이다.

이러한 시도는, 장안에서 최고의 인기를 누리고 있었던 반공 다큐멘터리 드라마 '특별 수사본부'에서 처음으로 선보였다. 예를 들어 이런 장면이다. 어떤 사람이 총에 맞아 죽는 장면이다.

"넌 죽어야 해!"

이때 나는 권총을 장전하는 '철커덕!' 하는 쇳소리를 내야 한다.

"에잇!" (방아쇠 당기는 호흡)

그다음에는 당연히 '탕!' 하는 총성이 나와야 한다. 그런데 나는 거기서 병 깨지는 소리 '팍! 쨍그랑!'을 썼다. 당연히 NG가 났다. 총소리가 아니었으니까. 당연히 연출 PD는 화를 냈다.

"벌레, 뭐 하는 거야? 정신 있어? 총소리가 나와야 하잖아, 총소리!"

"총소리 맞잖아!"

"미쳤어? 그게 병 깨지는 소리지 총소리야? 대체 병 깨지는 소리가 왜 나오는 거야?"

병 깨지는 소리가 어찌 총소리겠는가. 하지만, 왜 꼭 총에 맞아 죽는 상황을 '탕!' 하는 소리로 표현해야 하지? 나는 그런 일차원적 표현보다는, 이 사람의 모든 상황이 끝났다는, 현실이 '병 깨지듯' 박살이 났다는 이미지의 이차원적 상상으로서 병 깨지는 소리를 집어넣었던 것이다.

총을 쏜 사람의 다음 대사는 "자식, 죽었군."이다. 이때 청취자가 실제 총소리 대신 '팍!' 하고 병 깨지는 소리를 들었다고 해서 그 사람이 죽지 않았다고 추정할까? 청취자는 총소리와 "자식, 죽었군."

이라는 대사에 죽은 것으로 착각한다. 그리고 이때 총소리 대신 병이 깨지는 소리를 들음으로써 '총에 맞아 쓰러져 죽는 상황' 전체를 상상하게 되는 것이다. 이것이 '소리'가 가진 상상의 속성이기도 한 것이다.

"이 상황에서는 총소리보다 이 소리가 더 어울려."

"뭐야? 효과 주제에 어디서 따지는 거야?"

'효과 주제에'라, 당시만 해도 음향효과는 연출이나 배우, 작가를 보조하는 역할 정도로 치부될 뿐, 그다지 힘이 있거나 인정받는 위치는 아니었다. 그래도 나는 내 의견을 좀처럼 굽히지 않았고, 이후로도 내가 의도했던 소리 표현 방법을 결코 포기하려 하지 않았다.

그 탓에 여러 PD나 연출자한테는 "별 이상한 놈 다 봤네!"라는 투덜거림을 계속 들어야만 했다. 특히, 사실주의 드라마 타입에 몰두해 있던 선배님들이나 선생님들한테는 엄청난 반항아, 이단아로 낙인찍혔고, 몇몇 분들께서는 아예 대놓고 미친놈 취급을 했다.

아무리 주위에서 무시하고 업신여겨도 나는 내 길을 간다는 심정으로 보란 듯이 일했다. 그 와중에 나는 말발굽 소리, 장작 타는 소리 등 나만의 효과음에서부터, 파도 소리를 만들어 내는 특수 문짝이나 신비한 소리를 만드는 물통 등 효과음 도구를 만들었다.

처음에는 몇몇 분을 제외하고는 그 누구도 나를 인정하지 않았지만, 시간이 흐르자 사람들은 내 방식이 옳았음을 인정하기 시작했다. 예상대로였다. 조금씩 귀에 익으면 사람들도 '이차원적 소리 표현'을 이해할 수 있을 것이라 믿었다. 새로운 것은 처음에는 이질감을 불러일으키게 마련이니까.

"동아방송 드라마는 어딘지 색다르다."라는 평가는 "음향에서 새로운 '문체'를 만들었다."라는 찬사로 이어졌다. 이는 내가 인정받는 것이기도 했지만, 내 삶의 한 부분으로 선택한 소리가 인정받는 것이기도 했다. 소리가 단순한 보조 역할, '따까리', '시다바리'에 벗어난 정도가 아니라, 경우에 따라서는 주연도 될 수도 있다는 것을 의미했다. 적어도 나는 그렇게 생각했다.

하지만, 그런 생각은 나에게 새로운 결단을 해야 함을 의미했다. 또다시 두 가지 일 중 하나를 선택해야 하는 순간이 온 것이다

당시 극단 행동무대는 1963년 '생쥐와 인간'으로 시작하여 '어떤 수난기', '춤추는 벌레', '안경가족', '발자국', '바람 속에 지푸라기' 등 매년 한 편씩, 작·연출로 국립극장에서 막을 올리기도 하고 카페며 특수 공간에서 모노드라마나 '소리를 위한 총체 전위극'까지 공연했다. 방송 일을 하면서도 내가 할 수 있는 연극 작업만큼은 나름대로 진행한 셈이다.

그런데 내가 광고제작 일까지 손을 대면서부터, 도저히 연극 일에 시간을 낼 수 없을 만큼 스케줄이 바빠지기 시작했다. 자연히 극단 대표로서의 역할이 부실해지니, 나는 어쩔 수 없이 윤병용과 박홍신 단원에게 극단 일을 전격 위임할 수밖에 없었다.

어쩌다 하나 둘 맡기 시작한 광고 소리 작업이, '오로지 연극'이었던 내 인생의 진로를 확 뒤틀어 놓을 줄은 누가 알았겠는가. 돌이켜 보면, 연극을 하려고 시작한 일이었는데, 이제는 이미 내 삶의 중심이 되어 버렸다. 방송 일에서 소리가 보조 역할이 아니라 주연이 될 수 있듯이, 내 인생의 우선순위에서도 가장 앞선 위치에 있게 된 것

이다.

   나는 내가 가장 '나' 다울 수 있는 일이 소리라고 생각했기에, 그토록 갈망했던 연극판에서 기꺼이 물러설 수 있었다.

   그런데 다시 생각해 보니, 폼 나는 주연 한 번 못 해보고 물러서다니, 쌍, 이런 엿 같은 경우가 있나! 염병할!

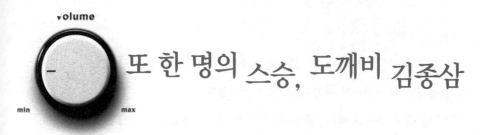

또 한 명의 스승, 도깨비 김종삼

인간이란 게 아무리

세상에 혼자 내버려진 존재라 하더라도

누군가 한 사람 정도는 내 곁에 있어서

모범이 되고 힘이 되지.

그런 사람을 가져 보라고.

그게 성공을 향한 유일한 지름길이야.

그런 사람이 없다면

그건 당신한테 문제가 있는 거라고.

• • •내 소리 철학이 다른 이들한테서 인정받지 못하고 '효과 주제에!' 라는 비아냥거리는 소리를 견뎌야 했던 그때, 젠장, 조금은 외로웠다.

창의적인 일을 하는 사람들에게 필요한 것은, 물론 날카로운 비평도 좋지만, 무엇보다도 우선, 흥겨운 추임새와 신나는 환호다. 외로우면 쉬이 지치니까 말이다.

그때 나도 진정한 아군이자 스승을 만나지 못했다면 어찌 되었을까? 어쩌면 그냥 체념하고 타협했을지도 모를 일이다. 외롭다는 것은 그만큼 힘들므로.

그때 만난 그분. 주위의 다른 사람들은 기인(奇人)이라고 하지만 내겐 귀인(貴人)이었다. 내 작업은 이분을 통해 나만의 '소리 철학'으로 기반을 쌓기 시작했다. 그분이 바로 김종삼 선생님이시다.

심재훈 사부님이 나에게 소리의 길을 가르쳐 주셨다면 김종삼 사부님은 나에게 소리의 철학을 가르쳐 주신 스승이시다.

종로2가 낙원동에서 시작해 한 정거장 더 간 단성사 골목 종로3가 주변 비원 옆 뒷길에는, 젊은 사내가 카바이드 막걸리에 취해 괜히 객기를 부리던 홍등가 '아가씨촌'이 있었다. 사람들은 나쁜 의미의 은어로 사창가를 '종삼'이라 칭했고, 그 일대를 통틀어 일반 사람들은 '종삼 거시기촌'이라고 하던 시절이다.

그것참!

그 이름도 엄청난 '종삼'인 기인(奇人)을 바로 동아방송 효과실에서 같은 부서원, 같은 드라마 스태프로 만났다. 드라마에서 선생님은 음악을, 나는 음향효과를 담당하면서 그야말로 숙명적으로 만난 것이다.

김종삼 선생님은 1921년생으로, 나보다 꼭 스무 살 위의 어르신이다. 황해도 은율 출신으로, 일본 토요시마 상업학교를 나와 연극, 영화 일을 하며 클래식 음악에 광적으로 심취하다가, 1954년 '돌각담'을 『현대예술』에 발표하면서 등단, 1971년 '민간인'으로 현대시학 작품상을 수상하면서 문단에 주목을 받기 시작한 시인이다. 시집으로는 『십이음계』, 『전쟁과 음악과 희망과』, 『누군가 나에게 물었다』, 『큰 소리로 살아있다고 외쳐라』, 『북 치는 소년』, 『시인학교』

등 수많은 작품을 남겼다.

개국과 함께 15년을 하루도 빠지지 않고 봐 왔지만, 늘 찌푸린 얼굴로 나를 노려볼 뿐, 혹 내가 방송에서 멋있는 작업을 그럴듯하게 해내더라도 빈말로라도 칭찬 한 번 없던 분이다. 소위 사람 사는 맛도, 멋도, 뭣도 없이 세상만사 해탈한 듯 무덤덤하게 세상을 살아가는 그런 시인이었다.

머리숱이 없어 거의 대머리 직전인 머리 간수를 위해 늘 검정 베레모를 삐딱하게 쓰고, 담배는 늘 파이프 곰방대에 '79'라는 가루담배를 채워 담배 연기를 아주 천천히 느린 속도로 빨아들이며, '나는 늘 혼자'라는 것을 의식적으로 음미하는 외로운 분이셨다.

평소에도 말을 아껴 입을 쉬게 하면서도, 보통 사람보다 유난히 큰 그 귀를 클래식 음악 듣기로 혹사했다. 그 때문에 클래식 음악의 듣기와 해석에는 일가를 이루셨고, 대한민국에서 둘째가라면 서러울 정도의 음악광이었다.

200자 원고지와 몽당연필을 늘 주머니에 넣고 다니다가, 시상이라도 떠오르면 도깨비 선생님은 장소 불문, 길거리건 술집이건 원고를 쓴다. 그것도 원고지 네모 칸 안에 또박또박 써내려 가는 게 아니라, 대여섯 글자에서 많게는 십여 자 정도만, 줄이나 행 관계없이 되는대로 큼지막하게 쓴다. 그 원고를 보면 꼭 초등학교 1, 2학년짜리 낙서 글씨처럼 자유분방했다.

선생님의 시는 처절하리만큼 생략과 함축이 많다. 그 때문에 평론가들은 여백이 넉넉한 시라 말하지만, 얼마나 짧게 자르고 줄였는지 웬만한 평론가도 도무지 무슨 얘긴지 모르는 시가 꽤 여러 편 있다.

그래서 시시콜콜한 얘기는 절대로 쓰지 않았다.

그것참!

도깨비 김종삼 선생님의 생략과 함축을 대표하는 작품 중 하나로 손꼽힌다는 '시인학교(詩人學校)'는 암만 봐도 내 알량한 학식으로는 도무지 아리송할 뿐이어서, 여기에 인용하는 것도 송구스러워 관두었다. 너무 어려워 이 시를 석사논문의 대상으로 삼았다는 얘기에 상당한 수긍이 간다.

그런가 하면 한 편의 짧게 응축된 시를 통해 거대한 한 폭의 한국화를 보여 주는 것처럼 상상력을 자극하는 시도 있다.

묵화(墨畵)

물 먹는 소 목덜미에
할머니 손이 얹혀졌다.
이 하루도
함께 지나갔다고,
서로 발잔등이 부었다고,
서로 적막하다고.

이 여섯 줄의 짧은 시에는 인생의 단면이 잘 표현되었다. 이 여섯 행 바깥에는 무한한 상상력이 있다.

먹으로 그린 어떤 그림 속에 소와 할머니가 나란히 냇가에 앉아서, 소는 물을 먹고 할머니는 지는 해를 바라보며 소의 목덜미에 손을 얹

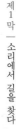

는 장면이 그려져 있었나 보다. 소처럼 힘들게 일하는 할머니의 적막함이 황혼녘의 풍경과 함께 보인다. 할머니 발등이 부었나, 소 발등이 부었나, 인생은 그런 거라고, 한 폭의 그림처럼 보여 주고 있다.

시는 이렇게 짧은 말로 독자의 상상력을 자극한다. 우리의 도깨비 김종삼 시인은 구구절절한 말을 하지 않는 대신 마음속으로 많은 말을 하는 것이다.

그것참!

도깨비 김종삼 선생님의 드라마 음악 역시 종전의 일차원적이 사실표현 음악에서 벗어나, 청취자가 무한대로 상상할 수 있게 했다. 우리가 많이 들어 보지 못했던 클래식 음반에서도 독특하게 변주된 대목을 선곡했다. 워낙 젊어서부터 '돌체'나 '르네상스', '설파' 같은 음악 감상실에서 평생을 살다시피 한 클래식광이니, 내가 아는 클래식 수준으로는 감히 상상조차 못했던 이미지를 불러일으키는 음악이었다.

장면전환 음악이 됐든 쇼킹코드 음악이든 무슨 음악이든 간에 거의 모든 음악이 사람의 이차원적 심성을 자극하는 음색과 음정을 선곡한다. 이렇듯 소위 방송국 은어로 '지렁이 오줌 싸는 음악'에 타의 추종을 불허하는 게 도깨비 선생의 음악 세계다.

처음에는 이를 잘 모르고 갈등을 빚던 종전의 연출자나 PD들이 서서히 '도 선생'('도깨비 선생'을 줄여)의 그 음악을 이해하고 인정하기 시작했다.

이 김벌래가 만들어 내는 이차원적 음향효과는 바로 김종삼 선생님의 시와 음악에서 배운 것이라 해도 틀린 말은 아니다. 그분께서 직접 일일이 이래라저래라 하며 가르치신 것은 아니지만, 그분의 음악, 그분의 시는 내게 지대한 영향을 미쳤다.

강하고 자극적인 음악만이 라디오 드라마 음악에 전부가 아니란 것과, 소리의 생략과 응축의 묘미가 마음의 여유(생각의 여백)를 갖게 해준다는 것, 듣는 사람에게 무한한 상상력을 자극하는 소리를 만들어야 한다는 것을 도깨비 김종삼 선생은 시와 드라마 음악 작업을 통해 확실히 터득하게 해주셨다.

내가 추구하는 소리는 도깨비 선생님의 음악 세계와, 심재훈 사부님의 간결한 리얼리티 사운드 이론과 실제를 접목하여 소리 표현의 또 다른 장르를 나름대로 개척하게 되었다. 결론적으로 말하자면, 한참 뒤에 내가 광고 소리를 창작할 때 많은 부분이 도깨비 김종삼 시인의 시와 음악에서 그 모티브를 찾은 셈이었다.

아주 한참 후에 안 사실이지만, 정작 당신은 기인답게 '도깨비'라는 별명을 가졌음에도 주위의 다른 분들께 나를 "도깨비보다 더 이상한 놈이 나타났어! 요주의 버러지 괴물!"로 주지하도록 하셨다고 한다.

도깨비 선생의 흠(?)이 있다면, 철저히 보헤미안 기질에, 먹고사는 문제에 대해서는 철저하게 무관심했고 오직 술과 시와 음악에만 빠져 사시니, 곁에서 모시는 나로서는 걱정이 되지 않을 수 없었다.

드라마 녹음이 없는 시간이면 조선일보사 옆 '아리스' 찻집에서 시를 쓰고, 저녁 퇴근 시간에는 하루도 빠지지 않고 옛날 경성방송

국 자리였던 '동그랑땡 집'에 들러 매일같이 같은 자리에 앉아서 '도라무깡' 테이블 연탄불에 대합 하나 구워, 정확히 소주 한 병을 드셨다. 그러고는 깐깐하게 잔돈까지 딱 맞추어 돈을 드럼통에 놓고 아무 말 없이 나가셨다.

시를 쓰거나 해서 돈이 생기면 100% 술값으로 없앴고, 간혹 전봉건 선생이나 천상병 선생과 한잔 어울릴 때면 진짜 아이가 되어 버린 듯 동심으로 돌아가셨다.

평소 선생께선 녹음 작업이 끝나고 나면 대낮에도 사무실 책상에 감춰 두었던 소주를 꺼내 마셨다. 난 늘 홀로인 도깨비 선생을 위해 뭔가 즐거운 재밋거리를 만들어 주고 싶었다. 그래서 한번은, 아무도 몰래 소주병을 감추고 대신에 비스킷과 스낵을 한 봉지씩 넣어드린 적이 있다. 선생께선 아침에 출근해서 담배를 꺼내다 소주가 사라진 걸 발견하셨다.

"어? 이거 내 약, 어디 갔지?"

선생께는 술이 그렇게 약이었나 보다.

"도깨비장난치곤 나쁘진 않고만! 그만 마시라 이거지."

그렇게 중얼거리고 더는 소주의 행방을 찾지는 않으셨지만, 또 어느 틈에 소주를 사 가지고 와서는 다들 퇴근하고 난 방송국 녹음실에서 모차르트와 함께 소주를 마시곤 하셨다.

안타깝게도 1980년에 동아방송이 완전히 없어지면서 선생의 건강이 더욱 나빠지기 시작했다. 도깨비 같은 '홀로 인생'을 그 좋아하던 '소주 두 병'에 맡기다가, 끝내 알코올 중독에 행려병자로 오인되어 시립병원에 갇히시기도 했다. 그리고 1984년 12월 8일 시를 쓸 수 없는 곳으로 영원히 떠나시고 말았다.

　부와 명예 같은 세속적인 것보다는 한 잔의 소주와 한 곡의 음악을 더 소중히 했던 김종삼 시인. 그런 분을 가슴속 스승으로 모셨으니 나 역시 소리와 사람과 술을 좋아하며 지금껏 살아가고 있다. 선생님의 가르침을 잊지 않고 지금은 내가 젊은이들에게 그 가르침을 전해 주고 있다.

　아, 고맙습니다, 도깨비 선생님.

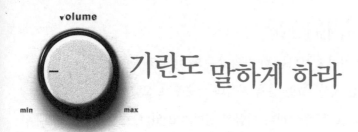

기린도 말하게 하라

요즘 세상엔 컴퓨터만 있으면
못 만드는 소리가 없지.
　　　하지만, 세상이 아무리 편해지고
　　　온갖 과학이 인간의 수고를 덜어 준다 하더라도
　작품의 마지막 숨결을 불어넣는 것은
　　　　　　　　　　　어디까지나 인간의 손길이야.
　　　　　　　　　　　그것이 창조야.

• • • 1960년대만 해도 동아방송 광고제작과에서는 그 이름과는 달리, 실제 광고를 제작하는 일이 드물었다. 기껏 하는 일이라고 해봐야 문화방송이나 동양방송에서 만들어 놓은 광고를 건네받거나, 프로그램 사이에 나갈 스폿광고를 편집하는 정도였다.

그러다가 자국에서 방송될 CM에 대해서는 서비스 차원에서 무료로 자체 제작하여 방송에 내보내기로 했다. 그런 광고의 거의 대다수가 천편일률적으로, 적당한 배경음악 하나 깔고 그 위에 성우 한 사람이 상품 고지 코멘트를 넣는 방식이었다.

나는 그런 광고 작업에서 새로운 가능성을 느꼈다. 소리라는 측면

만 보자면 드라마 음향보다는 광고 쪽에 더 할 일이 많았다. 광고 음향이라는 개념도 없었던 시절, '없다는 것'은 곧 무한한 가능성이 있음을 의미했다. 그래서 나는 드라마 음향에서 광고 소리 쪽으로 분야를 바꾸었고, 라디오 광고를 만들면서 나는 소리 철학과 기술을 꾸준히 갈고닦을 수 있었다.

그러는 사이 텔레비전이 점차 대중화되면서, 〈선진광고〉, 〈만보사〉같은 광고대행 전문회사가 생겨나기 시작했다.

흑백 TV 시절이다 보니, 질감이나 색감은 영상으로 표현하기 어려웠다. 흑백 TV에서 소비자(시청자)를 영상에 가장 쉽게 접근하게 하는 방법은, 바로 제품(물체)에서 발생하는 특유의 소리를 찾아 들려주는 것이었다. 따라서 사운드의 영향력이 무척 중요해졌다. 내가 신나게 일할 수 있는 분위기가 만들어진 것이다.

어느 날, 동아일보사 계열인 '만보사'의 윤석태 감독(현 한국영상광고박물관 원장)한테서 광고 사운드를 만들어 달라는 의뢰를 받았다 (결론부터 이야기하자면, 이것이 김벌래 최초의 '창작' 소리라고 볼 수 있다).

'서울식품'의 코코아 빵 광고였는데, 동물원을 관람하던 어린이가 코코아 빵을 먹는 모습을 보고 기린, 코끼리, 원숭이, 얼룩말, 곰 등 동물들이 어린이에게 먹고 싶다며 한 입만 달라고 애걸하는 콘셉트였다. 여기서 동물들이 "코코아!"라고 외쳐야 한다는 것이 포인트였다. 동물이 말을 하다니, 지금이야 그 정도 상상력은 별 게 아니지만, 당시에는 기막힌 아이디어였다.

옹고집 윤석태 선배는, 먹고 싶어 애걸하는 동물들의 표정을 포착하고자 수십 날을 동물원에서 보냈다고 한다. 그런 노력 덕분에 동물들이 애걸하는 영상은 정말 일품이었다.

'소리' 역시 동물원(현 창경궁)에서 실제 동물들의 각종 울음소리를 며칠 동안 끈질기게 여러 가지 방법을 다 동원해 녹음을 했다. 그런데 환장할 노릇인 게, 요놈의 '기린'이란 녀석이 온종일 기다려 봐도 도무지 울 생각을 하지 않는 게 아닌가. 사육사에게 알아보니 기린은 아무 때나 울지 않는다는 게 아닌가.

별수 있나, 사육사를 약간의 돈으로 매수(?)하는 작전에 돌입했다. 2일간의 시간을 주면 녹음해 주겠다고 하기에 냉큼 녹음기 사용법을 연습시켰다. 그리고 이틀 만에 초조한 마음으로 사육사를 찾아갔다. 과연 기린이 우는 소리를 난생처음 들어 보았다.

기린이 어떻게 우느냐고? 기린 울음소리는 우는 소리라기보다는, 사람으로 치면 무엇인가 포식하고 난 다음 '끄윽' 하고 트림하는 소리처럼 "꾸루루루억!" 하고 나는 공명이 제법 깊게 퍼지는 되새김질 같다.

그것참!

다섯 가지 동물 중 "코코아!"와 가장 비슷하게 소리를 낸 동물이 바로, 가장 녹음하기 어려웠던 기린이었다.

"꾸루루루억!" 하고 나는 트림 소리에서 첫 음인 '꾸'만 잘라 두 번 편집하고 맨 끝에 '억'을 붙이니 '꾸, 꾸, 어'라는 소리가 되었다. 여기에 복사하면서 저음을 살리니, 거의 "쿠, 쿠, 아!"처럼 들렸다. 발음이 비슷해지니 영락없이 이제 막 말을 배우는 아기의 발음 같았다.

이것이 너무 신기해, 실제 CF에서는 기린이 실제 풀을 먹고 머리를 드는 영상에는 "꾸루루루억!"이라는 실제 소리를 내고, 곧이어 제품을 볼 때에는 "쿠, 쿠, 아!"라고 하니까 진짜 기린이 말을 하는 것 같았다.

지금이야 그놈의 PC만 있으면 못하는 게 없으니, 당시의 노력이 우습게 느껴질지도 모르겠다. 지금은 상상만 하면 그것이 그대로 영상이 되는 컴퓨터 세상이다. 영상 그래픽 합성에서부터 애니메이션, 제아무리 복잡한 시뮬레이션도 척척 해낸다. 아무런 기술적인 제약이 없으니, 동물들이 코코아 빵을 먹고 싶어 애걸하는 표정을 담으려고 윤석태 선배처럼 수십 날을 동물원에서 잠복근무(?)를 할 필요도 없다.

'소리'도 그 묘한 샘플링 컴퓨터만 있으면 만들어 내지 못하는 것이 없다. 디지털 샘플링을 통해 동물 울음소리로 음계를 맞추면, 개면 개, 소면 소, 그야말로 개나 소나 다 '해피 버스데이' 노래를 부를 수 있다.

그때 우리는 가위 하나로, 며칠씩 밤새워 4분의 1인치 릴 테이프를 난도질해 가며, 테이프를 붙일 때 쓰는 스프라이싱 테이프로 붙였다 떼었다 해가며, 그렇게 수백 번 반복해서 천신만고 끝에 동물들의 '코코아' 소리를 만들어 냈다.

이제는 그런 정열이 그다지 필요하지 않은 디지털 세상이다. 그 당시 김벌래나 '윤팔'(윤석태 감독의 애칭)은 오로지 뚝심과 집념으로 버티며 악전고투를 치러야 했다. 그래도 그 시절을 돌아보면, 영상이면 영상, 소리면 소리, 각 분야에서 둘째가라면 서러워서 잠을 못 이

제1막 — 소리에서 길을 찾다

83

룰 만큼 '아날로그쟁이'로서 한 시대를 뛰놀았으니, 마냥 행복하고 마냥 그리울 뿐이다.

어쩌면, 그 옛날 피나는 아날로그 가위질이 있었기에 오늘날의 샘플링이나 디지털 신시사이저가 탄생할 수 있었으리라. 아무리 모든 것이 디지털화된 세상이라지만 그 시절 우리의 열정이나 노력 같은 것은 결코 디지털화되지 않으리라.

"히야! 소리 죽인다!"

"신기하다, 신기해!"

직원들은 만보사 사무실이 떠나갈 듯 일제히 탄성을 질렀다. 예상대로 기린의 울음소리는 대단한 호응을 얻었다.

사실 CF에 함께 나오는 다른 동물들의 소리는, 원숭이와 곰을 빼고는 별로였다. 얼룩말과 코끼리의 소리는 사실 억지로 만든 세 음절 소리에 불과했고 '코코아'라는 발음과도 제법 거리가 있었다. 하지만, 기린의 소리가 너무나 훌륭하여 아무도 그 문제를 지적하는 사람은 없었다. 그래서 '열 중에서 하나가 제대로 좋으면 아홉 개가 다 좋아 보인다.'라는 말도 있나 보다.

실제 울음소리(원음)에서 '코코아' 발음에 가장 가까운 순간음을 찾아 편집하는 아이디어는 지금 내가 생각해도 신통하다. 이런 방식은 한국에서는 처음이었다. 진짜로 새로우면서 재미있는 발상을 했던 것이다.

아무튼, 광고판이란 데가 워낙 말 많기로 유명한 곳이다 보니, 이 광고 덕분에 "코코아 빵 동물 목소리, 어떤 놈이 만들었어?"라며 나에 대한 소문이 삽시간에 널리 퍼졌다.

그 후로는, 당대 최고의 코미디언인 '후라이보이' 곽규석 선생이 사장으로 있던 선진광고에서도 CF의 배경음악과 사운드를 의뢰받기 시작했다. 큰돈은 아니었지만 그래도 일하는 재미는 깨소금 맛이었다.

그 깨소금 맛에 중독되어 여기까지 판을 벌여 왔으니, 이 김벌 아무개도 참 대단한 놈이지 않나! 아, 이런 자화자찬이 듣기 싫어도 좀 참으시게. 때로는 제 잘난 맛에 사는 것도 사는 데 힘이 된다니까! 얼쑤!

소리는 보여야 한다

세상에는 쓸모없는 소리가 없어.

하찮고 쓸모없다고 생각하는 그 소리는

정말로 쓸모없는 게 아니라,

우리가 어떻게 써야 하는지를 모르거나

쓸모 있게 만들지 못했다는 것을 의미하지.

그 소리에 대한

우리의 고민과 노력이 부족했다는 거야.

• • • 내가 한 광고 소리 작업 중에 가장 유명한 것을 뽑으라면, 내 대표작 중 하나인 펩시콜라 로고 사운드를 내세울 수 있겠다. 소리 자체도 훌륭했지만, 이 소리에 얽힌 여러 가지 일화는 내 무용담 레퍼토리 중 하나로 손색이 없다.

때는 1960년대 말 어느 날 나는 동아일보의 외국특파원 기자한테서 한 장의 메모를 전달받았다.

"첫째 마시면 목이 상쾌하고 기분이 좋아지는 펩시콜라. 둘째 제품을 상징할 수 있는 징글(로고) 사운드. 이 모두를 충족하기를 원함."

'징글(Jingle)'은 특정한 소리나 멜로디를 브랜드 이미지와 연결하여 이를 소비자에게 각인하는 광고기법이다. 원래는 극동지역 판촉을 담당한 일본의 펩시 지사에서 새로운 전략으로 일본 광고대행사에 의뢰한 과제물인데, 관심 있으면 한번 만들어 보지 않겠느냐는 쪽지 메모였다.

쪽지를 보낸 김 모 기자는 만보사의 국외담당 부서 일도 겸하면서 국외에 체류하는 동아일보 통신원 같은 직책이었다. 그는 이전에 내가 만든 여러 광고 소리 작업에 대해서도 잘 알고 있었다. 그래서 나한테 의사를 묻듯 슬쩍 던져 본 메모였으리라.

일단 나는 그 쪽지를 들고 무교동에 있는 만보사로 달려가, 윤석태 감독에게 소리 종류의 방향과 로고 사운드의 포지셔닝 포커스를 어디에 둘 것인가에 대해 의논해 보았다.

그것참!

이렇게 하여 드디어 또 하나의 도전, 그 전쟁이 시작된 것이었다. 나는 우선 분석부터 하기 시작했다.

콜라는 병마개를 따고 컵에 따르고 마신다. 이 중에 제품을 상징할 수 있는 소리는 어느 대목일까? 이 과정에서 나는 소리는 다음과 같다. ① 병 소리 ⇨ ② 뻥! ⇨ ③ 탄산 거품 소리 ⇨ ④ 꿀꺽꿀꺽!

그런데 병 놓는 소리나 병 부딪치는 소리는 맥주병도, 다른 콜라도 똑같다. 병뚜껑 따는 소리도 맥주병이나 다른 콜라나 다 똑같다. 거품 소리도 맥주, 사이다나 다른 콜라나 다 똑같다. 꿀꺽꿀꺽 목구멍으로 넘어가는 소리도 물에서부터 마시는 액체는 다 똑같다.

이런 제기랄! ①에서 ④까지 가는 동안 타제품과 하나도 다를 게 없이 '다 똑같다.'라니 다시 생각이 막막해지기 시작했다.

이렇게 생각이 막히고 답답할 때에는 '똥창 맞는 놈들끼리' 한잔 하는 게 상책이 아니던가. 가자, 오늘은 늘 신세만 지는 동료 친구들과 어울릴 작정을 했다. 나는 기술부의 이선주와 제작부의 이강우를 꾀어내 무교동 밤거리로 나왔다.

무교동 일대는, 너무 많다 싶을 정도로 골목마다 먹을거리가 널려 있는 동네다. 우리 똥창들은 '월드 어쩌고'라는 대형 맥주홀로 향했다. 그 집은 언제나 젊은 웨이터가 대여섯 병의 맥주를 마치 기관총처럼 연속으로 "파, 파, 파파팍!" 하고 따서 '신나는 소리 쇼'를 보여준다. 무엇보다도 이 집은 이강우도 나도 외상이 잘 통하는 곳이다.

특히, 동아방송 공개방송에도 자주 나오는 가수들이 소위 '밤무대'로 대거 출연하는 집이어서, 우리는 술을 마시며 잘 아는 가수들의 노래도 듣곤 했다.

이날도, 자기 순서를 끝낸 가수가 우리 테이블에 와서 같이 맥주로 한잔하면서 괜히 시시덕거리고 우리도 괜히 즐거운 척, 허허거렸다. 여기까진 좋다. 그 가수는 다른 업소에 가야 하기에 우리 곁을 냉큼 떠났다. 그런데 이런 지랄을 봤나! 술값 계산을 그 가수 놈이 했다는 게 아닌가!

그것참!

나름대로 그 가수는 방송국 직원인 우리한테 로비 한번 잘했다고 웃으려나? 어라, '로비'는 그 고마운 가수님만이 아니다. 이 집 사장님도 마찬가지다. 사장님이 오늘은 서비스라며 끝판에 맥주 몇 병을 공짜로 더 디밀었다. 그러자 바로 그 웨이터가 또 신나게 여러 개의 맥주병을 "파파파팍!" 하고 땄다.

나는 그 신나는 소리를 다시 듣자, 얼씨구, ②번에 대한 영감이 떠올랐다. 난 느닷없이 똥창들에게 외쳤다.

"그래, 이거야! 가자!"

"뭐야? 뭐?"

똥창들은 느닷없는 내 외침에 어리둥절했지만, 나는 병마개 따는 소리에서 무엇인가 신나는 소리를 찾을 수 있을 것 같다는 느낌이 들었다. 나는 마셨던 술이 확 깨는 것 같았다.

"가자! 방송국으로!"

우리 일행은 아닌 밤중에 맥주 두 박스와 오징어를 나누어 들고 그 젊은 웨이터와 함께 동아방송국 B 스튜디오로 쳐들어갔다. 동아일보 4층 경비를 서던 연상봉 씨가 깜짝 놀란다.

"이 밤중에 웬 술 궤짝?"

"조금 있다가 내가 부르면, 편집국, 수송국 경비 아저씨들 다 올라오라고 하슈!"

오늘은 운이 따르는 날인가 보다. 맥주홀에선 그 가수님 덕에 술도 공짜로 마시고, 같이 공짜 술 마셨던 일행 똥창 중에 기술부의 이선주가 있어서 B 스튜디오의 콘솔 파워를 별 잡음 없이 켤 수 있었으니 말이다. 그래서 술은 똥창이 맞는 사람들하고 마시나 보다. 까짓 맥주 두 박스 값이 문제랴. 분명히, 병마개 따는 녹음에도 특별한 행운이 따를 테니 말이다.

그것참!

좋다! 술꾼들의 '2차'라는 게 별건가. 우리 똥창들은 B 스튜디오에서 녹음하랴 술 마시랴 난리가 났다.

> 선주 : 돌았어! (기사가 연출자에게 보내는 큐 용어다)
> 벌레 : (손바닥을 편 채 들고 있다가 손을 안쪽으로 향하면서 팍 내리며) 큐!
> 웨이터 : (마이크에서 30cm 정도 떨어져 맥주병 마개를 병따개로 딴다) 뻥!
> 벌레 : (수신호하며) OK!
> 강우 : (녹음기의 Stop 버튼을 눌러 세우며) 됐어, 소리가 그럴듯해!

50여 병의 병마개를 딸 때마다 어떤 것은 슬며시, 어떤 것은 힘차게 땄다. 온갖 방법을 다 써가면서 녹음을 해보았다.

마개를 딴 맥주? 어쩌랴, 당연히 또 마셔야지. '뻥!' 소리 한 번 녹음하고 술 한 잔 하고 또 한 번 녹음하고 한 잔 하고, 내 생전에 이런 녹음 작업이 또 있으랴.

아무튼, 우리는 통금이 훨씬 지나도록 2차 맥주파티를 신나게 벌였다. 아니, 파티라기보다는 소리 전쟁을 술 마시며 즐겼다.

젊은 웨이터 친구도 생전 처음 방송국에서 병 따는 재간을 과시하니, 연방 싱글벙글한다. 편집국, 수송국 경비 아저씨들도 덩달아 그냥 싱글벙글, 우리는 모두 적군 없는 소리 전쟁을 맥주 두 박스를 다 까며 싱글벙글 취중에 치르고 있었다.

"어이, 벌레, 내일 밤에도 맥주 병마개 따는 소리 녹음해? 매일 해도 좋다."

4층 경비원 연상봉 씨가 불쾌해진 얼굴로 말했다. 연 씨는 동아일보 창업자 인촌 선생의 전 운전기사이다. 현 직책은 경비원이지만, 그 호봉은 국장보다 높았다. 경비원이 국장보다 호봉이 높다니, 동아일보는 이래서 좋았다.

그것참!

이 병마개 녹음을 통해 나는 새로운 사실을 알게 되었다. 실제 청음과, 녹음을 통한 가청 주파수 사이에는 엄청난 차이가 있다는 것이다.

우리가 밤새 녹음했던 병마개 소리를 확대하여 들어 보면, 우리가 일반적으로 듣던 소리와는 달리, '쇠(뚜껑)와 쇠(병따개)'가 꺾이는 소리, 즉 병뚜껑이 순간적으로 찌그러지는 철판 파열음이 상당히 크게 들렸다.

그런데 우리는 맥주병을 딸 때 '뻥!'으로 듣는다. 왜냐하면, 주파수 20,000Hz 이상은 우리 귀에 잘 들리지 않기 때문이다. 또한, 초음파와 20Hz 이하의 초저주파 음도 우리 귀엔 잘 안 들린다. 그러나 스코프 전자기계를 통해 들어 보면, 확연히 철 쪼가리가 찌그러지는 파열음이 들린다.

난 그날 밤 녹음한 병마개 소리에 모두 EQ(이퀄라이저)를 걸어 30Hz 미만과 10,000Hz 이상의 주파수를 잘라 내는 작업을 했다. 결국, 우리가 부담 없이 편하게 듣는 병마개 소리를 재창작, 탄생시켰다.

그 유명한 '박카스'의 힘찬 병마개 소리도, 식용유의 "뿡!" 같은 예쁜 마개 소리도 이때 만들었다. 비록 원하는 소리를 얻지는 못했지만, 이날 밤 술에 취해 녹음한 50여 가지의 병마개 소리가 오늘날까지 각 방송국 효과실과 각 녹음스튜디오에서 유용하게 사용되고 있는 것이다.

이 소리들을 들을 때마다 내 분신을 대하는 기분이 들어, 40년 전쯤 술 취해 녹음하던 그때의 기억이 새삼 새롭다.

애당초 원하는 소리는 아니었지만, 그렇게 만든 소리들이 다른 쓰임새로 쓰일 수 있으니 실패한 것은 아니다. 세상에 쓸모없는 소리는 없다. 오로지 문제는 그 소리를 어떻게 갈고닦아 가치 있는 소리로 만드느냐의 문제이다.

나는 소리에 집중하였기에 소리의 가치를 알 수 있었다. 뚫어지게 쳐다보면 길이 보이는 법이다. 그리고 이는 비단 소리만의 이야기가 아니다. 나처럼 별볼일없는 사람도 소리 하나에 집중하고 노력하여 여기까지 오지 않았나.

나는 내가 원하는 소리를 얻지 못했기에, 다시 펩시콜라의 '상쾌하고 기분 좋은 음료'라는 콘셉트에 맞는 소리를 새로 찾기로 했다. 쇠 찌그러지는 소리가 나지 않는 병마개 소리를 만들어야 했다.

소리는, 짧은 순간에 영상만으로는 드러내기 어려운 제품의 특징, 질감을 제대로 담은 '맛있는 소리, 보이는 소리'여야 한다. 눈앞에서 콜라병을 따는 듯, 그 느낌이 소리를 통해 '보여야' 했다.

일반적으로 '펑!' 하고 나는 병마개 따는 소리에 가장 가까운 소재를 찾아 추리고 추리다 보니, 고무풍선이 터지는 소리로 압축됐다. 문방구에서 수십 개의 풍선을 구입해, 집에서 크기를 다르게 하고는 담뱃불로 터트려 보았다. 크기에 따라 다양한 소리를 만들 수 있음을 깨닫는 순간, 번뜩이는 영감에 나는 두 주먹을 불끈 쥐었다.

'이런 미련한 놈! 왜 두 음절을 몰랐지? 그래, 제품명이 두 음절이 니까 병마개 따는 소리도 두 음절로 가는 거다!'

지금까지 귀가 아프도록 들은 병마개 소리는 '펑!' 하는 한 음절이 었다. 그게 당연했다. 하지만, 당연하다는 것은 관습적인 것, 일차원 적인 것을 의미한다. 세상 모든 사람이 그렇게 가더라도 나까지 그 렇게 갈 수는 없었다. 'Pep'과 'Si'라는 브랜드의 발음 그대로, 두 음 절 소리로 경쾌하고, 상쾌하게 가자!

그 기막힌 아이디어를 소리로 만들어 내려면 더욱 치열한 노력이 필요했다. 풍선을 얼마나 불어댔는지 볼따구니가 얼얼할 정도였다. 그래서 공기압축기를 살 형편은 못 되니, 아예 자전거 타이어에 바 람 넣는 펌프를 구입해 버렸다. 그리고 문방구점을 돌면서 풍선이란 풍선은 닥치는 대로 샀다.

그날 밤에도 펌프로 수십 개의 풍선에 크기를 다르게 바람을 넣고 터트려 보았다. 하지만, 녹음된 소리를 들어 보니 또 실패였다. 풍선 의 재질이 열악해, 도무지 상쾌하면서 박력 있는 소리가 나오지를 않았다. 한마디로 소리가 '너무 얇은' 것이다. 얇다는 것은 바로 박 력이 없다는 얘기다.

소리에는 '적당히'란 말이 통하지 않는다. 철저하게 완벽해야 하 고, 철저하게 준비되어야 한다. 왜냐하면, 소리는 인간의 장기 중에 서도 평생을 쉬지 않고 깨어 있는 귀와 관련되었기 때문이다.

문방구에서 파는 어린이 놀이용 풍선으로는 도저히 소리의 완성도 를 찾기 어렵다는 것을 깨달았다. 그 순간 내 머릿속에는 '그래, 그거!' 라는 아이디어가 번쩍 떠올랐다. 이번에는 약국으로 들입다 뛰었다.

제 1 막 — 소리에서 길을 찾다

93

"아저씨, 콘돔, 서른 개만 주세요."

"몇 개요?"

약국 주인이 황당한 듯 내 얼굴을 빤히 쳐다본다. 조그만 놈이 콘돔을 서른 개씩이나 달라니까, 주인은 분명히 어디 여관 심부름꾼쯤으로 알았을 것이다. 염병! 그까짓, 나를 무엇으로 보건 그게 무슨 상관이냐.

부랴부랴 집으로 달려와 시험 녹음을 하려는데, 육시랄, 이런 낭패가 있나. 이놈은 문방구용 풍선과는 입구부터 차원이 달라, 바람을 넣기가 장난이 아니다. 미끄덩거리는 윤활제 때문에 손이 영 말이 아니어서, 나중에는 면장갑을 끼고 작업을 해야 했다.

나는 펌프 호스 끝에 책받침으로 깔때기 어댑터를 그럴듯하게 만들어 바람을 넣었다. 와! 나도 놀랬다. 크기대로 바람을 넣다 보니 큰 놈은 20kg짜리 쌀부대보다도 더 크다. 그래도 원체 재질이 좋은지라 터질 기미도 보이지 않는다.

일단 크니까 보기에도 시원시원해 보인다. 우선 서른 개를 신나게 터트려 보았다. 역시 예상대로였다. 일단 재질이 질기고 고무 밀도도 탄력이 좋아 '얇은 소리'에서 벗어날 수가 있으니, 절반은 성공인 셈이었다.

이제는 본격적으로 정식 녹음에 들어갈 차례였다. 또 약국에 가서 여관 종업원이 되어야 하나? 아니다, 내가 누군가. 바로 '괴물 15843호'가 아닌가. 그리고 당시는 '아들 딸 구별 말고 하나만 낳아 잘 기르자!'라고 떠들던 시절이 아닌가. 나는 영등포 구청 뒤에 있는 가족협회로 달려갔다. 이래저래 자초지종 끝에 100개짜리 한 박스를 공짜로 받아 들고는 괜히 신바람이 나서 휘파람을 불며 광화문행 버스에 올랐다.

소리의 두께를 높이고자 이번엔 그놈을 두 겹, 세 겹으로 겹쳐 바람을 넣었다. 그리고 터트려 보았다. 대단한 파열음이 터져 나왔다. 음의 폭과 박력이 브랜드의 첫 강한 음인 '펩!'에 거의 똑같은 소리를 찾아내는 순간이었다.

두 번째 '시이' 음은 뜻밖에 쉬웠다. 크게 커진 그놈의 입구를 잡고 길게, 짧게, 강하게, 약하게 요령껏 손놀림을 조절하여 바람을 다양하게 빼면 끝이었다.

그것참!

수십 개의 소리에서 브랜드 발음의 첫 음과 끝 음이 가장 비슷한 소리를 선택하고자, 우선 소리의 순번을 매겨서 몇 번째가 가장 많은 선택이 나오는지 동료에게 앙케트 하듯 모니터링을 했다. 그리고 그중 가장 많이 선호한 번호의 소리를 선택했다.

병마개 따는 소리니, 두 음절이 마치 하나의 음절로 들리도록 수십 번 테이프의 길이를 조정하여 정말 진땀 나게 편집을 했다.

두 음절의 소리 길이는 짧게는 0.46초, 여음까지 0.52초짜리로 1초도 안 되는 소리다. 두 음절의 소리가 단음같이 들리는 브랜드 발음의 병마개 소리를, 오로지 가위 편집에 의한 100% 아날로그 방식으로 제작한 것이다. 경쾌한 병마개 따는 소리와, 뒤이어 청량하게 들리는 탄산가스 소리, 이 모두가 바로 눈앞에서 콜라병을 따는 듯 선명하게 '보이는' 소리였다.

'윤팔' 감독의 도움으로 다양하게 찍은 데모 프레젠테이션용 '콜라 따는 동영상'에 문제의 소리를 더빙하니, 실제로는 두 음절이지만 단음의 병마개 소리로 들리는 명작이 탄생한 것이다.

백지수표를 받다

직업에는 두 가지 의미가 있어.

먹고사는 돈벌이, 그리고 무엇인가 이루려는 일이지.

물론, 둘 다 중요한 것이지만,

우선순위를 둔다면 후자를 선택해야 하지 않나 싶어.

하고 싶은 일을 못하면

그게 정말 잘 사는 것일까?

지금 가진 직업은 어때?

• • • 김 기자를 통해 일본의 펩시 지사로 데모 필름과 소리를 건넨 지 거의 한 달이 다 되어갈 무렵, 김 기자에게서 다시 쪽지 통보를 받았다.

모월 모일 모시에 동아방송으로 펩시 지사 담당자 미국인인 아무개가 갈 것인데, 편집국 P씨가 안내와 통역, 자리 주선을 맡을 것이라는 통보였다.

이 쪽지를 전달받는 순간 가슴이 두방망이질 치기 시작했다. 이 사실을 만보사의 윤팔 감독에게 일단 알렸다.

그것참!

드디어 모월 모일 모시! 광화문 동아일보 옆 '일력'이란 일식집에서, 펩시 담당자와 수행원, 편집국의 P씨와 편집국의 다른 한 명, 그리고 나까지 다섯 명인가 저녁 식사를 하고 있었다. 아쉽게도 윤팔 감독은 지방 촬영 때문에 자리를 같이하지 못했다.

펩시 담당자는 가방에서 카세트테이프 봉투를 꺼내어 내게 정중하게 주면서 상당히 죄송스러워하는 기색이었다.

"본사에서도 미스터 김이 창작해 준 브랜드 로고 사운드에 대해 상당히 반응이 좋았습니다. 그래서 그 오리지널 사운드에다 할리우드 영화 사운드의 FX-신시사이저 음을 덧입혀서, '상쾌한 맛'을 스펙터클하게 리믹싱했습니다. 한번 들어 보시고 수정할 게 있으면 말씀해 주십시오."

P씨의 유창한 통역에 따르면, 리믹싱을 하느라고 시간이 걸렸다는 이야기다. 나도 대강은 알아듣는다. 다만, 영어로 말을 하지는 못할 뿐이지.

잠시 후 미국인 담당자는 창작제작비라면서 나에게 편지 봉투 하나를 정중히 건네면서 '인수인계증' 같은 것에 사인을 해달라고 했다. 우리식으로 치자면 영수증이다.

이키! 이게 웬 돈 봉투인가. 이럴 때는 뭐, 근사하게 '본토 발음'으로 "감사합니다. 앞으로 더욱 많은 유대로 서로 발전을 위해 열심히 애쓰십시다요. 으하하!"이라는 정도는 해주고 싶었지만, 내 짧은 영어 실력으로는 그냥 삐쭉 "땡큐!"로 끝이다.

그래서 나는 말로 안 하고 세계적인 공통언어인 사운드 효과로 말한다는 거 아니냐. 썩을!

그나저나, 누구나 그런 마음이 들었겠지만, 요놈의 돈 봉투에 얼마가 들었는지가 더럽게 궁금해지기 시작했다. 밥맛이 싹 달아났다. 내 성질대로 하자면 봉투를 확 뜯어 얼마인지 보고 싶었지만, 보는 눈도 있고 해서 잠자코 있었다. 그놈의 봉투를 주머니에 넣지도 못하고 그저 식탁 한쪽에 쓱 밀어 놓고는 카세트테이프로 턱 눌러놓았다. 햐, 이거 정말 보고 싶어 환장하겠다. 이런 젠장! 식사가 다 끝났는데 도무지 일어날 생각들을 하지 않았다.

6·25 이후 줄기차게 구호물자나 얻어먹던 한국인이 미국 사람에게, 그 치사한 구호물자가 아니라 내 지혜의 대가로 당당히 돈을 받았다는 사실, 게다가 사인까지 했다는 사실에, 뻥 좀 치자면 부르르하고 전율마저 느껴졌다. 그러니 더더욱 봉투 안의 내용물이 궁금할 수밖에.

자꾸만 시선은 카세트테이프로 눌러놓은 봉투에 가서 착 달라붙는다. 당최 그놈의 봉투 속이 궁금해 미칠 지경이었다.

아, 얼마나 긴 시간이 흘렀을까. 일행은 일식집을 나와, 새로 조정한 소리에 대한 내 의견과, 다음에 다시 만나는 약속은 내일 P씨를 통해 전화로 알려 주기로 하고 일단 헤어졌다.

나는 눈썹이 휘날리도록 동아방송 4층으로 달려갔다. 그리고 큰일 보는 화장실 안으로 뛰어들어 갔다. 우선 문부터 잠갔다. 그리고 선 채로 문제의 봉투를 천천히 뜯어보았다.

한 장짜리 수표였다. 금액란부터 찾아보았다. 이런 환장할! 암만 낯선 미국 수표라지만, 금액란이 도무지 어디 박혔는지 보이질 않는다.

"이런 쳐 죽일 놈들을 봤나, 금액을 빼먹다니, 미국 놈들도 실수

하나?"

나는 뜻밖의 상황에 실망하여 투덜투덜 불평했다.

하숙집에 돌아온 나는 카세트테이프를 틀었다.

아, FX-신시사이저! 새 병마개 소리는 정말 환상적이라고 표현할 정도로 화려한 옷을 입고 있었다. 여기에 비해, 내가 보내 준 병마개 소리는 그냥 꾀죄죄했던 빨간 내복에 불과했다. 처음 우리가 두 음절의 소리를 단음으로 듣고 환호성을 질렀던 게 창피할 정도였다.

FX-신시사이저라는 것으로 리믹싱한 소리는 누가 들어도 진짜 세련된, 그야말로 그들이 원하던 '상쾌한' 소리였다. 음색과 음정이 99.9% 브랜드명에 알맞았다.

'도대체 FX-신시사이저라는 게 무엇일까? 세상에 원본 소리를 이렇게 멋있게 변형시킬 수 있는 기계가 있다면, 이는 무슨 수를 써서라도 구해야 할 기계가 아닌가! 그렇다! 내일 편집국의 P씨에게 FX-신시사이저 정체를 알아내어 이 기계를 구입하고야 말리라.'

나는 이런 결론을 내렸다. 그런데 아무래도 마음 한구석에 걸리는 게 있었다. 바로 금액란이 비어 있는 수표였다.

'이 수표는 뭐지? 나를 놀리는 것은 아닐 테고, 실수한 걸까?'

난 그날 밤 엎치락뒤치락하며 벌써 몇십 번째 그놈의 수표를 펼쳐 보았다가 다시 카세트테이프의 그 상쾌한 소리를 듣다가 하며, 밤을 꼬박 지새우다시피 했다. 같은 방을 쓰던 성우 최응찬은 내 심정도 모르고 약 올리듯 쿨쿨 잘도 잤다. 이 밤은 진짜 '그것참!' 하는 밤이었다.

아무튼, 날이 새자마자 나는 출근을 하여 바로 3층 편집국으로 갔다. P씨를 보자마자 난 들입다 투덜댔다. P씨는 어리둥절하며 내가 내민 봉투 속의 수표를 꺼내어 이리 보고 저리 보고 한참 들여다보더니, 이 친구도 고개를 갸우뚱한다.

"어! 진짜 금액이 없네? 이상하네."

P씨는 전화를 들더니 어제 그 미국인한테 전화를 거는 모양이다. 한참을 혀 꼬부라진 소리로 뭐라 하더니, 내게 카세트테이프는 들어봤느냐고 묻는다. 나는 말 대신 손가락으로 'OK' 표시를 여러 번 보냈다. 또 한참을 씨부렁대더니 얼굴이 하얘져서 전화를 끊는다.

"어이, 벌레! 이, 이거 일 났다!"

"무슨 일인데?"

잠시 호흡을 가다듬던 P씨가 떨리는 목소리로 입을 열었다.

"이, 이게, 그러니까, 이게, 나도 생전 처음 보는, 배, 백지수표래!"

"뭔 수표?"

"백, 지, 수, 표!"

우리 두 사람은 감전된 듯 멍해진 채로 서로 바라만 보고 있었다. 이거야말로 진짜 '그것참!' 이다.

"금액을 꼴리는 대로 쓰라고?"

"그래, 꼴리는 대로!"

오가는 말이 점잖지는 않았지만, 점잔 따지고 있을 상황이 아니었다. 액수를 내 맘대로 쓰는 백지수표라니, 당연히 그럴 수밖에.

문제의 수표를 받은 지 석 달이 지났다. 그동안 모든 게 풍요로운 부자가 된 기분에 들떠 있었다. 요즈음 식으로 말하자면 로또복권에 당첨된 기분이었을 것이다. 아무튼, 나는 그 석 달 동안 가난에서 완전히 해방된 기분이었다.

한 가지 고민이 있다면, 그 수표에 내 기술의 가격을 얼마나 적어야 하느냐는 행복한 고민이었다. 당시 불광동 예술인촌이나 구파발 진관동 기자촌의 국민주택 60평짜리 한 채가 100만 원 할 때였다. 나는 이어령 선생님에게 "얼마를 써야 하죠?"라고 의견을 물었다.

선생도 미국에 교환 교수로 강의를 했을 때, 백지수표를 받아 본 적이 있다고 했다. 그런데 소위 한국을 대표하는 학자로서 명예와 체면상 엉뚱한 금액을 결코 적을 수가 없어 결국 실제 비용만 쓰고 말았다고 한다.

이번 경우, 소리의 원음 발상 아이디어와 제작 크리에이티브는 대단한 '기술'이지만, 이들은 여기에 더 창조적인 FX-신시사이저라는 과학적인 기술로 재창작하였으니, 인접저작권도 그쪽에 있는 경우가 아니냐고 말씀하셨다.

결국, 그 백지수표는 소리 원음 발상 아이디어에 대한 사례금일 뿐, 완성된 로고 사운드 제작의 대가로서 주는 사례금은 아니라는 것이다. 소리 원음 발상 아이디어에 대하여 사례금을 딱히 얼마라고 정하기가 어려우니까 이렇게 백지수표 작전을 쓴 게 아니냐는 게 선생의 추측이었다.

며칠 후 나는 시청 앞 맨해튼 은행으로 들어서고 있었다. 가슴은 두 방망이질을 치듯 두근거렸다. 은행 직원의 대접이 황송할 정도로 깍

제1막 ─ 소리에서 길을 찾다

101

듯하다. 결국, 나는 며칠 전부터 생각하고 있었던 금액을 수표의 공란에 적었다. 일금 구십팔만 오천 원. 당시 내 월급이 4만 원 정도였다.

그것참!

가슴 졸이던 내 꼴이 얼마나 재미있고 황당했으면, 이어령 선생께서는 이 얘기를 희곡으로 작품화하여 극단 실험극장에서 '세 번은 짧게, 세 번은 길게'라는 연극으로 상연하였고 그 후 김호선 감독이 동명의 영화를 만들기도 하였다.

요즘도 가끔 무슨 돈 얘기만 나오면 큰아들 태근이는 정곡을 콕 찌르는 농담을 한다.

"아버지, 그때 미친 척하고 동그라미 하나만 더 그렸어도 아버지 인생이 확 바뀌었을 텐데. 에이, 집 한 채에 백만 원씩 했다면서요!"

"으흠!"

우라질! 내가 새가슴인데 누구를 원망하겠는가. 아니다, 어디 '미친 척'을 하는 게 그리 쉬운가. 게다가 돈 때문에 미친 척한다는 게 왠지 남부끄럽지 않은가. 이게 다, 물질보다는 고매한 정신세계를 추구하는 동방예의지국 대한민국에 태어난 잘못이 아니냐.

사실, 나한테 소리는 '돈벌이'가 아니라 '일'이었다. 김벌래의 개똥철학에 의하면 직업에 두 가지 의미가 있다. 먹고살려니 없으면 안 되는 '돈'을 버는 것과, 무엇인가 성취한다는 것, 이 두 가지다. 자신의 직업이 이 두 가지 의미를 모두 만족하게 한다면야 무슨 걱정이 있겠느냐마는, 현실이 대개 그렇지 못하니 문제다.

나도 가끔 이 둘이 충돌을 일으키곤 하는데, 앞의 돈벌이보다는 뒤의 일을 우선하라고 말하고 싶다. 돈이 없으면 너무나 불편한 게 사실이지만, 허리띠 졸라매거나 욕심 좀 버리면 그 불편함도 참을 만하다. 천상병 시인 같은 분은 '한 잔 커피와 갑 속의 두둑한 담배, 해장을 하고도 버스 값이 남았다는 것' 때문에 오늘 아침 행복하다고 생각했다지 않는가.

게다가 사실 돈이란 게 성공의 지표는 될 수 있겠지만 성공 그 자체는 아니지 않은가. 돈이 없어 불편한 것은 그저 불편한 것이지, 무의미하거나 허무해지는 것은 아니다.

이에 반해, 후자가 없다면 그야말로 세상 살아가는 힘을 잃게 된다. 인간이란 존재는 무엇인가 이루고 산다는 성취감이 없다면 생기를 잃은 인형이 되고 만다. '남들도 다 그렇게 사니까……' 라며 자위하는 것도 하루 이틀이지, 어느 날 갑자기 허파에 봄바람이라도 들면 무한정 흔들리게 되는 법이다.

내가 늘 신나게 일하고 신나게 사는 '신나는 인생'을 외칠 수 있는 것도, 소리쟁이 직업이 나에게 세상 사는 의미를 주기 때문이다. 온몸에 힘이 바닥나도록 열과 성을 다해 일할 수 있다면, 포장마차에서 소주 한잔할 돈만 있어도 행복하지 않겠는가.

쌍!

연출 – 엑스포 전 기간 '장내 방송' 날짜별 음악, 사운드 제작, 송출 운영 1993 영화(사운드 대하 다큐멘터리) '한국소리 100년 대한국인' 제작 1993 제14대 대통령 취임식 사운드 제작, 음향총괄 감독 1994 제46회 국군의 날 행사기획, 사운드 제작, 연출 1994 서울 정도 600주년 기념행사 사운드 제작, 감독 (일부 미공개) 1995 광복 50주년 구 조선총독부 철거 행사 사운드 제작, 연출 1995 제47회 국군의 날 행사기획 사운드 제작, 연출 1996 IAA 세계 광고인대회 개막식 사운드 음악 제작, 연출 1996 서울 시민의 날 개폐막식사운드 제작, 연출 1996 성덕대왕 신종 실측분석. 제2회 〈세계의 종 국제학술대회〉 음반 '에밀레종과의 조우' 작곡, 제작, 연출 1997 제2회 부산 동아시안게임 개 · 폐회식 기획, 사운드 제작, 연출 1998 제15대 대통령 취임식 사운드 제작 및 음향총괄 감독1998 경주 세계문화 EXPO 개막제 사운드 음악 제작, 연출 1998 건군 50주년 기념행사 사운드 제작, 음향총괄 감독 1999

제2막_ 천재 또는 쟁이가 되라

광고란 것이 결국, '남의 집 좌판에 매달려 오직

그 집 장사 잘되라고 하는 것' 입니다.

하지만, 그것도 나의 일이니 온 힘을 다했습니다.

그렇게 온갖 노력을 다하며

광고 소리를 통해 사람의 마음을 움직이는 법을

배웠습니다.

광고 소리가 아니었다면 지금의 저도 없었을 것입니다.

이제 그 광고 소리 창작에 얽힌

전투일지 속으로 들어가 보겠습니다.

광고 소리의 세계에서 뛰놀다

사람들은 대부분

　　　　　　일에 좀 익숙해지고 나면

　　마음가짐이 느슨해지곤 하지.

　　　　　그런데 '아는 만큼 보인다.' 라는 말 알아?

　　알면 알수록 해야 할 게 많아지고

　　　　　　　　하고 싶어지는 것도 많아지는 게 바로 일이야.

　　내 손에 익숙해졌다고 느슨해진다면,

그것은

　　　　　　일에 대해서 아무것도 모른다는 소리나 마찬가지야.

　　　• • •광고는 짧은 시간에 소비자의 눈과 귀를 끌려면 대단한 집중력이 필요하다. 좋은 아이디어가 떠오르지 않을 때면 피가 마르는 기분이다. 간신히 짜내고 짜내 광고 하나를 만들고 나면 이 짓도 더는 못 해먹겠다는 생각이 수천 번은 더 들지만, 어느새 다시 큐 사인을 내리는 나를 발견하게 된다.

　　가르치는 학생 한 녀석이 언젠가 이렇게 물어 온 적이 있었다.

　　"그렇게 오랫동안 일을 많이 하셨는데, 질리거나 아이디어가 빈곤해지지는 않나요? 저는 가끔 지치던데요."

　　나는 따끔하게 한마디 했다.

제 2 막 — 천재 또는 쟁이가 되라

107

"무슨 소리야! 그건 자네가 일을 아무 의미도 없이 기계적으로 반복해서 그런 거지. 같은 조건, 같은 상황이라도 나한테는 늘 새로운 조건, 새로운 상황인데, 질릴 리가 있나? 그렇게 쌓은 경험은 오히려 영감의 재료가 된다고!"

내가 이 일에 질리거나 지치거나 빈곤해지지 않은 것은 아마도 정말로 이 일이 신나기 때문일 것이다. 우리의 자랑스러운 축구 국가대표 이영표 선수도 말하지 않았나, "천재는 노력하는 사람을 이길 수 없고, 노력하는 사람은 즐기는 사람을 이길 수 없다."라고.

신이 내게 재능 같은 것을 주었다면 그것은 아마도 '일을 즐기는 재능'일 것이다. 그랬기에, 지금까지 2만여 편의 광고를 만들고 온갖 소리를 창조할 수 있었고, 그 경험은 거대한 국가적 이벤트나 공연예술로까지 내 소리의 영역을 넓히는 원동력이 되었다.

이제 그 광고 작업의 경험에 대해서 이야기해 보겠다. 광고야말로 내가 신나게 뛰놀던 놀이터이자 훈련장이었다. 몇 초 되지 않는 짧은 순간에 소리로써 사람의 마음을 움직이는 광고, 그것은 실로 마법이었다.

1960년대 말쯤 금성전자에서 TV 리모컨을 만들었다. 초창기 리모컨은 지금의 컴퓨터 마우스처럼 생긴 것이 TV까지 긴 선으로 이어진 형태였는데, 얼마 안 있어 지금과 같은 무선 센서 리모컨으로 교체되었다.

선우광고의 강한영 감독이 금성TV 무선 리모컨 론칭 광고를 제작했다. 광고 내용은 예쁜 여자 모델이 리모컨의 버튼을 TV를 향해 누르면 TV 화면이 순간적으로 다른 채널로 바뀌는 것을 보여 주는 것이다. 이로써 리모컨의 편리성과 함께, 첨단 전자기기를 탄생시킨 금성TV의 자부심을 드러내는 광고였다.

내가 맡은 작업은, 버튼을 누를 때마다 채널이 바뀌면 앞 채널 소리와 다른 소리나 음악으로 착착 바꾸는 간단한 작업이었다. 하지만, 아무리 생각해도 이는 광고의 핵심인 리모컨의 사용 기능을 알리는 론칭 콘셉트와는 거리가 있었다.

나는 강 감독에게 '보이는 소리'를 만들자고 제의했다. 내용인즉, 리모컨을 눌렀을 때 거기서 TV를 향해 파란 레이저 광선 같은 것이 쏘아져 TV에 닿고, 그 순간 어떤 소리와 함께 화면을 바꿔 보자는 것이었다. 바로 리모컨의 기능 정보와 용도를 확실히 전달하기 위한 제안이었다.

강 감독은 흔쾌히 내 제안을 받아들였다. 그는 전공인 애니메이션 작업을 통해, 기존 화면은 건드리지 않고 그 위에 파란 레이저 같은 라인을 덧입혀, 버튼을 누를 때마다 파란 광선이 TV와 부딪치는 영상을 만들었다.

강 감독이 이틀 만에 비디오 작업을 끝내고 재녹음 작업을 내게 넘겼는데, 역시 비디오만으로는 심심했다. 이번에는 내가 활약해야 할 차례였다.

나는 소위 레이저광선이 나갈 때 날 법한 소리들을 상상해 보고, 그 파란 광선에 맞추어 그 소리를 입혀 보기 시작했다. 말이야 쉽지, 듣도 보도 못한 광선 소리를 순전히 상상력으로 만들어 낸다는 게 보통 일은 아니다. "피욱!", "팩!", "뼈웅!", "슈핵!", "피슉" 등등 별의별 이상한 소리들을 상상하고는, 이를 실제로 만들어 보았다.

여러 가지 시행착오 끝에 답은 뜻밖에도 가까운 데서 찾아냈다. 담배에 불을 붙이려고 성냥을 켜다가 그때 발생하는 "착! 팍!" 하는 소리가 귀에 잡혔다. 그 파열음을 편집, 정리하니, 마음에 꼭 드는 소리가 나왔다.

이로써 또 하나의 새로운 소리와 영상 표현을 발견한 셈이다. "리모컨은 레이저 광선을 쏘고 그 소리는 '피이욱!' 하고 난다."라는 고정적인 틀을 탄생시킨 것이다.

광고의 반응은 대성공이었다. 이 론칭 광고가 방송된 직후 전국 금성대리점의 전화통에 불이 날 정도였다고 한다.

하지만, 부작용도 있었다.

"아, 여보시오! 금성대리점이죠? 내 리모컨에선 파란 광선도 안 나오고 '피식!' 하는 소리도 안 나는데, 이거 불량품 아냐?"

"내가 산 것은 아무 소리도 안 나는데 새 걸로 바꿔 주쇼!"

이런 내용의 항의 전화가 심심찮게 걸려온 것이다. 그만큼 광고의 파급력이 컸다는 것을 의미했다. 물론 21세기인 지금이야 그런 광고를 곧이곧대로 믿지도 않겠지만, 그 당시 대리점에선 사실을 해명하느라 진땀을 뺐다고 한다.

이 에피소드는 TV 광고에서 소리가 가지는 마력을 잘 대변해 주는 대목이다. 사람의 마음을 즉각적으로 움직이게 하는 힘은 시각적 자극보다 청각적 자극이 더 강하다. 소리의 순간자극이 소비자에게 어떤 반응을 주는가를 명확히 말해 주는, 소리 마케팅의 중요한 단서

인 것이다.

그 후 얼마 안 있어 세계적인 가전제품 브랜드를 과시하는 일본의 소니에서도 '리모컨 원작 원음 사용 동의'를 타진해 왔으니, 실로 통쾌하게 완승을 한 전투 작품이 아닐 수 없다.

1970년대가 되자 바야흐로 듣는 매체에서 보는 매체로, 텔레비전의 시대가 열렸다. 선진광고, 만보사 같은 광고대행 전문회사의 활동도 활발해졌고 광고에 대한 관심도 차츰 높아지고 있었다.

1974년이었던 것으로 기억하는데, 드라마 제작 분야에서 제법 친하게 지내던 이강우 PD가 어느 날 갑자기 별볼일이 없는 광고제작과로 좌천(?) 발령이 났다.

세상은 바야흐로 TV 시대, 라디오로서는 청취자가 줄어드는 드라마의 편수를 줄이고, 라디오의 특성에 맞는 프로그램을 개발해야 할 필요가 있었다. 결국, 그 당시 동아방송에서 인기를 끌고 있던 '한국전쟁'이나 '정계 야화', '특별수사본부'와 같은 간판 프로그램을 맡고 있지 않았던 이강우가 드라마 파트에서 감축된 것이다.

그때만 해도 광고제작과는 하는 일이 없었다. 그러니 '좌천'이란 기분이 들 수밖에. 그 때문에 이강우는 얼마간을 기가 팍 죽어 의기소침해 있었다.

텔레비전 광고에서 제법 자리를 잡고 있었던 나는 친구로서 힘을 실어 주고 싶었다. 우리는 무교동 낙지볶음 집에서 '한 대포' 하면서, 내가 '소리'로 먼저 접해 본 경험에 비추어 앞으로 광고의 장래

성과 비전을 얘기해 주며 용기를 주었다.

연세대 국문과를 졸업한 수재인 이강우는 조용한 성격의 친구로 치밀하고 용의주도한 면도 있었다. 드라마 파트에 있을 때에는 틈틈이 드라마 원고도 직접 쓰기도 했다. 광고제작에서도 그는 서서히 자신의 진가를 발휘하기 시작하였다(나중에 그는 둘째라면 서러워할 '광고쟁이'가 되었다).

그는 동아방송 전속 성우들을 여러 각도로 단련시키는가 하면, 광고 문안도 재미있게 만들었다. 특히 음향효과의 응용과 활용에 대해서는 심혈을 기울였는데, 나와 협조하며 적극적으로 의논해 나갔다.

여기에 기술부 이선주까지 아예 합세하여, 우리 세 사람은 라디오 광고에 적극적으로 음향효과를 응용했다. 그리하여 타 방송국에서는 맛보지 못하는, 더욱 새롭고 재미있는 광고를 만드는 데에 전념했다.

드디어 그동안 타 방송국에서 제작하던 광고주들이, 소문을 듣고 동아방송 광고제작과와 우리 삼총사를 보는 시선이 달라지기 시작했다. 광고제작 의뢰가 하루 서너 편이었던 것이 어느덧 십여 편이 넘게 몰려들고 있었다.

나는 낮에는 드라마에 매달리고 퇴근 시간부터는 그 많은 광고제작에 매달렸다. 이렇게 '내가 좋아하는 일'을 24시간 연구하고 정진할 수 있다는 것은 누가 뭐래도 분명히 행운임이 틀림없었다. 게다가 돈까지 벌지 않는가.

광고제작은 다른 프로그램이 끝나는 퇴근 시간 이후에 B 스튜디오를 써야 했기에, 늘 통금 시간이 가까울 때까지 녹음을 했다. 그러다 보니 완성편집 작업은 시쳇말로 '죽기 아니면 까무러치기'로 밤

샘하기가 다반사였다. 그래도 우리 '똥창' 삼총사는 마냥 신났다.

우리 삼총사는 우연히도 셋 다 뱀띠 동갑내기면서 묘하게도 '현물경제' 엔 관심이 없고 오로지 일에만 욕심을 내는 심성 또한 똑같았다. 그러니 날밤을 새울 수밖에.

방송국에서 보낸 10여 년, 그중에서도 특히 이강우와 함께한 이 시절은 광고제작으로 수많은 시행착오를 거치면서 소리의 수많은 과제를 습득하는 수련의 시기이기도 했다.

이강우와 만들었던 광고로는 소화제 '훼스탈' 이 생각난다.

이 광고에서는 최상현 씨가 솔로 주연이었다. 나는 최상현 선배를 연극 〈세인트 · 존〉에서 조연출과 주연배우 관계로 만나, 평소에도 친하게 지냈다. 최 선배는 연출에서 배우, 성우까지 섭렵한 분으로, 상당히 독특한 저음을 잘 구사하는 멋진 배우이다.

이강우로서는 처음 대하는 최 선배의 억양이 이상하다고 생각했을 것이다. 최 선배는 마지막 대사에서 똑같은 내용을 자꾸 여러 번 반복해서 NG를 냈다. "훼스탈은 '종합' 소화제입니다."인데, 자꾸 "훼스탈은 '좋은' 소화제입니다."라고 하는 것이었다.

몇 번을 신경 써서 연습해도 녹음만 들어가면 자꾸 똑같은 실수를 반복했다. 우리는 한바탕 웃음을 터트렸다. 우리 삼총사는 똑같은 생각을 하고 있었다. 듣다 보니 '종합' 보다 '좋은' 이 더 낫다는 것이다.

잠시 후 책임 PD인 이강우는 원래 OK인 '종합' 이 아니라 NG인 '좋은' 을 과감하게 채택했다. 실제 방송 나갈 때도 NG가 났던 '훼스탈은 좋은 소화제입니다.'로 방송했다.

사실 이 '종합'은 제약사의 담당자인 전영일 씨가 강하게 주장했는데, 아마 제약사에서 내세우는 콘셉트인 듯했다. 즉, 함부로 바꿀 수 없었다. 하지만, 최상현 선배의 진지하고 부드러운 저음과 '좋은'은 더는 딱 맞는 카피가 없을 정도로 궁합이 좋았다. 일단 목소리가 믿음직하고 내용이 쉽고 편안했다.

이강우의 용단으로 광고는 크게 히트했고 매출도 확 늘어났다. 그 후로 여러 해 동안 앞부분 카피는 바뀌어도 마지막 부분에서 알약을 눌러 빼는 "빠그닥!" 소리와 "훼스탈은 좋은 소화제입니다."라는 대사는 계속 사용되었다.

우리는 이를 통해 광고의 '소리'는 언제나 대중적이고 쉬워야 한다는 것과, 그것을 선별하는 심미안이 광고의 소리 작업이라는 것을 배웠다.

"소리를 잘 만드는 것보다, 광고에 필요한 소리를 찾아내는 작업이 먼저다."

김벌 아무개의 말씀이다.

'빠그닥!' 소리는 요즈음도 광고에서 자주 듣는 소리다. 누구나 약을 먹을 때마다 경험하는 소리다. 진공 포장한 타블렛 판의 알약을 눌렀을 때 알약이 은박지를 뚫고 삐져나오는 소리다.

우리는 이 소리를 무심코 지나치지만 이 소리를 클로즈업하면 '이 약을 먹으면 불편한 몸 상태가 좋아질 것'이라는 기대감이 드는, 기분 좋은 느낌의 소리이다. 이 소리는 당시에 판매하던, 아기들이 먹는 '거버'라는 이유식 유리 용기의 양철 뚜껑을 순간적으로 눌렀다 뗀 소리다.

한번 해보시라! 요즈음은 오렌지 주스 병뚜껑이나 커피 병뚜껑 등 쓸 만한 게 많다. 요령껏 손가락으로 눌렀다 뗐다 하면 신나는 음악 리듬 놀이도 할 수 있어 재미있다. 이런 장난 같은 짓을 하고 밥벌이를 하니, 괴물이란 별명이 붙을 수밖에.

훼스탈 광고를 만들게 한, 한독약품의 광고 담당자 전영일은 나와는 연극공부를 같이했던 '묵은지'다. 똑똑한 연극쟁이였는데, 녀석, 지금은 우리의 '주님'이시다. 기독교에서 주님 말씀을 거역할 자 누가 있겠는가? 우리 광고판에서는 하늘 같은 '광고주님'을 은어로 '주님'으로 통한다. 광고를 만드는 우리에게 광고주가 얼마나 위대하고 절대적인 존재였으면 '주님'이란 은어까지 생겨났을까? 조금은 씁쓸하기도 하다.

이런 주님을 꼬드겨 만든 또 다른 훼스탈 광고다.

E : 기차 기적과 열차 내부 달리는 소리.

홍익회 : 심심풀이 땅콩이나 장거리 여행 중에 김밥이나……죄송합니다! 잠깐 광고 안내 말씀 올리겠습니다! 여행 중 꼭 휴대할 훼스탈은 종합 소화제로서……어쩌고저쩌고 생략.

E : 빠그닥!

N : 훼스탈은 좋은 소화제입니다.

E : 기차 기적.

나는 훼스탈을 여행 중 휴대 상비약으로 인지하게 하고자 열차를 끌어들였다. '홍익회'(당시에는 '갱생회') 사람들 특유의 어조로 아예 광고를 '여행정보 안내'로 둔갑시킨 쉬운 광고였다.

장거리 열차 여행을 해본 사람은 누구나 김밥 식사, 물 갈아 마시기 등에서 오는 소화의 거북함이나 열차 내 운동 부족을 느꼈을 것이다. 그래서 나는 홍익회 사람을 등장시켜 직설적이지만 정곡을 찌르는 방식의 광고를 만들었다. 물론, 이 광고 역시 히트를 쳤다. 우리 주님께선 나만 보면 연방 싱글벙글했다.

그것참!

이 광고가 나온 후 얼마 지나지 않아 약품 광고에는 웃기지도 않는 변화가 일어났다. 다른 제약 제품 광고에서도, 아예 밑도 끝도 없이 무조건 첫 시그널을 기차 기적으로 하고, 첫 대사도 "죄송합니다! 잠깐 광고 안내 말씀 올리겠습니다!"로 시작하는 게 아닌가.

우리가 흔히 보아 왔던 소위 '장터 약장사' 포맷으로, 소비자에게 쉽게 다가가면서 지극히 인간적인 면을 강조하는 대중적인 광고였다. 이렇게 광고라는 사실을 고지해 놓고 제품 정보를 알리는 광고는 약품 광고에서 전형적인 유형의 하나로 유행하기 시작했다.

말하자면, 우리 동아방송 삼총사가 라디오 광고에서 '제약 광고'만의 획기적인 패턴을 탄생시킨 것이다. 광고 역사의 한 장을 우리 손으로 쓴 셈이다.

천재 또는 쟁이가 되라

누구나 크고 작은 실수와 실패를 반복하게 되지.

성공에 대해서는 신나는 상상을 하되,

실패에 대해서는 빨리 잊어버리는 훈련을 하게.

어차피 아무리 잘 치는 프로야구 타자라도

타석의 2/3은 실패한다는 것을 잊지 말게.

그러니 실패도 신나게 하게.

사실, '실패쟁이' 같은 사람이 있다면

그처럼 부러운 사람도 없어.

그만큼 실패하고도

또 시도할 힘이 생긴다는 것 아니냐고.

· · · 불과 몇십 초밖에 되지 않는 광고 하나를 만들고자
천 년의 근심과 천 번의 시행착오를 거듭한다면, 지나친 과장일까?
  에디슨 할아버지가 전구를 발명하고자 수천 번의 실패를 하고 나
서, "수천 번 실패한 게 아니라 수천 번의 단계를 거친 것이다."라고
껄껄 웃었다는데, 나도 그 심정이 이해가 된다. 정말로 그런 것은 실
패가 아니다. 당연히 겪어야 할 단계이자, 차곡차곡 쌓이는 경험이다.
  나 역시 숱한 시행착오를 거듭하면서 참으로 소중한 것을 배웠다.
내가 겪은 시행착오는, 소리로써 사람의 마음과 공명하려면 반드시
겪어야 하는 단계이자, 반드시 치러야 하는 수업료였다.

117

종근당의 로고 사운드를 권익표 선배한테서 의뢰받아 만들었을 때였다. 익히 알려졌듯 이 회사는 수십 년 동안 한결같이 라디오 광고와 TV 광고의 마지막으로, 우리가 만든 '뎅!' 하고 나는 범종 소리와 흔들리는 종의 영상을 쓰고 있다(황금색 '흔들 종'은 한일기획의 추남 감독 작품이다).

흔들 종의 영상이면 분명히 '뎅그렁' 해야 하는데도 소리는 '뎅'이다. 즉, 그림은 서양 노트르담 성당의 종 같은, '불알'이 달린 종이지만 소리는 우리네 범종 소리다.

이처럼 꼭 그림과 일치되지 않더라도 광고에서는 소리만 듣기 좋으면 소비자한테 그다지 거부반응이 없다. 소리가 친숙하면 소비자에게는 좋은 느낌이 들기 때문이다

그런데 내가 처음 이 종소리 로고 사운드를 만들어 서대문 충정로 종근당 사옥에서 시청회를 하는데, 이상한 일이 벌어지고 말았다. 여러 가지의 종소리를 여러 번 반복해서 듣고 있던 이종근 회장님께서 "이거 조종(弔鐘) 소리 아냐?"라고 하신 것이다. 이런 청천벽력 같은 일이 있나! 웬 조종?

그것참!

우리 같은 '광고쟁이' 한테는 '주님'이신 광고주의 말씀이 그러하시니, 나는 아무 소리도 못 하고 사무실을 나왔다. 아, 그 비참함이란! 정말 쥐구멍에라도 숨고 싶었다. 내가 만든 소리가 조종 소리처럼 들리다니.

그런데 얼마 지나지 않아 권익표 선배가 내게 토로했다.

"내가 실수했어. 시청회 날짜를 잘못 잡았어."

권 선배의 말에 의하면 얼마 전 이종근 회장님 집안에서 어르신 상을 당했다는 것이다. 위패를 절에 모시고 사십구재까지 지내는 동안 회장님께서는 절간의 종소리를 얼마나 많이 들었겠는가. 당연히 회장님으로서는 분명히 돌아가신 어르신을 생각하고 그 종소리를 조종의 느낌으로 받아들였을 것이다.

조종 사건이 발생했던 날에서 한 달이 지났을 무렵 권 선배한테서 다시 연락이 왔다. 이 정도 시간이 흘렀으면 이 회장님의 일상도 돌아가신 어르신에게서 벗어날 때가 됐으니, 다시 시청회를 시도해 보자는 것이었다.

로고 사운드용 종소리는 한 달 전과 달라진 게 없었다. 이번에는 샘플의 순서만 바꾸었을 뿐이다. 여섯 개의 종소리를 여러 번을 반복해서 듣고 있던 회장님께서 한 말씀 하신다.

"다 평화스럽군. 난 맨 끝에 것, 6번이 맘에 드는데."

한 달 전과는 사뭇 다른 느낌을 받았나 보다. 이번엔 평화의 종 같은 느낌인가 보다. 사실 여섯 개의 종소리는 음의 폭과 여음 길이만을 각각 다르게 편집한, 같은 종소리였다.

조종과 평화로운 종소리는 어떻게 다를까? 분명히 같은 종에서 나는 소리이니 똑같을 것이다. 다만, 그 종소리를 내는 목적과 주위 분위기만 다를 뿐이다. 소리는 분명히 느낌의 세계이고 지극히 주관적인 세계인 것이다.

따지고 보면 내 잘못은 아니었지만 이유야 어쨌건 간에 그 시청회는 분명히 '광고주'라는 소비자를 만족시키지 못했다. 그런 면에서 보자면 나는 첫 번째 시청회가 분명한 실패라고 생각한다.

119

실패는 좋은 것이다. 언제나 성공보다는 실패에서 더 많은 것을 배울 수 있기 때문이다. 나는 이 실패에서, 광고 소리의 세계에서 소비자에 대한 배려, 소비자의 성향을 읽어 내는 것이 얼마나 중요한 일인가를 배울 수 있었다.

또한, 내가 추구하는 소리는 그저 청각만 자극하는 것이 아니라, 거기서 더 나아가 인간적인 어떤 감각, 감정을 환기시키는 것이어야만 한다는 사실을 배웠다.

아, 그때 배운 것 중에 꽤 쓸모 있는 '꼼수'도 하나 배웠다. 이 회장님도 그랬지만, 사람들 대부분은 맨 마지막에 나오는 것이 가장 심혈을 기울였다고 인정하려는 묘한 심리가 있다는 사실이다. 시쳇말로 '조용필도 맨 나중에 나온다.'라고 하지 않던가.

이후 나는 사운드의 시청회 프레젠테이션에 갈 때면 OK 될 만한 것을 일부러 맨 마지막에 배치한다.

광고대행사 제일기획에서 부광약품 '브렌닥스 치약'의 로고 사운드 제작을 의뢰받았다. 다시 소리 찾기 전쟁이 시작되자, 나는 아예 브렌닥스 치약을 아침저녁으로 쓰면서 제품의 특징을 분석했다.

한번은 복취루 자장면을 시켜 먹고 빈 그릇을 사무실 문밖에 있는 수거통에 담으면서, 이 사이에 묻었을지도 모를 자장면 찌꺼기를 닦으려고 혀로 훑어 내고 입맛을 쩍쩍 다셨다. 그 순간 이런 생각이 떠올랐다.

'아, 이가 깨끗하게 잘 닦이면 무슨 소리가 날까?'

나는 곧바로 여러 가지 소리를 머릿속으로 떠올려 보았다. 한참 고민한 끝에 얻은 결론은 바로 '뽀드득!' 이었다.

나는 정말 풍선과 인연이 많은가 보다. 콜라 광고 때도 그랬는데, 이번에도 풍선에서 소리를 찾았던 것이다. 손끝에 물을 묻혀 풍선을 문지르니, 쉽게 '뽀드득!' 이라는 소리를 찾아낼 수 있었다.

"이거, 이 가는 소리 아냐?"

광고 AE인 김충경이 고개를 갸우뚱했다.

맞다, 이 가는 소리도 이와 똑같다. 같은 소리인데도 상황에 따라 전혀 다른 느낌을 준다. 종근당의 종소리 때와 똑같은 얘기다. 듣는 사람의 심리 상태에 따라 평화로운 종소리가 조종 소리가 되기도 하고, 제재소의 톱 돌아가는 소리가 거대한 폭포 소리로 둔갑하기도 하고, 소낙비 소리가 대극장의 박수 소리로 들리기도 한다.

일단, 아가씨가 혀로 이를 문지르는 영상에 '뽀드득' 소리를 더빙해 보았다. 예쁜 아가씨가 혀를 내밀어 윗니를 문지를 때마다, 이가 얼마나 깨끗이 닦였으면 '뽀드득!' 하고 소리가 날까.

"이거야, 심벌 소리 제대로 건졌어!"

제작팀과 김충경이 환성을 질렀다.

아무리 이를 잘 닦았다 하더라도 혀로 '뽀드득!' 하는 소리를 낼 수는 없다. 오로지 이차원적 상상의 소리일 뿐이다. 하지만, 양치질을 끝낸 여자의 이에서 상쾌하게 울려 퍼지는 '뽀드득!' 소리보다 더 뛰어난 제품 설명은 없을 것 같았다.

이렇게 만족스러운 소리였지만 결과는 불만스러웠다. 광고의 방향이 잘못되었던 것이다. 얼마 후 본격적으로 광고 녹음을 하면서 나는 광고가 이상한 방향으로 잘못 가고 있음을 깨닫고 깜짝 놀랐다. 광고 전략을 '뽀드득 사운드'에 중점을 둔 콘셉트였지만, 이건 뭐, 로고 사운드의 남발이었다. 15초 광고에서 코멘트에 세 번, 사운드에 두 번, 모두 다섯 번이나 나왔다. 제작팀은 쓸 만한 심벌 사운드를 건진 것에 흥분했는지 뽀드득 사운드를 마냥 남발한 것이다.

시리즈물로 기획된 광고였는데, 매번 광고가 바뀔 때마다 심벌 사운드를 남발하다 보니, 어럽쇼, 여론조사 결과 소비자가 브랜드 이름은 모르고 '뽀드득!'만 기억하는 불상사가 벌어지고 말았다.

의도적으로 소리를 강조한 전략이었지만, 분명한 실수였다. '신비한 것, 예쁜 것일수록 숨기고 아껴라.'라는 것이 모든 예술 장르에 해당하는 진리이다. '뿌옇게 김이 피어오르는 목욕탕 속 희미한 여체' 같은 것은 투명인간이 되어서라도 훔쳐보고 싶을 만큼 신비롭고 매력적이지만, 산부인과 의사 선생님에게도 여체가 신비로울까?

나는 이 경험을 통해, 15초 광고에서 이미 사용한 사운드는 두 번 이상 사용하지 않아야 소비자에게 혼동을 주지 않는다는 사실을 깨달았다.

아무튼, 이 광고는 실패작이었다. 이미지가 강한 심벌 소리를 남발한 탓에 소비자가 정작 브랜드를 기억하지 못하는, 돈만 내버리는 광고인 셈이다.

비록 소리는 성공적이었다지만 광고가 실패한 이상 그게 과연 성공한 것일까? 아무리 내 소리가 만족스럽다고 하더라도 광고 전체에서 적재적소에 녹아 있지 않으면 아무런 의미가 없다.

아무리 자타 공인 '괴물'인 김벌 아무개라고 하더라도 2만여 편

광고 중에 실패작 하나쯤 없었겠는가. 그런데 이상하게도 실패한 경험을 이야기하라면 확실하게 떠오르는 게 없다. 왜 그럴까?

좀 이상하게 들리긴 하겠지만, 이 김벌래는 실패를 실패라고 생각하지 않기 때문일 것이다. 물론, 나 역시 크고 작은 실패를 거듭해왔다. 하지만, 한번 실패했던 소리도 나중에는 큰 도움이 되었다. 그래서 깨달았다, 세상에 쓸모없는 소리가 없듯이, 쓸모없는 실패도 없다는, 삶의 진리를 말이다.

이렇게 생각하니 때로는 실패도 '신나게' 할 수 있게 되었다. '신나는 실패' 라니, 이 얼마나 '괴물' 스러운 말인가.

그것참!

"일을 즐겨라!" 내가 하고 싶은 이야기는 이것이다.

하나의 소리를 만들고자 나는 수천수만의 소리를 찾고 수천수만의 가위질을 골백번 거듭했다. 아무리 '괴물 15843호' 라 하더라도, 놀이하듯 신나게 하지 못했다면 이 빌어먹을 작업을 어떻게 평생 하고 있겠는가.

내가 입에 '신나게' 라는 말을 달고 다니는 것도 다 이유가 있다. 신나게 즐길 수 있어야만, 숱한 실패에 상처받지 않을 것이고 실패할 것을 두려워하지도 않게 될 테니까.

창의성이란 놈도 고되고 반복적인 노력 없으면 애당초 있을 수가 없다. 흔히 창의성을, 마치 하늘에서 뚝 떨어진 천재성 같은 것으로 생각하는데, 그것은 착각이고 오해다. '크리에이티브' 라는 것도 크고 작은 실패를 숱하게 반복한 끝에 만들어지는 것이다.

그래서 나는 천재를 '쟁이' 라고 생각한다(사전적 의미야 '장이' 가

맞겠지만 어감으로는 왠지 '쟁이'가 더 끌리지 않는가). 천재 역시 노력
으로 이뤄진다고 믿는 것이다. 그래서 이 김벌 아무개는 스스로 천
재라 칭해도 전혀 남부끄럽지 않다.

곰곰이 생각해 보니, '신나는 천재 김벌랩니다' 라고 하려니까 좀
남우세스럽기는 하다. 알고 보면 나도 이렇게 겸손한 사람이다.

침묵으로 소리를 만들어라

크리에이티브의 기본은

세상을 뒤집는 거야.

있어야 하는 것을 없애는 것이고

없어야 하는 것을 있게 하는 것이지.

'상식', '원래 그런 것' 따위는 없어.

내가 만드는 것이

길이 되고 법이 되지.

그러니 여기서는 내가 신(神)이야.

• • • 광고 프로덕션 회사인 'PLUS FILM'에는 지극히 낙천적인 성격에 사람 편하기로 정평이 난 이기태 감독이 있었다. 꽤 괜찮은 광고 감각을 가진 동갑내기 친구였는데, 나와는 흉허물이 없이 지냈다. 나는 그를 '바둑이'란 애칭으로 불렀다.

이 친구는 코를 중심으로 좌측 얼굴 전체에 검붉은 반점이 자리 잡고 있었다. 이런 외모의 결함이 있었는데도 이 친구는 이를 대수롭지 않게 생각했다. 아니, 오히려 자신의 결함을 장점으로 부각시킬 줄 아는 멋있는 친구였다. 'PLUS FILM'라는 로고 간판에 자기 얼굴을 캐리커처로 그려 놓고 얼굴 한쪽을 '바둑이'처럼 검게 칠했고, 그의 명함이나 사인에도 이를 이용했다. 이러니, 나하고 죽이 안 맞을 수가 없었고, 한창때는 그가 꽤 많은 광고 작업을 부탁해서 내 일처럼 함께하기도 했다.

80년대 중반인가? 부산의 신발 공장 중에 시장 상황이 어려워 문을 닫는 공장이 여럿 생겨날 즈음, 바로 바둑이네 프로덕션에서 제작한 광고의 사운드 작업 의뢰가 들어왔다. 제법 브랜드가 알려진 스포츠 신발 광고였다.

영상의 줄거리는 한 운동선수가 온 힘으로 경기에서 이겨 나가는 과정과 달리는 발, 제품의 우수성 등을 박력 있게 표현하고 있었다. 마지막은 신발을 클로즈업하는 장면으로 끝났는데, 내가 보기에는 그게 좀 약할 것 같아 사운드 디자이너로서 건의했다.

건장한 남자 주먹이 무엇인가 다짐하듯 자신의 다른 손바닥을 '꽉!' 하고 치는 그림을 덧붙이고, 거기에 묵직한 목소리로 "필승을 위한 다짐!", 그리고 제품명이 나온 다음, 통상의 일반적인 소리가 아닌 '쾅!' 하고 거친 음색의 타격음을 만들어, 마무리 로고 사운드로 하기로 했다.

박력 있는 마무리 사운드는 대행사 시사회에서도 만족스러운 반응을 얻었다. 결국, 그 광고는 전국적으로 방송을 타기 시작했다. 그리고 한 보름쯤 지난 어느 날, 그 광고를 TV에서 보는 순간, 나는 내 눈과 귀를 의심했다. 마지막을 박력 있게 마무리하던 '쾅!' 하는 소리와 손바닥 치는 그림이 어느 틈에 사라져 버린 게 아닌가.

부랴부랴 대행사 담당에게 그 소리와 그림을 뺀 영문을 물어보았다. 대답은 뜻밖에도 간단했다.

그것참!

그때 한창 부산의 중소 신발 공장들이 수출 부진에 경영난으로 문을 닫는 판국인데, 좀 규모가 크다는 그 회사라고 안전하다는 보장도 없었기에, '주님'께서 광고를 볼 때마다 그 '쾅!' 하는 소리가 공장 문 닫는 소리처럼 들린다는 것이다. 그래서 '주님'의 간곡한 사정으로 어쩔 수 없이 뺐다는 것이다.

주님께서 섬뜩 경기를 일으킬 지경이라니 날고 기는 대행사인들 별수 있겠는가. 이런 얼토당토않은 이유 탓에 내 소리와 주먹 치는 그림이 가차없이 퇴짜를 맞고 만 것이다.

소리 작업료는 이미 받았으니 그까짓 것 아무려면 어떠랴, 지나가던 소도 웃을 이유로 퇴짜를 맞았지만 뭔 대수겠는가, 이렇게 투덜거리면서 마음을 달래야 했다.

이 일을 겪고 나서 시간이 좀 흐르자, 어느 프로덕션한테서 쌍방울의 속옷 브랜드인 '트라이'의 광고 사운드를 만들어 달라는 의뢰가 들어왔다.

당시 쌍방울과 백양은 속옷 시장의 양대 산맥으로, 시장 점유를 놓고 한바탕 치열한 경쟁을 벌이고 있었고, 한편으로는 막강한 물량의 광고전을 펼치고 있었다. 그만큼 중요한 광고가 드디어 괴물 15843호한테까지 온 것이다.

광고 내용은 유명 배우의 카리스마 있는 액션 연기를 주제로 했다. 탤런트 이덕화가 주인공으로 나오는데, 연인의 집을 찾아가면 무슨 이유인지 연인에게서 냉대를 받는다. 문이 닫히면 주인공은 통탄인지 애틋함인지 감정을 폭발하여, 닫힌 문을 손바닥으로 힘껏 내려치며 절규한다(최근에는 권상우, 이효리가 이 광고를 리메이크했다).

내 머리엔 섬광처럼 영감이 스치고 지나갔다. 주님에게 퇴짜 맞고 폐기처분해야 했던, 신발 광고의 마지막 소리, 내 분신이자 내 자식 같은 그 소리였다.

나는 '트라이'의 영상에 문제의 그 소리를 대입시켜 보았다. 이덕화가 문을 탁 치는 순간, "쾅!" 하고 터져 나오는 소리! 이 소리야말로 '빤쓰'를 위해 태어난 소리가 아닌가! 소리가 주인공의 연기에 딱 맞아떨어질 때에는 그야말로 온몸에 전율을 느끼는 듯했다.

이렇게 만들어진 광고가 방송되자, 애틋하고 강렬한 남성의 심정을, "쾅!" 하는 소리 하나로 대변한 희대의 명작 광고 소리라는 찬사를 들었다. 한번 소박맞은 소리가 재혼으로 다시 태어나게 될 줄 그 누가 알았겠는가. 이는 신발 회사 사장님도, 트라이 사장님도, 이 광고를 만든 프로덕션 감독님도, 전혀 눈치를 채지 못했을 것이다.

비록 광고의 한순간에 쓰였지만 "쾅!" 하는 그 소리는 많은 사람에게 스트레스를 순간적으로 풀어 주는 상쾌한 소리로 받아들여지지 않았나 싶다.

이리하여 또다시 확인한 진리! 바로, 세상에 쓸모없는 소리는 없다는 것이다.

그것참!

쓸모없는 소리도 없지만, 소리가 없는 것도 소리다. 이건 또 무슨 해괴한 말장난이냐고? 이건 말장난이 아니라, 지금 생각해도 소름이 쫙 끼치도록 기가 막힌 크리에이티브한 발상이다.

라디오가 오로지 청각에만 의존하는 매체라는 것은 삼척동자라도 다 아는 사실이다. 그런데 라디오에서 1초라도 소리가 나지 않으면 어떻게 될까? 거기서 기발한 발상이 떠올랐다.

영상이 있으니까 소리가 꼭 있어야 한다는 원칙은 없다. 또 반대로, 소리가 들리니까 꼭 영상이 있어야 한다는 원칙도 없는 게 아닌가. 경우에 따라서는 영상은 있지만 소리는 없을 수도 있다. 반대로, 소리는 있고 영상은 단색(혹은 암흑)으로 연출할 수도 있는 것이 아닌가.

그렇게 해서 만든 것이 바로 '용각산' 광고였다.

  E : 깡통 속의 자갈 흔드는 소리.

응찬 : 이 소리가 아닙니다.

  E : 깡통 속의 자갈보다 작은 돌을 흔드는 소리.

응찬 : 이 소리도 아닙니다.

  E : 깡통 속의 굵은 모래 흔드는 소리.

응찬 : 이 소리도 아닙니다.

  E : 깡통 속의 고운 모래 소리(약간의 잠음)

응찬 : 이 소리도 아닙니다.

  E : 침묵

응찬 : 네, 이 소립니다. 용각산은 미세한 생약 성분의 가루이기 때문에 소리가 나지 않습니다.

용각산은 첫 방송 이후 오늘날까지도 사운드 효과를 적극적으로 활용한, 라디오 광고의 대표적인 표본으로 뽑히는 작품이다. 이 광고 덕에 신생 제약회사였던 보령제약이 중견 회사로 발돋움했을 정도로 광고의 효과는 컸다.

'E : 침묵'이라는 대목에서 1초 정도의 공백(Silent)은 라디오에서 엄청나게 긴 시간이다. "이 소리도 아닙니다."가 나온 다음 1초 이상 아무 소리도 나지 않고서 느닷없이 나오는 "네, 이 소립니다."가 바로, 소비자에게 제품의 특성과 신뢰성을 주는 대목이었던 것이다.

진짜 아무 소리도 안 났는데도 소비자는 무슨 소리가 났는지 각자 알고 있다는 것이다. 아무 소리도 듣지 못했지만 미세 분말의 소리를 들은 것처럼 느끼게 하는 것, 그것이 용각산 광고 소리의 핵심이었다. 이렇듯, 온갖 소리를 다 만들었지만, 침묵마저 소리로 만들 게 될 줄 몰랐다. 정말 대단한 괴물 아닌가!

이 콘셉트를 100% 소화해 낸 성우 최응찬의 코맹맹이 목소리도 일품이었다. 최응찬은 당시 '형사 콜롬보' 피터 포크의 어눌한 목소리를 도맡아, 그렇지 않아도 성우로서 많은 사랑을 받을 때였다. 게다가 이 광고 하나로 일약 스타덤에 올랐으니 내가 마냥 고마웠을 것이다.

그때 최응찬과 나는 누하동 '살살이네 집'이라는 곳에서 같은 방을 쓰며 하숙을 할 때였다. 살살이네는 천사처럼 마음씨 예쁜 주인 아주머니의 애칭으로, 그 집은 방송국 식구들만 하숙생으로 받았다. '맹모삼천지교'라는 말처럼 그 집 꼬맹이들은 자라서 가수가 되고 배우가 되었다. 큰애가 가수 이무송으로, '만남'을 부른 노사연과 결혼했고, 둘째가 배우 이무창이다.

아무튼, 나는 하숙집에서 어쩌다 최응찬과 저녁밥이라도 같이하게 될 때면, 물론 농담이지만 "야, 똥찬아! 형님이 너 스타 만들어 줬는데, 반주도 없어?"라고 하면, 이 친구는 밥을 먹다 말고 물 찬 제비처럼 냉큼 뛰어가 소주 한 병을 잽싸게 사 왔다. 마치 내 졸병 같았다. 그런 밤이면 반주에 발동이 걸려 '우리 두 꾼'은 밤새 주거니 받거니 했다.

그것참!

똥찬이 녀석, '꼭지가 팍 돌' 때까지 마셔야 직성이 풀리는 주당(酒黨)이자 멋진 친구였는데, 제기랄, 별로 늙지도 않은 놈이 뭐가 그리 급했는지, 1980년대 초 추석 전날, 함께 잘만 놀다가 순식간에 저 세상으로 가고 말았다.

"에이, 쌍!"

남의 좌판에 매달린 어릿광대

내가 지금 하는 이 일이

단지 볼품없는 부속품에 지나지 않는다는

허망한 생각이 들 때도 있을 거야.

나무는 보이는데 숲이 보이지 않아서 그런 거야.

거대한 전체에 가려서 내가 안 보이지?

하지만,

아무리 위대한 로봇 태권V도

볼트와 너트 없이는 서 있을 수도 없어.

가장 빛나는 부속품이 되게.

• • • "이 감독님, 요기, '200미터 인'은 뭔가요?"

언젠가 바둑이 녀석과 함께 광고주를 만나 프레젠테이션을 할 때였다. '주님'께서 콘티 중에 한 컷을 보다가 갑자기 질문을 던지는 게 아닌가.

"예? 200미터 인이라뇨?

잽싸게 콘티를 보고는, 영상설명 칸에 영어로 'Zoom In'이라 적혀 있는 것을 발견했다. 바둑이 녀석이 "저어, 사장님, 200미터 인이 아니고, 그건 줌인이라고 하는 건데……."라고 사실대로 말하려는 찰나 나는 광고주 몰래 신호를 주어 막고는, 광고의 내용을 '200미터 인'에 맞게 둘러쳐서 설명해야 했다.

"이거는요, 카메라가 200미터 뒤에 있다가⋯⋯."

광고주는 우리의 '주님'이시다. 어떤 상황에서든 그분의 심기를 언짢게 해서는 안 된다는 것이 프레젠테이션의 철칙 1조! 만약 그 상황에서 내가 바둑이 녀석을 말리지 않았더라면, 그 광고주는 단칼에 무식한 사람이 되는 게 아닌가. 주님의 심기를 잘못 건드렸다가는 미역국 먹기 십상이다.

그것참!

지금이야 광고라고 하면 상당히 유망한 직업이지만 6, 70년대만 해도 그렇지 못했다. 광고주 중에는 앞의 경우처럼 줌인이 뭔지도 모르는 사람이 태반이었으니, 줌인의 효과가 어떻고 소리의 창의성이 어떻고 해보았자 그야말로 '소귀에 경 읽기'였다.

당시만 해도 광고의 측면에서 보자면 우리나라의 기업이나 생산업체 대부분이 '구멍가게' 수준이었다. 업무상 '광고과'나 '선전과'가 회사마다 있긴 했지만, 대부분 유명무실했다.

그런 환경에서 광고 전략이나 선전 포맷이 있을 리 있겠는가. 점방 주인인 사장님의 생각과 고집이 최우선이고 보니, 광고 전략이나 마케팅 포지셔닝 같은 장기적인 기획은 사장 이외에는 엄두도 못 내던 시절이었다.

광고 관련 부서에 소속된 직원들은 그저 방송국에 CM 테이프나 전달하고, 인쇄광고에 동판이나 챙겨 들고 을지로 인쇄소 뒷골목이나 들락거리는 심부름꾼에 불과했다. 그러니 광고 일을 은근히 멸시하는 분위기도 있었던 것이다.

내 경험을 돌이켜 보더라도, 1975년에 방송국 일을 접고 영화, 광고, 선전 쪽의 소리를 위해 대변신을 하려고 할 때, 집사람은 '자다가 봉창 두드리느냐?' 라며 펄쩍 뛰었다.

"아니, 잘나가는 방송국을 때려치우고, 하필이면 극장 간판 그리는 '선전 일'에 뛰어들어요? 당신 지금 제정신이우?"

"웬 간판?"

광고 관련 일을 한다면 일단은 '선전'으로 싸잡아, 거리 약장사나 극장 간판 그리는 것, 아니면 광고 전단이나 포스터를 그리고 붙이는 일을 연상했던 시절이었다.

그때만 해도 '광고'라는 말보다는 '선전'이란 말이 더 널리 쓰였다. 극장의 영화 프로그램 간판을 그리는 부서는 물론, 대다수 기업의 광고담당 부서 역시 '선전과'로 불렸다. 즉, 집사람처럼 광고 일이나 극장 간판 그리는 일이나 똑같은 일로 취급하면서, 왠지 천대하는 분위기가 있었던 것이다.

사실, '광고'든 '선전'이든 내가 하는 소리 작업에는 그놈이 그놈이다. 한마디로 말장난에 불과할 뿐, 내가 추구하는 것은 언제나, 소리를 통해서 사람(소비자)의 마음을 움직이는 것이다.

물론 나도 가끔은 '이게 뭐 하는 짓이지?' 라는 식으로 회의가 들때가 있다. 늘 하는 말이지만, 광고 일이라는 게 어디까지나 '남의 집 좌판에 매달려 오직 그 집 장사 잘되라고 한 것'이니까 말이다.

멋진 소리를 만들어 사람들에게 극찬을 들을 때면 기분이 구름 위를 날다가도, 때로는 '남의 집 좌판'에 매달린 신세란 게 가슴에 사무칠 때가 있다. 내 생각과 광고주의 생각이 다를 때면 특히 그러하다. 그럴 때는 언제나 광고주가 결론을 내리기 때문이다.

　1975년이었다. 당시 '동아일보 언론자유 투쟁' 사태로 말미암아 방송 일이 중단된 상황이었다. 운 좋게도 이강우와 나는 방송국 동료였던 배동순 선배의 배려로, 그분의 남편 회사인 서울문화(양종해 감독)라는 문화영화사에서, 요즘 말로 광고 '알바'를 하고 있었다.

　그때 당시 삼양라면은 우리나라 라면 중에서도 선두 주자로, 그야말로 전국적으로 선풍적인 인기를 끌며 엄청난 매출을 올리고 있었다. 실로 삼양식품 최고의 효자 상품이었다. 이에 농심, 빙그레, 청보, 오뚜기 등등 다른 식품회사들도 우후죽순 격으로 라면시장에 뛰어들기 시작할 무렵이었다.

　이강우와 나, 우리 젊은 알바 똥창은 삼양식품의 TV 라면 광고에 새로운 콘셉트로 '원조'를 내세워 프레젠테이션을 하고자, 마침 서울문화의 고정 광고주이었던 삼양식품의 '선전과'를 통해 사장님을 만날 수 있었다.

　"사장님, 지금 다른 식품업체에서도 라면시장에 뛰어들려고 혈안이 되어 있습니다. 이럴 때일수록, 선두 주자인 삼양라면이 라면 업계의 '원조'라는 사실을 내세워, 제품 이미지를 업계의 큰형님 격으로 부상시켜 놓을 때라 생각합니다. 그래서 이런 이미지의 CF를 만들어 보고 싶은데요."

　우리는 CF의 스토리보드의 컷과 장면을 신나게 설명해 나갔다. CF스토리는 평범한 자연 다큐멘터리 영상에서도 늘 보아 왔던 '어미 오리와 그를 뒤따르는 여러 마리의 새끼 오리들' 이 유영하는 내용이었다. 물론, 어미 오리는 삼양라면이고 그 뒤를 따르는 새끼 오리들은 다른 군소 식품업체를 상징하는 영상이었다. 제품의 '원조' 이미지와 선두 주자로서의 회사 이미지를 자연스럽게 소비자에게 주지시키자는 콘셉트였다.

유치원 선생님이 아이들을 데리고 이동할 때 선생님이 먼저 "하나, 둘!" 하고 선창하면 뒤따르는 아이들이 그 뒤를 받아 "셋, 넷!"이라 하면서 유쾌하게 행진하는 데서 사운드의 아이디어를 이끌어 냈다. 어미 오리가 '하나, 둘!' 대신 "삼, 양!"이나 "원, 조!"라고 하면 새끼들은 "라, 면!"을 즐겁게 외친다. 질서와 서열을 지키면서 유영하는 오리들의 모습과 소리를 의인화한 동화적인 CF였다.

"사장님, 어떻습니까?"

"허, 자네들 생각도 재미있네. 하지만, 사실 우리 제품은 없어서 못 팔 지경이거든. 요새는 군에도 납품을 해서 정신이 없는 판이야. 굳이 그런 식으로 비싼 선전비 없애 가면서 오리까지 동원해 선전할 게 뭐 있겠어. 허허허."

우리 젊은 알바 똥창은 연세 지긋하신 사장님한테 일언지하, 단칼에 거절을 당했다. 할 말이 없었다.

의기양양했던 프레젠테이션은 초전 박살로 완패하면서 그야말로 미운 오리 새끼가 되고 말았다. 심혈을 기울여서 온갖 아이디어를 짜내어 만든 프레젠테이션이지만, 광고주의 거절 한마디면 그걸로 끝이었다. 그날 밤 우리는 서울문화 근처 중학동 어느 낙지볶음 집에서 아무 말 없이 밤늦게까지 소주잔을 비워야 했다.

그 이후로 이강우는 프로덕션 세종문화에서, 괴물 15843호는 스튜디오 38오디오에서 40여 년 동안 분투했다. 어미 오리든 새끼 오리든 간에, 어떤 광고주에게나 미역국 먹을 각오로 도전하면서 각자의 광고 일에 온갖 노력을 다했다.

광고쟁이는 광고쟁이일 뿐이다. 설득하지 못하면 광고주의 결정에 무조건 따를 수밖에 없다. 그러니 '남의 좌판'에 매달린 신세가 늘 즐거울 수는 없는 법이다. 새로운 길을 찾지 않은 이상, 즐겁지 않은 일은 소주 한잔으로 날려 버리는 게 낫다. 그런 건 오래 품고 있으면 독이 된다.

나중에 후회하기 싫거든 지금 내 눈앞에 놓여 있는 일에 온 힘을 다 쏟는 수밖에 없다. 한 점의 후회도 남기고 싶지 않다면 한 호흡의 여력도 남기지 않고 모두 쏟아 붓는 것만이 유일한 방법이기 때문이다.

그것참!

'화무십일홍(花無十日紅)'이라 했던가? 세상일이란 게 참으로 묘하다. 40여 년이 지난 지금, 그렇게 승승장구하며 잘나가던 원조 라면도 한번 N라면한테 1등 자리를 내주더니 더는 탈환하지 못하고 있다. 누가 감히 이렇게 될 줄 짐작이나 했을까?

2006년도엔 '원조'라는 콘셉트의 칼을 빼 들고 1등 고지를 재탈환하고자 전력 돌진하는 광고전을 펼치기도 했는데, 그 작전의 성과가 어떻게 되었는지는 나도 잘 모른다. 다만, 빨간 포장지에 또렷하게 '라면은 원래 이 맛!'과 둥근 원 속에 '원조 SINCE 1963'이라고 인쇄된 라면 포장을 가끔 볼 뿐이다.

하지만, 지금 원조를 강조하는 게 과연 의미가 있는지 조금 회의가 드는 게 사실이다. 라면이 이 땅에 탄생한 지 50년이나 된 이 마당에, 과연 소비자 중에서 라면의 원래 맛이 어떤 것이고 어느 회사가 라면의 원조인가를 따지고 상품을 구매하는 사람이 몇 명이나 되겠는가?

예전에야 라면 맛이 몇 가지 되지 않는 상황이었지만, 지금은 다양한 맛을 가진 라면이 수십 종이나 된다. 반세기 동안 다양하게 변한 입맛에 맞춰 제품도 다양해진 지금에 와서, '원래의 이 맛' 광고가 되었든 '최초의 원조' 선전이 되었든 그게 과연 적절한 내용인지는 곰곰이 재검토해야 할 것이다.

더 나아가, 좋았던 옛날보다는 오히려 어려운 현재에서부터 콘셉트를 찾는 게 어떨까 하고 생각해 본다.

소리도 컬러로 나오나요?

내가 가장 좋아하는 소리는

함석지붕에 빗방울 떨어지는 소리지.

그 사소한 소리 하나에는

우리 가난했던 시절 삶의 풍경이 녹아 있어.

우리 역사가 담긴 소리야.

함석지붕도 자취를 감춘 요즈음,

세상이 눈부시게 발전했다지만,

우리 일상은 빗방울 소리 들을 여유도 없다.

정말 사람들은 행복해진 것일까?

• • •20여 년이 가깝도록 우리는 흑백 TV에 익숙해졌다가 80년대부터 컬러 TV 시대가 시작되었다. 이 컬러 TV야말로 텔레비전의 대혁명이라고 해도 과언이 아닐 정도로, 방송의 제작형태에서 전반적인 전환이 이뤄지고 말았다.

컬러 TV 방송이 막 시작되고 컬러 TV용 CF 녹음을 현대녹음실에서 신나게 하고 있었을 때, 머리 염색약 제조회사의 광고주께서 정색을 하고는 내게 슬며시 물어 왔다.

"소리도 컬러로 나오나요?"

아마도 흑백 때 느끼지 못했던 사운드를 느꼈던 모양이다. 나는 맞

장구를 쳤다.

"그럼요, 당연히 컬러죠."

녹음실 안은 한바탕 웃음바다가 되었다.

컬러 TV의 변신은 대단했다. 특히, 광고 방송에서는 색깔만 아니라 소리에서도 엄청난 변화와 발전을 했다. 흑백에서는 전혀 느껴보지 못했던 제품이나 상품의 색감과 질감, 디자인과 그래픽, 레이아웃, 심지어는 소리까지 색깔의 변화에 따라 음색(音色)의 변화를 주어야만 하는 어려움이 대두하였다.

예를 들어, 나뭇더미가 불타는 소리만 해도 아주 다양하다. 처음 불을 피울 때는 나무가 축축한 상황에서 짓무른 연기가 피어나는 소리와 잘 타지 않는 껍질의 둔탁한 음(어두운 소리)을 써야 하고, 제법 불길이 일었을 때는 붉은색의 소리일 테고, 완전히 절정에 오른 불길은 노랗다 못해 파란색까지 띠는 불길로 파랑의 소리를 써야 한다.

가령, 첼로나 콘트라베이스처럼 무거운 음색의 소리는 색으로 표현할 때 왠지 짙은 회색, 혹은 검정 계열의 느낌을 받을 것이다. 반면, 피콜로나 플루트의 소리는 분명히 유채색 계열의 음색을 느꼈을 것이다.

이렇듯 영상의 색 변화에 따라 음색도 달라져야 영상과 하나가 된 완전한 소리가 탄생하게 된다. 이것이 바로 흑백 영상에서는 맛보지 못했던 컬러의 소리가 아니고 무엇이겠는가?

물론, 소리가 실제로 붉고 파란 색깔을 가진 것은 아니다. 하지만, 듣는 사람에게는 그런 느낌을 준다. 이처럼 우리는 관념적으로나 잠재의식으로나 그 소리의 색깔을 느끼고 있다.

아무 소리나 그냥 듣는 육체적 청각이라면 개나 박쥐 같은 동물들이 인간보다 훨씬 더 발달해 있을 것이다. 하지만, 인간이 소리를 듣는 행위에는, 소리에 담긴 감정을 듣고 이해하고 그것을 자기 것으로 만드는, 이차원적인 작업이 포함되어 있다. 말하자면, 인간의 청각은 예술적 청각이다.

우리가 소리의 느낌을 말할 때 사람들의 대부분은, 소리가 높으면 섬세하고 날카로운 느낌이 들고, 소리가 낮으면 무거운 느낌이 든다고 한다. 또 소리가 강하면 힘찬 느낌이 들고, 소리가 약하면 여리고, 아기자기한, 나약한 느낌이 든다고들 말한다.

그러나 소리의 높이와 크기는 그 자체로 느낌을 주는 데에는 분명히 한계가 있다. 그래서 거기에 음색이 피와 살을 덧붙이는 역할을 하여 소리를 '맵시' 있게 만들어 주는 것이다.

우리가 음악을 들을 때를 생각해 봐도, 일차적으로 높이와 크기에 관심을 두는 것 같지만, 잘 생각해 보면 음악 소리의 맵시에 더욱 관심이 많다는 것을 알 수 있다. 그래서 나는 소리의 크기와 높이를 '소리의 뼈대' 라고 생각하고, 음색을 '소리의 살' 이라고 생각한다.

그러니 어찌 소리에도 색깔이 없다고 말할 수 있겠는가!

"어이, 더 누리끼리한 색깔 사운드 없어?"

"있지, 노란 색깔 나는 수자폰 소리는 어때?

이런 대화가 허튼소리가 아니라는 것이다.

소리 창작의 숨은그림찾기 세계인 '컬러 서라운드 사운드' 야말로 어느 유행가 가사처럼 '끝도 시작도 없이 아득한' 정말 무한한 '미로' 가 분명하다.

오늘날에는 진짜 컬러 오디오가 등장했으니 그 옛날 현대녹음실에서 황당하다고 웃었던 일이 현실로 나타날 줄을 누가 알았겠는가.

'우리별 위성' 덕분에 스테레오 사운드 수신 시대가 열린 데 이어, 손으로 들고 다니는 DMB가 유행하면서 현재 5.1 서라운드 시스템도 위성방송을 통해 방송되고 있다. 그뿐인가! 지상과 지하, 그리고 하늘에서 나는 소리, 즉 각종 비행기, 새, 바람, 천둥, 번개 등의 소리를 각각 분리하여 재생하는 6.1 서라운드 시스템도 시험 방송 중이다. 이제는 'HD'라는 디지털 고화질 컬러 TV에다, 현장음 그대로 6.1 채널 오디오로 재생한다.

이처럼 우리는 엄청난 디지털 과학 시대를 살아가고 있다. 과학과 기술의 발전은 나에게는 소리의 영역을 넓혀 주니 너무도 즐겁고 고마운 것이다. 반면, 우리 인간의 원초적인 심성과 멋과 여유를 '틀' 속에 가두고 그것에 순응하게 하면서, 따라오지 못하는 사람은 낙오자로 낙인찍는 것 역시 과학과 기술이다.

그것참!

이런 시대에 나는 오히려 아날로그적인 소리를 생각해 본다. 세상이 아무리 기계화, 디지털화된다 하더라도, 결국 그것을 만들고 이용하는 건 어디까지나 김 아무개, 박 아무개라는 인간이다. 과학이니 기술이니 하는 것도 모두 인간의 도구지, 오히려 인간 위에 서는 어떤 것이 되어서는 안 된다.

인간적인 어떤 것을 환기시키는 소리, 그게 내가 원하는 소리다. 체온이 느껴지는 소리, 사람의 소리, 사람을 닮은 소리, 사람다운 소리이다. 그래서 나는 청각이야말로 가장 인간적인 감각이라고 생각한다.

스스로 길을 찾다

갈 길에 대해 결단을 내린다는 것은

　　　　뒤돌아보지 않겠다는 거야.

　　뒤돌아볼 수도 없고 뒤돌아봐서도 안 되지.

　그렇기에,

　　길이 없더라도, 보이지 않더라도

　　　　한 걸음 한 걸음

　　뒤돌아볼 필요가 없도록 확실하게 걸어야 해.

　그렇게 가고 나면

　　　　　　　바로 그 뒤에 남는 것이 길이야.

• • • 1975년이 들어서면서 정말 추운 겨울이 왔다. 염병할, 이런 지랄 같은 세상을 봤나! 공화당 정권의 말기적 증상이 본격적으로 나타나고 있었다.

　독재에 대한 국민의 반발이 거세질수록 박정희 정권은 강압적인 통제 정책으로 가혹하게 탄압하고 있었다. 그 탄압의 첫 번째 표적이 언론이었다. 그리하여 대한민국 언론사에 길이 남을 사건이 벌어졌다. 동아일보 백지광고 사태, 정규방송 중단, 조선·동아일보 언론탄압, 언론자유를 위한 조선·동아 투위의 외침 등, 장기집권 박정희 정권의 말기는 이렇듯 온통 난리였다.

조선일보와 동아일보와 동아방송국에는 중앙정보부의 요원들이 공공연하게 상주하면서, 보도와 방송 프로그램의 내용을 간섭하고 있었다. 한마디로 언론이 쑥대밭이 되고 만 것이다.

큼지막한 '주님'의 광고가 자취를 감추어 버렸고, 광고주를 찾지 못한 방송 프로그램은 중단되고 말았다. 동아일보의 백지 광고란에는 언론자유를 바라는 국민의 1, 2만 원짜리 격려 광고가 답지하여 전 지면을 도배하게 되었다.

참다못한 기자와 PD들은 중앙정보부 요원이 신문사와 방송국에 출입하는 것을 거부하고 언론자유를 요구하며 농성을 하기 시작했다. 그때 가마니때기 위에 퍼질러 앉아서 먹었던 라면 맛은 지금도 잊을 수가 없다. 그때의 뜨거운 동료애는 단순히 직장 동료로서가 아니라 나라의 미래를 근심하는 우국지사의 동지애와 같은 것이었다.

며칠 뒤 새벽, 경찰은 해머와 절단기로 셔터를 부수고 진입했고, 우리는 그들에게 무차별적으로 폭행을 당하며 강제로 회사 밖으로 끌려 나와야 했다.

그날로, 내 꿈의 전부이었던 방송도, 신나게 광고제작에 매달리던 우리 삼총사의 작업도 끝이 나고 말았다.

이튿날부터 우리는, 오전에는 길거리에 서서 시민들에게 언론자유의 당위성에 대하여 인쇄한 전단을 나누어 주고, 오후에는 국제극장 뒷골목에 있는 한성여관에 방을 잡아 놓고 거기에 모여 비분강개, 핏대를 올리며 세월을 보냈다.

그것참!

당시의 나는 사면초가였다. 지난해 겨울에 이미 만화영화 '로봇 태권V 제작에 발을 디밀고 있었고, CF 작업도 꽤 여러 편 밀려 있었다. 그 일을 모두 팽개쳐 버리고 이렇게 여관방에서 핏대만 올릴 수도 없는 일 아닌가.

언론자유야 정말 중요한 것이지만, 여기서 자칫하면 내 평생의 꿈이 무너질 수도 있었다. 나는 용기를 내어 여러 동료와 소주잔을 기울이면서 내 사정에 대하여 의논했다. 그리고 다음 날 나는 '백기'를 들고 회사로 복귀했다.

아무리 약속된 계획에 의한 복귀지만, 고생하는 뭇 동료 보기가 정말 죄스럽고 민망했다. '영화 제작 작업은 나만의 영달이 아니다. 관객과 투자자들에 대한 최소한의 예의이고, 광고 스폰서에 대한 대접이다.' 라고 아무리 속으로 되뇌어도, 내심 나의 결정이 혼자 살아남기 위한 배신으로밖에 느껴지지 않았다.

백기를 들고 복귀했지만 방송국은 한산하다 못해 썰렁하기 짝이 없었다. 정규방송이 없으니 드라마나 오락 프로그램은 아예 없었다. 그러니 내가 할 일이 뭐가 있겠는가. 자료 정리밖에 더 있겠는가. 말이 자료 정리지, 엄밀히 따지자면 '자료 유출 작전'에 돌입한 것이었다.

당시의 오리지널 원판 LP를 개인이 구입한다는 것은 상당히 어렵던 시절이었다. 수천 장의 음반 중에서 쓸 만하고 귀한 음반만을 골라 전곡을 빼내는, 다시 말해 복사를 통해 훔쳐내는 '자료 정리' 작업이 5층 광고제작·편집 스튜디오에서 감행되었다.

자료 정리가 일주일쯤 되었을까, 당시 방송국의 이모 국장이 지나가다가, 나 혼자 녹음기 돌리고 빈대떡(LP판) 뒤집고 하는 모습을 보고는, 안되어 보였는지 격려까지 해준다.

145

"뭘 그렇게 열심히 해?"

"아, 네. 방송 재개되면 쓸 재료들을 정리해 놓는 거죠."

"애쓰는구먼. 쉬엄쉬엄해!"

자료 정리 작전을 개시한 지 한 달이 후딱 지났다. 집에 쌓인 600피트 릴 테이프는 이미 100개를 훌쩍 넘었다.

어떤 일요일 날은 나 혼자 '돌리고 뒤집기'에 꾀가 나서, 방송국 직원도 아닌 현대녹음실의 정해욱 기사를 불러내어 온종일 녹음기 돌리는 조수로 고용(?)했다. 일을 마치고 나면 무교동 적당한 술집에 퍼질러 앉아 지친 몸과 마음을 달래곤 했다.

그것참!

4월이 되어 봄이 왔는데도 언론자유 투쟁은 도무지 호전될 기미가 보이질 않았다.

백기를 들고 투항한 게 벌써 석 달째가 다 되어 간다. 나도 자료 정리에 지쳐가기 시작했고, 청계천 세운상가 덕선사에서 새로 100개나 사온 공테이프도 이제 열 개도 남지 않았다.

아직도 싸우는 동료가 너무 안되어 보였다. 이제 한성여관에 들러 여러 동료에게 술도 좀 사고, 그동안 결심한 내 계획을 털어놓아야 할 시기였다.

나는 이전에는, 동아방송을 그만두고 다른 직장으로 자리를 옮긴다는 생각을 진짜 꿈에서라도 해본 적이 없었다. 동아방송에서 보낸 10여 년은 그만큼 내 인생에서 각별한 의미가 있는 세월이었다. 나에게 동아방송은 직장이었다기보다는 소리를 배운 학교이자 놀이터였다.

하지만, 나는 내가 해놓은 약속(특히 영화)을 지켜야 했다. 어쩔 수 없이 자의 반 타의 반으로 직장을 옮겨야만 하는 상황이 오고 만 것이다. 나는 과감히, 진짜 용감하게, 만화영화를 만드는 서울동화로 작업장을 옮기기로 하였다.

그것참!

나는 5월 5일 어린이날을 사표 제출일로 잡고, 직장에서 만난 각별한 사람들과 인사를 나눴다.

"고맙습니다. 이제 이 수련장을 떠날 때가 된 것 같습니다."

"고생했어. 자네는 그쪽 가서도 잘할 거야!"

"그동안 정말 고마웠습니다."

심재훈 사부님과 나는 그렇게 겉으로는 아무렇지도 않은 척하고 헤어졌다. 그때 사부님도 괜히 피식 웃는 척했지만, '인간은 어떤 형태로든 헤어진다.'라는 진리에 마음속으론 가슴 아파하셨을 것이다.

이로써 청춘을 불사른 방송국 생활은 결국 그렇게 끝이 났다. 괴물 15843호가 연극, 방송국에 이어 제3막, 또 다른 인생의 무대를 향해 떠나던 1975년, 때는 슬프게도 따스한 봄날이었던 것 같다.

역시 세상살이는 새옹지마와 같은 것이었다. 동아방송을 그만둔 지 5년이 지난 1980년, 동아방송의 마지막 방송을 듣던 나의 눈에서는 눈물이 걷잡을 수 없이 주르륵 쏟아졌다. 비록 몸은 빠져나왔으나 그곳은 내 인생의 20대 청춘이 고스란히 담겨 있는 곳이 아닌가.

지금도 광화문 네거리를 지날 때면 나도 모르게 습관적으로 동아

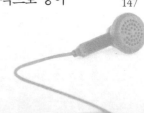

일보 본관 5층 오른쪽 맨 끝 방으로 눈길이 간다. 이는 삼총사 똥창들인 이선주나 이강우도 나와 마찬가지일 것이다.

그러나 아무리 그렇게 눈길을 준들 그곳에 동아방송은 없다. 우리 똥창들의 흔적은 없다. '벌러지' 인생 10여 년의 손때가 묻어 있어야 할 흔적조차, 육시랄, 1980년 '언론통폐합'이란 이름으로 누군가에 의해 영원히 지워져 버린 것이다.

그것참!

드라마 파트에서 광고제작과로 밀려나 울며 겨자 먹기로 광고를 만들던 이강우도 1977년도엔가 동아방송을 때려치우고 세종문화라는 광고 프로덕션을 만들었다.

윤석태 감독과 손잡고 본격적으로 CF 광고에 한 30년 매달려 수없이 많은 명작 광고들을 쏟아 내더니, 끝내는 '국민훈장 목련장'까지 받는 전문 광고인이 되고 말았다(나도 한국 광고계의 사운드 디자이너 제1호라는 직함을 스스로 개척했지만, 훈장은 없다. 하지만, 똥창 친구가 받았으니 내가 받은 거나 진배없지 않은가).

작년 2006년 12월 28일에는 한국 광고영화감독협회의 후배 광고인들이 이강우와 나를 비롯해 옛 감독들(강한영, 최원영, 윤문영, 권병두 등)에게 '공로상'을 주었다.

그것참!

웬, 공로상? 이 나이에 공로상을 받다니, 우리도 이제는 늙긴 늙었구려. 여보게, 이래 보여도 나는 2006년 말에 KBS 2TV의 월화 미니시리즈 '눈의 여왕'에서 느닷없이 탤런트 노릇까지 해서, 여전한 청춘을 과시했다는 거 아니오.

나나 그대들이나 아직 한창이라오. 아직 하고 싶은 게 너무나 많잖소. 우리 스스로 지치기 전에 남들에게 떠밀려 늙지는 말자고요. 누가 말했잖소, "쟁이에게 은퇴는 없다."라고.

우리 광고쟁이한테 예술가 대우를 안 해주면 또 어떻소. 우리는 예술가보다는 '야술가'가 더 좋지 않소. 밤마다 한잔 술에 세상을 들었다 놓았다 하는 야술가란 말이오.

앞으로도 세상을 깜짝 놀라게 할 작품 만들어 보자고요. OK?

강원 국제관광EXPO 개막식, 퍼레이드 사운드 음악 제작 1999 하남 환경박람회 개막식, '천년의 숲' 사운드 제작, 음향 연출 2000 새천년 광화문 밀레니엄 자정행사 사운드 제작, 연출 2000 경주 세계문화 EXPO 개막제 서라운드 사운드 제작, 연출 2000 경의선 철도, 도로 연결 기공식 사운드 제작, 음향 연출. 2002 전쟁기념관 '평화의 시계탑' 시보 시그널 사운드 음악 제작, 연출 2002 제16대 대통령 취임식 사운드 제작, 음향총괄 감독 2002 졸저 『이런 소리 들어봤습니까(사운드 예술의 이해와 실제)』〈백산서당〉 출판 2002 한일월드컵 경축전야제 사운드 음악 작곡, 제 2003 경주 세계문화 EXPO '천마의 꿈' 개막식 사운드 음악 제작, 연출 2004 WCO 세계 문화 오픈대회 개막식 사운드 음악 제작, 연출 2005 고양시 〈어울림극장〉 시그널 로고 사운드 작곡 제작 2006 성남시 〈성남아트센터〉 시그널 로고 사운드 작곡 제작 기 타 영화, 연극, 기업·문화 행사, 라디오·TV CF, 특수 사운드 약 2

제3막_ 소리의 새로운 세계를 찾아서

오로지 소리의 무궁무진한 가능성을 실현하고자

더 넓은 무대에서 뛰놀기 시작합니다.

소리로써 신나게 전투를 벌였더니

는 함부로 '음향 주제에!' 라는 소리를 하지 못하더군요.

이번에는 제가 만화영화, 이벤트 등에서

소리의 위대한 힘을 발휘한 이야기를 해보겠습니다.

자, 그 이야기 속으로 들어가 봅니다.

소리 공장 '(주)38오디오'

내 인생을 돌아보면 정말 소리밖에 없어.

　　　　어떻게 그럴 수 있느냐고?

　　재미가 있으니까.

　재미란 것은

　　　　그걸 하는 동안은 아무 생각이 나지 않는 거야.

그러니 정말 나한테는 소리밖에 없을 수밖에.

　가장 재미있는 게 자기 직업이라니

　　　　　　이거야말로 진정한 재능이야.

　　• • •개인 스튜디오가 없었던 나는 그동안 광고 사운드를 만들 때면 동아방송의 B 스튜디오(드라마 전용)를 이용할 수밖에 없었다.

　으레 각종 드라마 녹음이 끝난 퇴근 시간 이후에 광고 작업을 하려니, 그 고충 또한 말이 아니었다. 더구나 방송국 자체 작업이 아니라 내 개인적인 CF 소리 작업이어서, 광고 대행사와의 약속 시간을 맞추려면 '도둑놈' 처럼 살금살금 작업을 해야 했다. 그 심적 부담은 당해 보지 않은 사람은 아마 모를 것이다.

　일단은 B 스튜디오 믹싱 콘솔의 파워 키를 기술부에서 관장하는

데, 이 문제를 원만히 해결하느라 무교동 낙지집 술값도 참 어지간히 깨졌다. 광고대행사와 광고주는 이 고충을 혹 아시려나.

그저 소리를 마음 놓고 만들 수 있는, 방음이 잘되는 녹음 스튜디오 하나 장만하는 게 내 최대 소원이었다. "내 소원이 무어냐고 물으신다면 첫째도 녹음 스튜디오요, 둘째도 녹음 스튜디오요, 셋째도……"라며 어줍게 김구 선생님 흉내를 내고 다닐 만큼 절실했다.

하지만, 말이 개인 스튜디오지 그게 어디 일이백만 원에 해결될 문제인가. 계산기를 두들겨 보니, 아무리 적게 들어도 천오백만 원에서 이천만 원은 있어야 내 작업장을 장만할 수 있었다. 당시 방송국에서 받는 월급이 4만여 원이었으니, 말 그대로 '꿈의 소원' 일 수밖에.

당시 4만여 원이면 적은 돈은 아니었지만, 하숙비와 술값 약간만 빼고 모조리 극단 운영비에 쓰다 보니 저축이나 여윳돈이란 게 아예 없었다.

나중에 제대로 할 이야기지만, 나는 어린 시절 새어머니를 보면서 돈 때문에 사람이 변한다는 말의 의미를 알게 되었다. 그 괴로운 기억 탓인지 나는 돈을 많이 모아 보겠다는 생각을 단 한 번도 해본 적이 없었다. 그냥 먹고살 만하면 되는 것 아닌가.

솔직히 말해 돈에 관심이 없다기보다는, 돈에 대해서 따지고 계획 세우고 계산하는 일을 체질적으로 귀찮아하는 편이다. 몇 프로의 이자라든가, 연 몇 프로의 금리니 하는 계산 자체가 귀찮다. 증권투자라든가 채권, 펀드가 어떻다는 이야기는 나한테는 전혀 무관한 사항이다. 도무지 숫자를 가지고 노는 것은 일단 흥미가 없고 평생 그러할 것이다.

오죽 숫자에 흥미가 없었으면, 어린 시절 용인초등학교 6학년 때까지 구구단을 제대로 못 외워 방과 후 변소청소를 도맡아서 했겠는가. 2가 둘이면 4, 이이는 사, 5×2=10, 5가 둘이니까 10, 여기까지는 크게 문제가 없었는데, 손가락 숫자를 넘어가는 답을 원하는 계산은 도무지 난감할 따름이었다.

　6학년이 되어도 그 모양이니, 담임이던 조문행 선생님은 얼마나 답답하셨을까? 선생님은 내 손바닥을 때리기도 하고 어르기도 했지만 아무 소용없었다.

　재작년 설 땐가 친구들과 아흔이 넘으신 선생님께 세배차 찾았더니, 농담 삼아 대뜸 이렇게 놀리셨다.

　"평호 너, 구구단두 못 외우는 눔이 뭐, 교수를 한다구? 아, 이러문 안 되는데……."

　고개까지 설레설레 저으시는 선생님께 나는 머리를 긁적이며 대답했다.

　"선생님, 다행히도 저한테 구구단을 가르치라고는 하지 않네요."

　아직도 그 옛날 일을 기억하고 계시는 걸 보면, 역시 스승은 제자가 잘했건 못했건 늘 맘속으로 지켜보는가 보다.

　아무튼, 이렇게 숫자에 흥미가 없다 보니, 직원들끼리 즐기는 노름도 영 꽝이다. 방송국에서 어쩌다 특별한 날 동료와 포커, 나이롱뽕, 마작, 고스톱, 섰다 등 별의별 걸 다 해봐도 결과는 언제나 백전백패다.

　그러던 내가 그 소원이던 녹음 스튜디오를 마침내 설립하는 날이 왔다. 그때가 1975년, 10년 넘게 소리 훈련을 시켜 주었던 동아방송을 그만두면서 받은 퇴직금으로, 그토록 소원하던 꿈을 이루게 되니 묘한 감정이 들었다.

말하자면, 이 스튜디오는 방송국 생활의 막이 내리고 내 소리 인생에 새로운 막이 오른 것을 의미했다.

스튜디오는 처음에 'Korea Sound Press' 라는 거창한 이름으로 출발했는데, '로봇 태권V' 만화영화의 소리부터 만들기 시작하여 김벌래가 하는 광고전문 음향 작업의 총체적인 스튜디오로 이름이 알려지기 시작했다.

1985년 미국의 세계적인 록밴드 그룹인 'Van Halen'의 기타리스트 겸 리더인 에디 반 헤일런은 일곱 번째 앨범 '5150' 의 제목에 대해서 개인 스튜디오의 이름이라고 했다. 그는 왜 세계적인 이름인 Van Halen Studio가 아니라 5150 Studio로 이름을 붙였을까?

'5150' 이라는 숫자는 미국 경찰 순찰차에서 쓰는 '정신이상의 범죄자' 를 나타내는 경찰 무선통신 암호 숫자이다. '일단 이 스튜디오에 들어오면 제정신이 아닌 세계로 간다.' 라고 하는 스튜디오니 이 얼마나 철학적이면서 위트 있는 이름인가.

나는 고심했다. 우리나라 사람들이 제일 많이 기억하는 숫자가 무엇일까? 우리나라를 남북으로 갈라놓은 비극의 숫자 38선 아니면 섰다 노름에서 쓰는 38 따라지……. '따라지' 는 숫자 서열 중 가장 낮은 수인 하나(1)를 뜻한다. 섰다 노름에서는 이를 '한 끗' , '한 끗발' 이라 하는데, 4+7도 '십일 한 끗' 이고 5+6도, 2+9도, 10+1도 모두 '한 끗 따라지'이다.

그런데 3과 8, 두 장 모두 광(光) 자일 땐 특수 점수가 부여된다. 이것이 바로 '38광땡', 이 패를 잡으면 그 게임의 최고로 인정하는 행운의 숫자이다.

'38', 그래, 바로 이거다! '38스튜디오'에 오디오 작업을 의뢰하면, 비록 따라지 같은 작품이라도 작업이 끝나고 나갈 때에는 38광땡 같은 작품으로 마무리해 준다는 의미다. 이 얼마나 김벌래답게 신나는 이름인가!

지금은 회사 이름에 4U, 21C, 2%, 2080 등등 숫자가 들어가는 이름이 꽤 많지만, 30여 년 전만 해도 상상조차 못 할 정도로 도전적이고 획기적인 상호 브랜드였다. 38스튜디오의 이미지가 꼭 무슨 사진관 같아, 이참에 나는 아예 이름을 38오디오로 정하기로 했다. 스튜디오나 연구실 모두 전화번호 마지막 네 자리 수가 3838이다.

그런데 젠장! 우리나라에는 국민이 알지도 못하는 법이 왜 그리 많은지. 스튜디오 하나 만들어서 본격적으로 작업을 하려 드니 왜 이리 부딪히는 문제(법)가 많은지. 법을 만들어 내는 게 직업인 국회의원 아저씨 아줌마들에게는 미안한 이야기겠지만, 우리같이 창작 작업을 하는 이에겐 하나같이 쓸모없는, '규제를 위한' 독재적인 법들이 아닌가 싶다.

그것참!

소리 일에서 제법 명성을 날리다 보니, 정부의 국가적인 행사와 관련이 있는 일을 할 기회가 자주 있었다. 1993년에 있었던 대전 세계 EXPO는 개·폐막식 음향에서부터 현대 음악제, 불꽃놀이 음향, 장내방송 날짜별 음악, 정부관의 서라운드 음향 등 거의 모든 음향 작업에 연계성을 주려고 38오디오에서 총괄적으로 주관했다.

이 일을 하고자 38오디오는 입찰에 뛰어들어야 했다. 공정성을 확립하기 위한 입찰제도! 좋은 법이다. 그런데 국가 공공기관의 행사를 위해 제공되는 소리라도, 개인 자격으로는 수익이 발생하는 건에 참여할 수가 없고 법인만 자격이 유효하다는 법 시행령이 좀 묘하다.

소리 창작 작업을, 무슨 소리를 만들어 납품하는 장사꾼으로 취급하는 것이다. 그렇다면, 미술가도, 음악가도, 축하 노래를 불러야 할 가수도, 성악가도 모두 법인이어야 할 게 아닌가. 그리고 그들도 입찰에 응해야 한다는 말인가?

어쨌거나, 내 좌우명이 뭔가! 뭐든지 '신나게' 살아가는 게 내 인생의 목표가 아닌가! 내가 어찌할 수 없는 문제에 계속 마음 두어 봤자, 내 마음고생만 심할 뿐이다. 분통을 터뜨리더라도 그것은 잠깐이면 충분하고, 곧장 다음 순서로 일을 진행하는 게 옳다.

하자는 대로 해서 손해 볼 일도 없고, 예술을 창작하는 개인이나 그룹에 법인 체제가 꼭 나쁜 것만은 아니니, 좀 귀찮기는 해도 어떠랴. 나는 내 전공이 아닌 일(법인 경영)에 OK 사인을 하고 '총알'(자본금)을 만들고자 사방으로 뛰어다녀야 했고, 1992년 서울 강남구 삼성동에서 자본금 1억 원의 법인회사 (주)38오디오로 새롭게 전환했다.

어쨌든, 작곡을 하는 두 아들, 큰놈 태근이와 작은놈 태완이 역시 이곳 38오디오에서 내가 갔던 길을 똑같이 가고 있다. 태근이는 중학생이 되면서부터 아버지 일을 꼭 전수하고 싶다기에 흔쾌히 승낙을 했다. 그 후 태근이는 내 CF 작업 현장은 물론 녹음 스튜디오에서 아들이 아니라 정식 제자로서 도우미 역할을 하면서 소리를 배웠다. 이런 영향 때문이었을까, 연년생인 둘째아들 태완이 역시 이 길로 접어들었고, 끝내 두 아들놈이 아들이 아니라 제자가 되고 말았다.

그것참!

결국, 개인 작업장 38오디오는 '삼부자 동업' 회사가 되고 말았다. 대를 이어 대한민국 소리 문화 역사에 금화 김씨 가문을 남기고 있는 것이다.

이 든든하고 막강한 두 젊은 병사 덕분에, 30년 전통의 38오디오가 이제는 난공불락의 철옹성으로 성장했다. 모든 장르의 음악 작곡과 사운드 크리에이티브 전략을 위해 오늘도 신나게 작전 회의를 하고 있다.

로봇 태권V, 그 뜨겁던 여름

하늘 아래 새로운 것이 어디 있겠어.

아무리 기발하게 생긴 우주괴물도

따지고 보면 어디선가 본 듯하지 않아?

지구 위에 있는 여러 생물체를 변형하고 조합한 거야.

창의적인 아이디어란 것도 사실은

늘 곁에 있으나 소홀히 지나치던 것을

새롭게 조명한 것일 뿐이야.

• • • 1975년 동아방송을 그만둔 나는 서울동화에 출근하며 '로봇 태권V'의 소리 작업에 전념하고 있었다.

태권V의 내·외부음, 자선(子船) 격인 소형 우주선의 내·외부음, 그리고 적군 우주선의 내·외부음 등등 각종 우주선과 비행캡슐의 가상음이 기본적으로 필요했다.

그런데 사실, 우주 공간은 공기가 없으므로 소리도 없다. 하지만, 만화영화에서 그런 어려운 과학적 논리는 통하지 않는다. 일단은 무슨 소리가 나든 나야 한다. 이렇듯 '로봇 태권V'의 소리는 전적으로 상상에 의존할 수밖에 없었다.

지금이야 흔하디흔한 전자악기인 신시사이저나 무그(Moog)도 없었고 컴퓨터도 없었던 시절이니, 오로지 아날로그 방식으로 소리를 찾을 수밖에 없었다.

　마침, 우리 집에는 집사람이 시집올 때 취미로 연주한다고 가지고 온 가야금이 있었다. 나는 가야금의 '농현' (음의 떨림)을 막연하게 생각하고는, 바이올린 활대로 가야금 줄을 밀면서 농현음을 내보았다.

　"지잉 애앵 앵 앵……."

　이게 웬일인가! 내가 생각했던 우주선의 가상음이 그대로 나오는 게 아닌가! 나는 본격적으로 다양한 음정의 농현음을 녹음하면서 쾌재를 불렀다.

　이번에는 집사람까지 동원하여 활대 두 개로 동시에 다른 음정의 농현을 복합하니 절묘한 '우주의 음'이 발생하였다. 우리 부부는 애들처럼 신나게, 그야말로 마음 내키는 대로 가야금 줄을 밀어젖혔다. 농현도 엿장수 마음대로다. 녹음되는 소리 역시 각양각색의 음정으로 수십 가지다.

　얼마나 가야금 줄을 두 사람이 밀어댔는지, 어럽쇼, 가야금 줄이 툭 끊어지고 말았다. 그깟 줄이 문제냐, 우리는 새 줄로 갈아 끼우고 이번에는 한술 더 떠, 활대가 아니라 목욕할 때 등을 미는 긴 '때밀이 타월'에 '송진 칠'을 하여 폭넓게 가야금 줄을 밀며 농현을 주었다. 정말 장중하고 신비한 소리가 절묘하게 합성된 음으로 나오는 게 아닌가!

　"여보, 마누라! 이거여, 바로 이 소리여!"

　때때로 그렇게 탄성의 추임새까지 넣어 가며 타월을 밀고 당기고 농현을 주고받다 보니, 우리 부부의 모습이 마치 흥부전에 나오는 박 타는 장면 같았다. 톱 대신 타월을 메긴다는(?) 게 다르긴 했지만 말이다. 그 짓을 계속하다 보니 마누라가 아끼던 가야금의 줄도 어느새 너덜너덜하게 해져서 완전히 박살이 나고 말았다.

이렇게 소리를 만들다 보니, 가야금 외에도 다른 우리 전통 악기를 이용해서 여러 가지 효과음을 만들었는데, SF적 느낌과 '태권도'라는 콘셉트에 예상보다 훨씬 더 맞아떨어졌다. 공상과학 만화영화에 전통 악기를 이용한 소리라, 이처럼 절묘한 결합이 있겠는가.

이렇게 해서 만들어진 소리는 일단 수십 가지의 원음 테이프에서 1미터 정도 길이로 복사하여 이 테이프를 엔드리스테이프(Endless Tape)로 편집했다. 길어 봤자 1미터 내외인 이 엔드리스테이프는, 홀라후프처럼 양 끝을 둥그렇게 붙여, 같은 내용을 몇 번이고 반복해서 들을 수 있는 테이프다. 시냇물 소리나 바람 소리를 엔드리스테이프로 만들어 녹음기에 걸고 시작 버튼을 눌러놓으면, 일부러 멈추거나 녹음기가 고장이 나지 않는 한 그 소리를 밤새도록 낼 수 있다.

그것참!

요즘 같은 디지털 시대에는 CD 한 장에 수십 가지 소리를 저장해 플레이어에 넣고 해당 소리에 반복 버튼이나 눌러 주면 끝난다. 그것도 귀찮으면 수만 가지의 소리가 들어 있는, 엄지손가락만 한 'USB 메모리'란 것을 컴퓨터에 꽂고 'Enter' 키만 누르면 상황 끝이니, 이 얼마나 신나는 세상인가.

아무튼, 나는 엔드리스테이프에 일련번호를 매기고 용도에 적합한 이름을 붙였다. 1번 태권V 내부, 2번 태권V 외부, 3번 자선 내부,

4번 자선 외부, 5번 적군 우주선 A, B, C, 100번 우주 공간음, 101번 아군 전자빔 총, 102번 적군 화기 A, B, C, 103번 격파음, 104번 폭발음, 105번 날아가는 '슈아' 등과 같은 식이다.

당시 영화녹음실에는 영사기와 동기화된 신호로 작동되는 멀티 트랙(다중채널) 녹음기가 없었다. 영사기와 동기신호로 작동되는 녹음기는 '나그라'라는 모노 트랙 녹음기뿐이었다. 상황이 그러니 태권V의 녹음을 위해서는 철저한 작업 계획이 필요했다.

격투 장면의 녹음 작업은 1단계로, 태권V만의 액션에 맞는 기본소리를 녹음한 1차분에, 격파음, 전자총, 레이저 빔 등 각종 화기의 소리를 합성하여 2차분을 완성한다. 이때 적군의 액션에는 신경을 쓰면 안 된다. 그다음 단계로, 이번에는 태권V를 제외한 적군 측 로봇의 액션 소리를 1차분에서 2차분까지 완성해, 태권V 측 2차분과 적군 측 2차분을 동시에 재생하면서 녹음실 내에서 라이브 사운드를 보충하며 3차분의 음향효과를 완성하는 것이다. 마지막 단계는, 소리의 크기, 원근 등 기사의 실력을 모두 발휘하는 믹싱 작업으로 4차분이 끝난다.

3차분 음향효과 테이프와 음악 테이프, 그리고 대사 테이프, 이 세 가지를 동시에 동기 신호로 믹싱하여 나그라에 녹음해야만, 한 권의 오디오 완성본이 만들어지는 것이다.

그것참!

멀티 녹음이 불가능했던 시절이니, 만약 음악이 깔리는 장면에서 성우의 대사가 틀렸다 하면 도리 없이 처음부터 다시 해야 했다. 음향효과와 음악을 믹싱할 때도 어느 쪽 하나가 틀렸다 하면 가차없이 처음부터 다시 해야 하는 건 마찬가지다.

이 얼마나 섬세하고 정확성을 요하는 작업인지는 가히 짐작이 갈 것이다. 그만큼 '생사람 잡는' 일이기도 하다.

한 롤의 길이는 대략 1000피트, 시간으로는 8~10분 분량이다. '로봇 태권V'는 총 10권(10롤)이었다.

애니메이션 영상팀이 시나리오에 의해 촬영 편집을 끝내면 통상 '러시(Rush)'라고 하는 작업용 흑백 필름을 준다. 원네가(原Nega) 필름은 35밀리 컬러지만 녹음용은 비용절감을 위해 16밀리 흑백으로 축소 프린트한다. 이것이 러시다.

음악 담당인 최창권 선배와 나에게 러시가 넘어오면, 각 장면에서 필요한 소리와 음악을 체크하고 새로운 소리는 새롭게 만들어 롤별로 녹음해 둔다.

한여름인 8월이 다 되어도 내게 넘겨진 완성본 러시는 겨우 네 권뿐, 아직도 여섯 권이나 남았다는 얘기다. 상황이 이러니 휴가 같은 것은 엄두도 못 낸다.

여름 방학이라고 아르바이트로 원화에 색칠하려고 온 학생들로 서울동화 사무실이 북적댔다. 날이 더우니 선풍기만 열나게 돌아간다. 박영일 선생님도 '난닝구'만 입고, 기다란 롤(Roll) 도화지에 열불나게 배경그림을 그리느라 여념이 없었다.

원래 '후라이보이' 곽규석 사장님이 운영하던 광고대행사 선진광고의 전무였던 박영일 선생님은 선진광고가 부도로 도산하면서, 전무가 아닌 미술가로서 서울동화에 합류하게 되었다. 선진광고의 광고 일로 만날 때마다 "사운드의 기술(재간)은 광고보다는 영화에서, 특히 만화영화에서 더 진가를 발휘한다."라는 얘기를 종종 해주셨던 분이다.

언론자유 투쟁이 벌어지면서 정규 방송도 없는 방송국에서 허송세월하던 나에게, 만화영화의 소리 장르를 확실하게 접할 기회를 만들어 준 사람도 바로 박영일 스승이었다.

그분은 나처럼 몸매가 가냘프고 깡마른, 당시에는 지독한 '홀로'였다. '로봇 태권V'는 물론, 무슨 작품이든 간에 배경그림 분야에서는 타의 추종을 허락하지 않는 판타지 배경화의 대가였다.

그분은 원래 너스레 없이 소탈한 분이라, 뭔가 아는 듯이 꾸며서 얘기하지도 않았다. 으레 그 나이면 그렇기 마련이지만, 그분은 자기 미술에 대한 과장된 수식이 한 번도 없었다.

언젠가 맥주를 들면서 내 인생에 대해서 충고하신 적은 있다.

"여보게, 예술을 한다고 식솔을 굶겨서는 안 되는 걸세. 예술 이전에, 삶에는 예(禮)가 있는 법이거든."

그 스승은 비굴하지 않았고 매사에 당당했다. 선후배라는 종의 서열도, 횡의 연줄도 없었다. 오직 믿는 건 자기 자신뿐, 학연이나 인맥과는 무관했고 오직 자신의 의지로 미술의 의미를 성취한 분이었다.

또한, 나에게 영화에서 소리의 중요성을 가르쳐 준 분이기도 하다. 동아방송에서 소리를 배운 내가 '영화는 소리로 시작된다.'라는 평범한 원칙을, 방송국을 그만두고 나서 미술가에게서 배웠다는 사실이 얼마나 아이로니컬한가.

사실 나는 그분에게서 기초 미술을 배우고 싶었다. 그림을 알고 소리를 만들면 훨씬 수월하게 접근할 수 있을 것 같은 생각에서였다. 하지만, 나는 그분에게 결국 미술에 대해서 아무것도 배우지 못했다. 이 세상을 갑자기 뜨셨기 때문에 미술을 배울 시간이 없었던 것이다.

어느 날, 퇴근 시간 후 사무실 지하에 있는 맥주홀에서 여러 동료와 술 몇 잔 나누고 헤어졌다. 사실, 출근이라고 해봐야 새로운 러시가 나오기 전까지는 딱히 할 일도 없던 상태였다. 그래도 CF 소리 덕분에 다른 동료보다는 주머니 사정이 좀 쏠쏠한 편이니, 퇴근 후에는 더운데 애썼다며 가끔 맥주 한잔 사는 게 유일한 내 일과였다. 그날 역시 그랬다.

그것참!

이 무슨 청천병력인가? 밤 열 시가 다 되어 갈 무렵, 정릉에 사는 박영일 선생이 샤워를 하다가 심장마비로 갑자기 쓰러지셨다는 화급한 연락을 받았다.

박영일 선생은 그렇게 세상을 뜨셨다. 젊은 나이(47세)에 짧게 인생을 마감하는 게 천재의 특기인가? 그날 저녁때 맥주홀에서 넌지시 하신 말씀이 귓가에 쟁쟁했다.

"소리는 광고보다 만화영화에 참맛이 있거든. 내 맘대로니까."

그런데 그분이 돌아가셨다. 이렇게 되어 나는 영원히 선생께 그림을 배우지 못하게 된 것이었다.

선생께 보여 드리지는 못했지만, '로봇 태권V'에서 선생의 지론을 실현하려고 내가 그토록 애썼다는 사실을 아시면 기뻐하시리라.

우리 녹음 스태프들은 초인적인 정신력으로 이레 동안 밤낮없이 사운드 작업을 했다.

태권V의 마지막 부분인 8권과 9권에서 벌어지는 전투와 격투 장면이 얼마나 치열한가. 실로 이 영화의 클라이맥스이다. 그만큼 소리 작업도 공들여야 했다.

3차분 기본 녹음으로도 해결이 나지 않아 4차분까지 작업을 해야 했다. 이틀 만에 두 권을 완성하고 모니터링해 보니 과연 그 복잡한 화기 소리며 태권V의 활약이 장관이다.

'박영일 선생님! 우리는 진짜 죽기 아니면 까무러치기로 잘하고 있습니다.'

아! 드디어 내일모레면 대망의 개봉! 마무리를 못 보고 가신 박 선생님 생각이 갑자기 났다.

그것참!

마지막 롤인 제10권의 녹음작업을 하던 중 불상사가 터지고 말았다. 깡다구로 버티던 '괴물 15843호'가 어느 순간 실신, 진짜 '까무러치고' 말았다.

이런 환장할 노릇을 봤나! 몇 시간 후 내가 깨어났을 때는 이미 늦은 오후, 원래 있어야 할 한양녹음실이 아니라 대한극장 뒤편 중앙병원 병상에서 링거를 꽂은 채 누워 있었다. 옆에는 내 일을 돕던 공보남이 있었다.

"야, 보남아! 10번 롤은 어떻게 됐어?"

"그게, 아직……."

"뭐야? 이러고 있을 때가 아니잖아. 얼른 녹음실로 가자!"

제 3 막 ― 소리의 새로운 세계를 찾아서

167

이렇게 말하면서 벌떡 일어나려는데 머리가 핑 돈다.

"어허, 형! 박영일 선생님 꼴 나려고 그래?"

내가 비틀거리자 공보남이 나를 말렸다. 옆에 있던 의사 선생님도 만류한다.

"워낙 오랜 시간 몸을 혹사해서 혈당이고 맥박이고 완전히 쇠잔한 상태입니다. 혈압이 최저 50까지 떨어져 진짜 안정을 취해야 합니다."

"…… 네, 알았습니다."

다른 사람도 아니고 의사 선생님 말씀인데 들어야지 어쩌겠나. 그렇다고 마냥 누워 있을 수만은 없었다. 내 목숨의 절반쯤은 내일 개봉을 기다리는 필름에 들어가 있으므로.

"야, 보남아, 지금 당장 광화문 우리 사무실에 가서 내 16밀리 영사기하고 10권 러시 가지고 와. 여기서 소리 체크도 모두 해줄 테니까 네가 찾아서 넣고, 사운드 필름 더빙을 빨리 영길이한테 넘겨라. 내일 아침에 개봉해야지. 빨리빨리 움직여."

잠시 후 공보남은 내가 시킨 대로 영사기와 10권 러시를 들고 내 병실에 나타났다. 6인실 병실은 졸지에 영화 시사실이 되었다. 나는 병실 벽에 영화를 틀어 가면서 공보남에게 장면마다 들어갈 사운드 종류와 엔드리스테이프 번호를 일일이 설명해 주었다. 다른 환자들은 생전 처음 보는 태권V의 마지막 장면을 신기한 듯 공짜로 관람하고 있었다.

영화 특별시사회를 하루 앞두고 쓰러진 나로서는 이렇게 병실에서 의사의 지시대로 '안정을 취하며' 마무리 작업을 할 수밖에 없었다. 아무튼, 그렇게 개봉 박두!

1976년 7월 20일 한국일보 대강당에서 첫 특별시사회가 있는 날! 나는 아침 일찍 병원을 나와 신문사로 향했다.

신문사 앞에는 엄청나게 큰 태권V의 모형이 늠름하게 서 있었고 우리의 영원한 고객인 어린이들이 엄마 손을 잡고 속속 입장하고 있었다.

아뿔싸! 끝내는 마지막 롤의 사운드 필름 더빙이 늦어져 상영시간이 다 되어 가는데도 마지막 롤의 극장용 프린트가 나오지 못하는 대형 불상사가 벌어지고 말았다. 비상사태 발생!

"야, 보남아! 녹음실에 가서 16밀리 10권 러시하고 주제가를 열 번쯤 연속 복사한 릴(Reel) 테이프를 가지고 영사실로 빨리 와!"

영화는 1번 롤부터 9번 롤까지 신나게 돌아갔다. 드디어 마지막 10번 롤이 되자, 지금까지 돌아가던 35밀리 영사기는 조용히 멈춘 채, 10번 롤을 장착한 16밀리 영사기가 따르륵거리며 돌기 시작했다.

지금까지 호화찬란했던 총천연색 시네마스코프 화면은 사라지고, 소리 작업을 하려고 펀치 구멍을 뻥뻥 뚫어 놓은 흑백 화면이 스크린에 난데없이 나타난다. 음향도 녹음기를 통해 오로지 주제가만 연속해서 나간다.

그래도 우리의 '영원한 친구' 어린이들은 어디서 듣고 배웠는지, 하나같이 손뼉으로 박자를 맞춰 가며 "날아라, 날아! 로보트야!"라며 목이 터지도록 주제가를 불러댄다. '끝' '안녕' 자막이 나왔는데도 주제가는 끝없이 극장이 떠내려가도록 계속 울려 퍼지고 있었다.

마지막 10번 롤의 흑백 작업용 러시 필름과 주제가의 랑데부는 특별 이벤트처럼 신나게 계속되었다. 김청기 감독과 스태프들도 신나는 모양이다.

그렇게 '로봇 태권V'는 공전의 히트를 기록했다. 그 뒤로는 역사의 뒤안길로 사라지는가 싶었는데, IMF 시절 힘겨운 우리네 삶에 희망과 힘을 주는 존재로 대두하기도 했다.

2005년 9월에는 수년간의 피나는 노력 끝에 한국역사상 처음으로 30년 전 '로봇 태권V'의 필름을 디지털로 복원하여 9월 20일 용산 CGV에서 시사회를 열었다. 오랫동안 내버려 두었다가 복원한 탓에 화질이나 소리가 많이 망가지긴 했지만, 김청기 감독은 물론이고 우리 역전의 용사들 모두 30년 전의 벅찬 감격을 새삼 맛볼 수 있었다.

지금이야 기술도, 장비도 비교가 안 될 정도로 발전했으니, 훨씬 더 멋진 작품을 만들 수 있을 테지만, 세월의 흔적이 고스란히 앉은 옛 필름의 영상과 소리를 보고 듣는 것도 실로 남다른 감회를 불러일으킨다.

그것참!

한국 영화사에 길이 남을 만화영화 주인공 로봇 태권V는 2006년 7월 24일 30번째 생일을 맞아, 산업자원부가 주는 '대한민국 로봇 등록증' 제1호를 받았다. '로봇 번호 : 760724-R060724', 사람으로 치면 주민등록증을 받은 것이다.

내 자식 같은 작품 '로봇 태권V'가 세월이 지나서도 이렇게 인정을 받다니, 거기에 생명을 불어넣은 사람 중 한 명으로서 이 또한 신나는 소식이 아닐 수 없었다.

지금 아니면 언제라도 못 한다

아무리 힘들고 고달픈 일이라 하더라도,

'돈 안 되는' 일이라 하더라도

반드시 내가 마무리해야 할 일이 있지.

바로 나니까, 유일한 사람이 나니까,

나는 그만큼 소중한 사람이라는 거니까.

그러니 그 고달픔도

신나게 받아들이자고.

• • • '로봇 태권V'의 성공은, 방송국을 나와 불안정했던 나에게 경제적으로나 정서적으로나 큰 도움이 되었다. 그 후로는 정말 거침없이 순풍에 돛 단 듯 일이 잘 풀렸다.

'로봇 태권V'의 다른 시리즈를 비롯하여 뒤이어 여러 만화영화의 사운드 작업도 계속했다. 당시만 해도 국산 만화영화가 참 많이 만들어졌다. 요즘 한국 영화가 잘나간다지만 만화영화는 그렇지 못한 것 같아 참 아쉽다.

아무튼, 만화영화 작업 외에도 광고 일이야 일상과 같았고, 틈틈이 연극의 음향 작업도 했다. 가끔은 TV 광고에 슬그머니 배우로 출연하기도 했다. 얼마 전에는 제자 한 놈이, 인터넷 검색 사이트에서 내 이름을 검색해 보니 내가 출연한 광고 동영상이 뜨더라고 알려 주었다. 썩을! 내 이름이 '야동' 제목도 아니고 뭐 하러 검색해 봤을까?

1982년에는 미국에서 열린 국제에너지박람회의 한국관에 사운드 총괄 제작으로 동참한 게 인연이 되어, 앞에서도 이야기한 86아시안게임, 88서울올림픽, 2002월드컵과 같은 굵직굵직한 국제 행사나 이벤트에서 내 소리 역량을 마음껏 뽐낼 기회를 얻게 되었다.

나에게는 이런 이벤트 행사가, 또 다른 세계를 경험할 기회였다. 경험의 기회, 그것은 참으로 중요한 것이다.

예술이란 게 그렇다. 아무리 머릿속으로 상상하고 고민해 봐도 결국은 경험의 한계를 뛰어넘기 어렵다는 것. 결국, 내 세계의 한계가 경험의 한계이다. 그런 면에서 이벤트나 행사에 참가하는 것 자체가 나에게는 기회였고, 나는 그 기회를 충분히 살려 내 세계를 넓힐 수 있었다.

그것참!

이 기회란 놈은 참 이상하다. 우리가 늘 "기회만 있다면, 때만 만나면……."이라는 소리를 입에 달고 다니면서도, 정작 기회를 만나면 알아보지도 못하고 그냥 지나치고 만다. 기회의 얼굴을 모르니 어쩔 수 없는 노릇이다. 뒷모습만 비슷하다고 아무한테나 집적거리다가는 봉변을 당하게 마련이다.

"그래도 당신은 기회를 잘 살렸어."

"무슨 기회?"

어떤 사람은 내가 기회를 잘 살렸다고 했다. 하긴, 가진 것 없고

'빽'도 없는 고졸 출신이 맨바닥에서부터 시작해서 여기까지 온 것을 보면, 아마도 대단한 기회가 있었을 것으로 추측할 수밖에 없었겠지.

그런데 정작 나는 기회란 게 별것 아니라고 생각한다. 기회를 잘 살려야겠다고 생각하면 지나치게 긴장하거나 과욕을 품게 되고, 결국 꼴딱 망하기 십상이다. 그저 나는 "모든 일이 다 기회다. 어떤 일이든 '중요한 내 일'이다."라고 생각하고 거기에 온 힘을 다 쏟아 부었다. 그러다 보니 결과도 좋았다.

그러고 보면, 기회를 살리느냐 못 살리느냐가 아니라 오로지 얼마나 온 힘을 다해 노력했느냐가 중요한 게 아닐까?

때는 1990년 6월 25일, 잊지 못할 6·25 40주년, 삼성동 한구석에서는 38오디오 스튜디오 신축 축하 파티가 벌어졌다.

파티라고 해서 흔히 영화 나부랭이서 보던 무슨 뺵적지근한 가든파티는 아니고, 지극히 대중적인 먹자판 파티였다. 신축한 스튜디오 위치도 알릴 겸해서, 그동안 친분이 있었던 '쟁이'들이나, 소식이 뜸했던 야술가(예술가가 아니라 밤에 술 먹는 야술가!) 선후배님들을 초청했다. 삶은 돼지머리 올려놓고 고사도 한판 벌였다.

약속 시간이 되자 제법 알 만한 탤런트며 가수, 감독, 문인, 광고쟁이 등등 많은 사람이 스튜디오 옥상에 떠 있는 애드벌룬을 보고 속속 찾아들었다. 그래도 명색이 광고 밥만 수십 년인데, 애드벌룬 정도는 띄워야 하지 않겠나.

173

"오늘 무슨 날인가? 전쟁이라도 났나?"

"38오디오가 뭐야, 전축 파는 집인가?"

조용하던 동네 골목마다 아수라장이다. 어리둥절한 이웃과 축하객들이 뒤엉켜, 뻥 좀 튀겨 거의 백여 명은 들끓나 보다.

사실, 이렇게 요란하게 파티를 벌인 데에는 이유가 있었다. 이 파티는 '대하 영상 소리' 다큐멘터리 영화인 '한국소리 100년, 대한국인'의 제작 크랭크인 축하 파티를 겸하고 있었던 것이다.

서울올림픽을 끝내면서 나는 근 2년에 걸쳐 제작한, 우리 소리를 집대성하는 소리 다큐멘터리 '대한국인'을 두 장짜리 CD 음반으로 낸 적이 있었다.

세월이 변하고 세상이 변하면서 소리도 조금씩 무시되고 사장되는 게 너무나 안타까웠다. 그래서 직접 발로 뛰며 노동요, 다듬이 소리, 풀벌레 소리 등 이제는 실생활에서 쉽게 들을 수 없는 천여 가지 소리를 모아서 CD로 낸 것이다.

그런데 음반만으로는 우리 소리를 표현하는 데에 한계가 있음을 깨달았다. 그래서 기획한 것이, 1800년대 후반부터 1990년대까지의 우리 소리를 담는, 본격적인 대하 영상 소리 다큐멘터리인 '한국소리 100년, 대한국인'이다.

그때 나는 한국인의 소리, 한의 소리, 잊혀가는 소리, 애환의 소리들을 모두 집대성하고 싶다는, 열망 같은 것이 있었다.

"영상집이오? 음반 내고 그렇게 손해 봤으면 됐지, 왜 또 그래요? 정 그렇게 하고 싶으면 좀 쉬었다가 나중에 해요."

당연히 주위에선 반대가 심했다. '돈 안 되는' 일이었으니까 말이다.

"그 일은 누구든 꼭 해야만 하는 일이야. 그렇다면, 이 김벌래가 아니면 과연 누가 할 수 있겠어?"

정말 그런 마음이었다. 그 방대한 소리 작업을 내가 아니면 누가 하겠느냐는, 내 소리 작업에 대한 자부심과 긍지가 있었던 것이다.

그 일을 하지 않으면 들끓는 의욕을 내가 감당하지 못할 것만 같았다. 그렇게 의욕이 불타오를 때, 그때가 바로 그 일을 할 수 있는 절호의 기회라고 생각했다.

이 거창한 작업을 위하여 김관영 감독, 조성현 극작가, 이정황, 이충환 조감독, 조재상 등 열 명의 식구들이 뭉쳐 힘찬 행군의 첫발을 내디뎠다. 작품의 기본적인 방향은, 2년 전에 만들어졌던 음반 '대한국인'의 오디오에 자료 영상을 보충 삽입하는 형식으로 연출 방향을 정하였다.

우리는 1800년대의 자료를 찾으려고, 문화부장관의 특별 자료협조 공문을 받아 KBS, MBC, 국립영화제작소, 동아일보, 조선일보 등에서 해당 그림 자료를 찾았다.

자료를 모으는 일은 옛날 얘기에 나오는 보물섬 찾기보다 더 어려웠다. 먼지 수북한 자료필름 창고 뒤지기를 1년, 우리가 천신만고 끝에 모으고 모은 자료필름의 복사 테이프 분량은 1인치짜리 U-Matic 방식의 VTR(MBR-60)로 무려 110개나 되었다.

(주)한국VTR(박공서 대표)의 도움으로 우리는 또다시 편집 작업에

제3막 — 소리의 새로운 세계를 찾아서

들어갔다. 몇 달이 지나갔다. 제작 스태프의 기력도 모두 쇠잔해 가고 있었다.

그것참!

이 무렵 대전 세계EXPO 조직위원회에서 낭보를 전했다. 3개월의 대회기간 중 '정부관' 프레젠테이션용 영상으로 공식 상영하기로 했다는 통보를 받은 것이었다.

아, 이렇게 신나는 일이 어디 있는가! 일단 큼지막한 판로는 열린 게 아닌가. 우리 스태프들은 다시 생기가 돈다. 이리 뛰고 저리 뛰고 막판 마무리 작업에 그야말로 눈썹이 휘날릴 정도로 신나게 바빴다.

그런데 얼씨구! 의욕이 과했던가? 늘 건강만큼은 떵떵거리고 자신하던 오랜 친구 김관영 감독, 어느 날 비실대기 시작하더니, 젠장, 녀석도 벌렁 나자빠졌다. '로봇 태권V' 때부터 나하고 인연을 맺은 바로 그 중앙병원 병실에 누워 링거를 맞는 처량한 신세가 되고 말았다.

참, 미련한 짓이긴 하지만, 일에 몰입하다 보면 제 건강 깎아먹는 줄을 모르게 된다. 나야 그런 일에 이골이 났고 나한테 남아 있는 시간도 얼마 남지 않았으니 그리 크게 문젯거리가 될 것은 없지만, 앞날 길게 남은 분들은 평소에 건강 꼬박꼬박 챙기시오. 건강은 충분조건이 아니라 필요조건이라오.

아무튼, 우리의 3억 원이 투입된 대하 영상 소리 다큐멘터리 '한국 소리 100년, 대한국인'은 무려 4년 8개월에 걸친 기나긴 전투 끝에 세상에 나왔다.

이 영화(윤준호 글)의 시나리오는 옛날이야기 하듯 이렇게 시작된다.

아주 옛날, 이 땅의 소리를 들어 본 사람은 없지.

그때 살던 이들의 얼굴이나 그 시절의 풍물, 산천의 모습은 볼 수 없지.

언제였을까, 맨 처음 하늘이 열리고

우리 오늘 숨 쉬는 산하가 찬연한 햇빛 아래 모습을 드러낸 날은.

우리 할아버지의 또 할아버지, 얼마나 올라가야 맨 처음의 할아버지를

만날 수 있을까? 그 목소리를 들을 수 있을까요?

들을 수 있을까? 들을 수 있지. 귀가 아니라 가슴으로 들을 수 있지.

조용한 아침의 나라 이 땅이 하늘의 소리를 할아버지한테서 들을 수 있지.

들어 보아라, 이것이 우리의 소리다.

설날부터 동짓날까지의 소리,

네 가슴속에, 네 핏속에 스며 있는 우리의 소리다.

그것은 울음이 아니면 노래였다.

노래를 들어라.

아롱다롱 무지개 빛깔로 피어나는 색동의 노래를 들어라.

위의 글은 시나리오의 맨 앞부분인데, 일반적인 영화의 시나리오와는 달라서 영화의 자막이나 대사와는 전혀 관계가 없다. 감독은 이 시나리오를 보고 나서 그 내용과 감성을 영상으로 표현하고, 나는 그것을 대사 없이 오로지 전통 음악과 우리 소리로 연결하여 완성하는 것이다.

작품 상연 시간은 1시간 35분으로, VHS로 제작되었고 아직 DVD는 없는 상태이다. 내용은 다음과 같이 구성되었다.

1. 프롤로그 = 조용한 아침의 나라

2. 한국 자연 = 한국의 사계

3. 백의민족 한국인 = 설날부터 동짓날까지의 우리의 전통 소리

4. 태동기 = 고향의 소리, 애환의 소리

5. 한 맺힌 한국인 = 일제 침략과 정부 수립, 6 · 25, 한국인의 수난 소리

6. 시련기 = 암울의 소리 , 4 · 19, 5 · 16, 5 · 18, 한의 소리

7. 끈질긴 한국인 = 열심히 살아가는 한국인의 현대 소리

8. 성장기 = 발전 도약의 소리, 중동 진출, 산업의 근대화, 문화예술의 소리

9. 거듭나는 한국인 = 88서울올림픽, 바르셀로나 황영조 마라톤 우승, 다시 태어나는 한국인의 소리

이 작품은 국외용으로도 만들었는데, 전통 놀이나 전통 음악, 고유의 생활용품, 문화 행사 등의 영상에 '영문 자막'을 삽입하여 외국인의 이해를 쉽게 하였다.

이 작품에 사용된 100여 곡의 음악은 순수한 우리 음악으로 작곡되었고, 여기에 '대한제국가'(대한민국 최초의 국가)와 1200여 종의 음향효과를 동원하여 믹싱하였다. 구하기 어려운 일제강점기 때의 소리는 어쩔 수 없이 상징적으로 처리할 수밖에 없었다.

그것참!

작품 중의 '광주 5 · 18' 대목이 나중에 문제를 일으켰다. 사실 나로서도 '이 대목에 과연 무슨 소리를 넣을 것인가?'를 놓고 며칠 동안 끙끙거리며 엄청나게 고민을 했다. 결국, 첼로로 연주하는 장중한 '애국가'를 과감히 삽입하기로 했는데, 이는 나로서도 큰 용단을

내린 것이다.

문제는, 그 당시에 5 · 18이 '민주화 운동'으로 인정받지 못했다는 것이다. 결국, 그 대목 때문에 말썽이 생겼다. '민주 투사' 같은 양반들이나 가던 '그곳'에 불려 가게 된 것이다.

무슨 돈으로 이런 비디오테이프를 만들었느냐, 혹시 북한 공작금이 아니냐, 뭐 이런 황당한 혐의부터 캐묻기 시작했다. 우리나라 은행이 북한 공작금으로 대출해 주는 게 아니니 내 대출 기록을 조사하자 금방 벗어날 수 있었다. 하지만, 5 · 18 부분을 빼라는 강요가 문제였다.

작품 속 80년대는 흑백에서 컬러로 넘어가는 시기였다. 1분 정도의 분량이지만 작품 흐름을 보자면 도저히 이 부분을 뺄 수 없었다. 심혈을 기울인 작품을 망가뜨려야 한다니 결코 용납할 수 없는 일이었다. 우라질! 결국, 배포된 모든 테이프를 그냥 회수하기로 했다. 작품의 국내 배포는 불가능했지만 그나마 미국 쪽에서 판로가 열려 간신히 세상 구경은 할 수 있었다.

이제는 세상이 달라지지 않았느냐고? 이제는 이제고 그때는 그때다. 젠장! 그렇지 않아도 판권을 넘기고 나서 얼마 지나지 않아 광주 5 · 18도 민주화 운동으로 인정을 받았다. 이미 기차는 떠났고 버스도 지나간 후였다. 참말로 지랄 맞은 경우다.

아무튼, 정말 김벌래니까 했지, 이 작업은 감히 어떤 놈도 못했을 것이다. 나한테 다시 하라고 하면 억만금을 주더라도 한사코 손사래를 칠 것이다. 그만큼 어렵고 힘겨운 작업이었다.

한국문화 홍보영화나 기록영화를 만드는 국가 해당부서에 있는 양

반들이 왜 이런 중요한 작업을 안 하는지, 혹은 못하는지 이해가 갔다. 괜히 이런 엄청난 프로젝트를 건드리다가 '철밥통'에 고장이라도 나면 어쩌겠는가. 그냥 내버려 두어도 괴물 15843호같이 골 빈 골수분자 놈들이 자기 의욕에 못 이겨, 알아서 제 돈 들여 가며 거품을 물고 만드는데 말이다.

그래도, 그쪽 도장이 찍힌 종이쪽지 '협조 공문' 덕분에, 구하기 어려운 자료도 찾았고, 대전 EXPO 정부관에 들어가면서 EXPO 장내의 여러 가지 일도 할 수 있었고, 전 세계의 국외 공관에도 배포되었다. 그러니 그걸 고맙게 생각해야 하나? 쌍!

대사도, 내레이션도, 인간의 대화도 나오지 않는 이 작품은 과분하게도 대한민국 에밀레 대상, 대한민국 영상음반 골든비디오 대상, 대한민국 영상음반 음향효과기술 대상 등의 많은 상을 탔고, '불후의 명반'이라거나 '김벌래 최고의 작품'으로 칭송받는다. 하지만, 우리 가족에겐, 번 돈 다 까먹고 '떼 빚'을 지게 한 '웬수' 같은 작품이다.

나로서는 후회가 없다. 상이나 명예 같은 하찮은 이유가 아니라, 하고 싶었던 일을 해냈다는 기쁨, 더할 수 없을 만큼 노력을 다했다는 만족감 덕분에 한동안 먹지 않아도 배가 부를 정도였다.

지금 생각해 봐도, 그때 하지 않았더라면 아마도 아직 못 했을 일이다. 하고 싶은 마음이 생겼을 때, 그때를 놓치지 말아야 한다. 그게 최고의 기회다.

보조 미술, 보조 소리의 반란

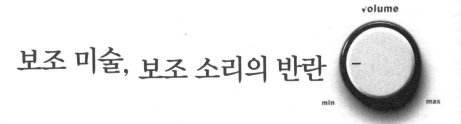

volume
min   max

요즘은 드라마도 영화도

　　조연들이 주연보다 더 대단하더라고.

　남들이 우습게 본다고

　　　웅크리거나 주눅이 들 필요는 없어.

　"효과 주제에!"라는 소리 듣던 나도

　　　　이렇게 팔자에 없던 교수 노릇까지 하고 있잖아?

　　　　　　　　한길에서 온 힘을 다 쏟고 최고가 되면

　　그걸로 되는 거야.

　　　• • •1996년 여름은 징그럽게 뜨겁고 무더웠다. 그때
한국 미술계에서는 이쪽 패거리와 저쪽 패거리 간에 피투성이 전쟁
이 벌어지고 있었다.

　국립현대미술관이 해마다 한 명의 작가를 선정하여 '올해의 작가'
로 추대하여 과천 국립현대미술관에서 전시회를 여는 연례행사가
있다. 미술가라면 누구나 이 자리에 한번 서보는 게 어쩌면 평생의
꿈이라고 해도 과언이 아닌 영광의 무대다.

　이런 무대에 1996년도 '올해의 작가'로 윤정섭(한국예술종합학교
연극원 무대미술과 교수)이란 작가를 선정 · 발표하면서부터 한국 미

술계에서는 벌컥 지랄 같은 패거리 전쟁이 일어난 것이다.

무조건 윤정섭의 선정에 대해 반대하는 소리가 난무하고, 선정과 정에서 정실이 있었느니, 거액의 로비가 있었느니 말이 많다. 이 정도 되니까 어떤 덜떨어진 일간지에서는 이때다 싶어 이쪽 편에 붙어 윤정섭의 예술관까지 깎아내리기까지 했다. 이런 촌극까지 벌어지니, 이미 단순한 사건이 아니라 동네 패싸움, 전쟁이 벌어지고 만 것이다.

윤정섭이란 작가는 무슨 화백도 아니고, 무슨 풍의 그림 몇 호짜리를 얼마 얼마에 파는 그런 저명한 화가도 아니다. 윤정섭이란 미술가는 그냥 우리가 흔히 보는, 그저 그런 미술가이다. 쉽게 말하자면, 우리가 늘 어디서나 만나는 TV 드라마의 장치미술가, 연극무대의 무대미술가, 이벤트 무대의 환경미술가, CF미술가, 영화미술가, 공간조형 연출가, 극작가, 연극연출가 등으로 활동하는 미술가다.

"무대의 진행을 상정해서 보조하는 무대 미술의 기능은 순수 미술과 엄격하게 구별되는데, 현대미술관이 큰 착각을 했다."

"현대미술관이 문화적 절차와 미술계의 의견을 무시하고 미술을 인위적으로 평가했다."

"무대 설치 디자이너, 무대 미술이라는 보조미술가에 불과한 그를, 순수미술가만이 설 수 있는 국립현대미술관에서 '올해의 작가'로 선정한 것은 잘못이다."

위의 구절들은 윤정섭이 '올해의 작가'로 선정됐다는 사실이 알려졌을 때, 미술 지식인 일부, 대표적 평론가 일부가 토했던 열변들을 요약한 것이다. 하긴 99%도 일부다. 100%는 아니니까.

이 얼마나 한심한 우물 안 개구리 같은 발상들인가?

그것참!

무대 미술이 보조 미술이라니? 순수 미술과 보조 미술? 이 무슨 말인가? 그 많은 외국 서적을 인용하고 그 많은 외국 작가들을 주절거리면서도, 그 외국 미술가 중에 무대 미술과 회화·설치 등을 동시에 작업하는 작가가 얼마나 많은지는 왜 모르는가.

미술은 이제 다중매체의 장르가 된 지 이미 오래다. 다중 복합의 현대 사회에서 미술의 구분은 모호한 것이 아니라 열려 있다는 것을 아직도 확인하지 못하고 있단 말인가. 현대 미술이 열린 미술이니, 국립현대미술관도 '열린 미술관'이어야 마땅하지 않은가.

정말 중요한 것은, 윤정섭이 작가로서 현시대를, 오늘을 어떻게 말하고, 무엇으로 말하며, 그의 예술 정신이 무엇인가 하고 지켜보는 일이 먼저고 순서라는 것이 내 생각이다.

미술계뿐만 아니라 한국 사회 전체가 안고 있는 파벌 의식과, 연줄에 의한 패거리 문화와 정치 놀음, 이것이 현재 우리의 수준이다.

윤정섭 작가가 미술의 미 자도 모르는 나를 느닷없이 찾아와, 이런저런 현실의 모순에 대해 이야기했다. 모 신문에 실린, 윤 작가의 '올해의 작가' 선정에 대한 시비론 기사를 대하는 순간, 나는 불현듯 그에게 용기와 격려의 힘이 되어 주리라고 생각하면서 불의에 대한 '항쟁'의 주먹을 불끈 쥐었다.

나 역시 그동안 덜떨어진 놈들에게서 '소리는 영상이나 모든 시각 예술의 보조'란 소리를 얼마나 많이 들으며 살아왔는가? 그렇다, 이번엔 달랐다. '보조 미술, 보조 소리'라니! 쌍! 까불지들 마라.

윤정섭도 윤정섭이지만, 내 소리 예술의 위상을 정립하기 위해서라도 목숨 걸고 나설 수밖에 없었다.

대략 30년 전쯤 MBC-TV에서 윤정섭 작가를 처음 만났는데 전생에 무슨 인연이 있었는지는 몰라도, 현재에는 경희대학교 문화예술경영대학원에서 한 학기 동안 '공연예술과 테크놀로지'라는 과목을 둘이 나눠 '팀티칭'으로 강의하고 있고, 경기대학교 조형대학원에서도 마찬가지다. 두 사람의 인연은 참으로 묘한 것이, 진짜 '그것참!'이다.

내가 한때 한국예술종합학교에 강사로 나갈 때에는, 그 학교 연극원 교수인 윤정섭과 대포 한잔 나누기도 했다.

"그러니까 이 학교에서 이력서 학력란에 영어로 쓰는 학위가 없는 교수는, 김 선생님하고 저뿐이라는 겁니다."

"그래도 이 학교에선 우리 둘이지만, 홍대에서는 저 혼자랍디다. 하하하."

"어이쿠! 엎어치나 메치나! 결국, 우리는 영원한 '홀로'네요!"

이런 이야기를 하며 쓸쓸하게 피식 웃었던 기억이 난다. 나는 사실 한국어로 쓰는 학위도 없다.

전공하는 장르는 미술과 소리로 서로 전혀 다르지만 같은 연극, 같은 광고, 같은 방송, 같은 이벤트, 같은 퍼포먼스, 같은 체육행사 등 그와 숱한 작업을 함께했다. 86아시안게임, 88서울올림픽, 대전 EXPO나 극단 미추의 수많은 연극 작업들……

정작 그가 결정적으로 나에게 미학적 소리관을 느끼고 눈뜨게 한 것은 바로, 문제의 현대미술관에서 선정·개최했던 '올해의 작가' 전시회인 '나는 있는 그대로 현실을 본다'의 '무거운 물' 부분에서 그의 소리 철학인 '겹의 울림' 작업에 직접 동참하면서부터라고 할 수 있다. 말하자면 미술계의 적들에 대항하여 연합전선을 펼친 셈이다.

그리하여 징그럽게 뜨겁고 무더웠던 1996년 여름, 윤정섭과 김벌래는 이 전투에 생사를 건 듯, 더위도 아랑곳하지 않고 무려 3개월 동안 '무거운 물'이라는 제목의 사운드 제작 작업에 매달렸다.

38오디오 스튜디오에서 몇십 날을 새하얗게 꼬박 새웠는지 헤아릴 수도 없다. 우리는 오로지 미술계의 그 무식한 적들을 이기고자 전투 훈련을 한다고 생각했다.

이 전쟁에서 패한다는 것은, 늘 홀로여서 힘이 없는 우리의 패배일 뿐 아니라, 우리가 추구하는 세계가 '보조 미술', '보조 소리'로 놀림받고 영영 웃음거리로 낙인찍히게 되는 것이다.

그런데 작업을 하다 보니, 윤정섭과 나 사이에도 적지 않은 차이가 있음을 알 수 있었다. 거대한 대중목욕탕에서 들려질 '현실 공간의 소리'를 구축하는 윤정섭의 소리관은 나의 그것과 상당한 차이가 있었다.

그래도 우리는 서로 누구를 탓할 겨를이 없었다. 우리의 차이는 '다름(異)'이지만, 우리가 힘을 합해 싸워야 할 것은 '틀림(誤)'이기 때문이다.

작업하는 1개월 동안 시행착오를 치르고서야 그의 예술관 틀인 '겹' 속에 겨우 접근할 수 있었다.

윤정섭의 미술은 '물감으로 칠하고, 붙이고 오려 내는' 미술이 아니다. 그의 미술 작업은 차라리 세우고 허물고 다시 세우는 미술이다. 그 미술은 행동의 미술이며, 행동에서 드러나는 '겹의 울림'의 표현이다.

그가 사물이나 정황을 표현하는 방법에서 면과 선의 중요성보다는 면과 면이 만나고 포개지는 중첩을 매우 의식하는 태도에서 알 수 있듯이, 소리의 발상 역시 항상 '겹'을 구현하고자 노력하였다. 이 겹은 그의 말대로 '촉각적인 시각, 청각적인 미감'으로 드러나는 힘이다.

나는 이 움직이는 소리의 겹을 보면서 윤정섭 작가가 만들어 내는 공간과 시간의 해석을 경험하게 되고, 그의 작업에 대한 전체적인 윤곽을 보게 되었다.

"첨벙! 똘랑!"

물방울 소리가 진동한다. 아, 중저음이 계속되는 저 겹의 소리는 무엇인가?

1996년 8월 17일엔가, 드디어 우리는 천신만고 끝에 '무거운 물'의 사운드 마스터 테이프를 완성했다. 몇십 날 밤을 뜬눈으로 새워 가며 만든 이 소리가 재판을 받는 날, 우리는 아침 일찍 재판정이 있는 과천 국립현대미술관으로 향했다. 미술관 옆 숲 속에선 이름 모를 새들이 지저귀고 있었다.

아! 저 넓은 국립현대미술관에 전시된 윤정섭의 대중목욕탕에 물방울 소리가 엄청난 파워로 울려 퍼졌다. 저 온 힘을 다한 소리가 과연 무엇인가? 바로 사람의 소리다! 여기가 전람회장인가? 콘서트홀인가?

임영방 관장을 비롯해 미술관 관계자들, 그 말 많던 유식한 평론가 아저씨들, 한마디로 '꼼짝 마라!' 였다. 마치 22,000볼트에 감전된 듯 찍소리도 못하고 멍한 채 전시장의 동선에 따라 소리 죽여 발만 움직이고 있었다.

우린 그 전쟁에서 이긴 것이다. 그리고 지금 축하의 관람이 아니라 승리의 퍼레이드를 벌이는 것이다.

어느 순간 라이브로 수도꼭지에서 물이 쏟아진다. 겹의 소리는 샤워기가 물을 뿌리는 소리를 뚫고 계속 전시장을 휘감았다.

나도 모르게 눈물을 흘리고 있었다. 옆에 키 큰 윤정섭도 그런 나를 보더니 흑 하더니 눈물을 훔치는 게 아닌가. 지독한 골초인 우리는 둘 다 전시장 밖으로 나와 담뱃불을 붙였다.

아까 울던 새들이 또 울고 저쪽 산으로 날아갔다.

저 소리는 밖에까지 들렸다. 그 순간! 아, 전시장 밖에도 아예 소리가 나면 좋겠다는 생각이 들었다. 이왕 소리로 사람을 죽이려면 전시장 밖에서도 죽이자 이거다, 쌍!

그 순간적인 아이디어 탓에, 음향시설을 지원하러 나온 유용조팀은 졸지에 일거리를 하나 더 안고 말았다.

그것참!

그 소리! 사람의 기운이 비록 쇠락했지만, 그래서 바람 소리처럼 들려오기도 하지만, 그 소리의 밑바닥에는 어둠이 네 목을 쓸어안고 진저리를 치면서 혼을 끌어안아 잡겠다고 아우성친다. 가슴에 불을 질러 그 불길이 몇백 년을 두고 타들어 가서 이제는 허연 재만 남기면서 아스라하게 꺼져갈 때, 차마 사라질 수도 없고, 없어지지도 못하는 영혼의 입김 소리다. 살점은 죄다 문드러졌고 이미 흙이 됐지만 영혼은 흰옷으로, 알몸으로 이 복도를 순례하는 것이다.

"똘랑!"

5미터 높이에서 떨어지는 물방울 소리! 그 겹의 소리들은 어디선가, 너는 이렇게 살아서는 안 된다고 꾸짖고 있었고, 너는 이제 다르게 살아야만 한다고 윽박지르고 있었고, 네 마음에는 눈물을, 너의 이마 한복판에는 저 자연이 주신 최초의 감각과 기운을 받으라고 말하고 있었다.

"첨벙! 똘랑! 졸졸……."

가느다란 물 흐르는 소리가 들린다. "휘이익!" 하고 바람이 이는 소리도 들린다. 그리고 온갖 물방울 소리가 겹으로 들린다.

저 소리는 가느다란 풀잎 위에 이슬처럼 곧 사라질지도 모를 수증기 같은 소리지만, 그 소리의 기운은 이미 우리 가슴에 깊숙이 와서 박혔다. 이제 이 소리의 여음으로 우리 순례는 곧 세례 씻김을 받게 될 것이다.

무거운 물은 다시 줄기찬 샤워 꼭지의 물로 바뀌면서 현세를 사는 당신의 수고한 몸과 마음을 씻겨 줄 것이다.

'모든 사람의, 모든 사람이 참회의 마음으로 씻는 곳, 목간통으로 들어가게 될 것이다.'

이런 생각이 드니, 우리의 적에 대한 분노도 조금씩 수그러드는 것 같았다. 물론 우리가 거둔 전과가 만족스러웠으니, '승자의 아량'이랄까, 그런 마음으로 분노를 누그러뜨릴 수 있었을 것이다.

우리가 이겼다는 것은 '보조 소리'와 '보조 미술'의 승리였다. '보조'라는 단어에 포함된 차별과 멸시의 시선에 보기 좋게 한 방 먹인 쾌거였다.

부당한 차별과 멸시만 없다면야, '보조'라 부르든 '시다바리'라 부르든, 사실 나는 크게 상관하지 않는다. 소리는 소리일 뿐, 필요한 곳에 쓰이면 되는 것이다. '보조'면 어떻고 '주인공'이면 어떠랴, 듣는 이의 심장을 울릴 수만 있다면 말이다.

염병할!

과학의 상상력을 활용하라

과학은 논리나 실증 따위의 것이 아니야.

날고 싶은 꿈이

비행기를 만들고 우주선을 만드는 거거든.

과학의 발전을 이끌어온 힘이

사람들의 꿈이자 상상력이란 말이야.

결코 포기하지 않는 꿈.

• • •어떤 분야든 마찬가지겠지만 소리는 과학과 무척 밀접하게 관계하고 있다. 과학이 주는 편리함이야 더 말할 필요도 없는 것이고 무엇보다 중요한 것은 과학 그 자체가 상상력의 한계를 넓힌다는 것이다.

과학 덕분에, 불가능이 가능이 되면, 우리는 새로운 상상력을 가진다. 그리고 과학을 그 상상력을 현실로 바꾸려고 한다.

과학 자체가 치밀한 논리와 근거를 밑바탕으로 하고 있긴 하지만, 최초의 발상은 꿈과 상상력에서 시작한다. 하늘을 날고 싶은 꿈이 비행기를 만들었고 우주선을 만들었다. 뛰어난 과학자치고 상상력이 부족한 사람은 없다.

소리도 과학과는 따로 떼어 놓고 생각하기 어려울 정도로 밀접한 연관이 있다. 내 경우를 보더라도, 콜라 병마개 따는 소리를 만들 때 나에게 FX-신시사이저 같은 도구가 있었다면, 더 나은 소리, 아니 전혀 새로운 소리를 진작 만들 수 있었을 것이다. 손오공에게 여의봉이 있듯 내게도 멋진 도구가 있다면 천상의 소리인들 만들지 못할까.

이제 컴퓨터는 기초 중의 기초다. 요즘 시대에는 컴퓨터를 모르면 소리 작업도 안 된다. 여태도 가위질로 필름 편집하고 있을 수는 없는 노릇이 아닌가. 덕분에 이 나이에 컴퓨터와 씨름하고 있다. 더 나은 소리를 만들 수만 있다면야 아무리 복잡한 기계라도 밤낮으로 공부하고 연구해야 하지 않겠나.

아무리 좋은 소리를 만들어도 시스템이 받쳐 주지 못하면 '돼지 목에 진주 목걸이'에 불과하다. 소리는 음향 시스템에도 크게 영향을 받게 마련이다. 연극 그 불(The Fire)의 경우가 그러했다.

'그 불'은 1999년 6월 11일부터 29일까지 문예회관 대극장에서 초연되었고, 2001년 3월 9일부터 25일까지 올려 일본 도쿄 '3백인 극장'에 초청되어 'HIBAKRI 火計り'라는 제목으로 일본 극단 스바루와 합동 공연을 올렸고 2001년 8월 31일부터 9월 2일까지 서울 동숭홀에서 재공연을 하였다.

'그 불'은 입담 좋기로 소문난 도올 김용옥의 희곡 작품이다. 극단 미추가 손진책 연출로 동숭동 문예회관에서 이 작품을 올릴 때, 나

제3막 — 소리의 새로운 세계를 찾아서

191

는 사운드 디자이너 겸 음향 감독을 맡아 모든 정력을 쏟아 부어 관객에게 환희와 감동의 소리를 들려주었다. 나는 이 과정에서 과학과 기술이 소리와 만나는 특별한 랑데부를 맛볼 수 있었다.

이 연극은 백제 때 일본으로 끌려간 도예공인 '심수관'의 예술관과 그 일가의 역사를 극화한 역사 다큐멘터리 형식의 논픽션이었다. 연극의 주제 소리는 도자기를 굽는 가마에서 나는, 섭씨 1300도 이상 되는 '불타는 소리'였다.

나는 도자기 가마의 불 소리를 들으려고, 전부터 '형님 아우'로 지내는, 안성 '엄마 목장'에 있는 도예가 오남(悟南) 이종성의 도자기 공방에서 가마에 불 때는 날을 딱 맞춰 찾아갔다.

밤새워 불을 땐다. 특수 구멍으로 가마 속을 보니, 그 불꽃의 소리는 마치 지진이라도 난 것처럼 지축이 흔들리는 중저음의 들끓음이었다.

나는 불길 소리를 50Hz 미만으로 만들어 현실성과 현장성을 극대화하였고, 흡사 관객이 가마를 실제로 들여다보는 듯 그 불길 소리를 느끼게 하고자 하였다.

그런데 내가 만든 불길 소리는 그 특성상, 저음(50Hz 미만)을 제대로 재생할 수 있는 시스템이 있어야 했다. 공연 며칠 전 미리 문예회관의 음향팀과 여러 가지 방법으로 시험해 보았지만, 걱정했던 대로 저음의 불길 소리는 재생되지 않았다. 문예회관의 시스템이 일반적인 스피치나 음악만을 재생할 수 있도록 설계되었기 때문이다.

"이거 불길 소리가 안 되면 이 연극은 수박 겉핥긴데……."

"우리 문예회관 시스템으로는 힘들겠습니다. 죄송합니다."

"그것참!"

애당초 시스템이 그리 만들어졌는데, 음향팀을 나무랄 수는 없는 노릇이었다.

하지만, 이 연극의 소리에서는 '그 불'이라는 제목처럼 가마의 불타는 소리가 주연이었다. 그러니 이게 안 되면 이 연극의 '불타는 소리'는 꽝이다.

이런 문제로 골머리를 앓던 중, 갑자기 좋은 생각 하나가 머릿속을 스쳐 지나갔다.

"아, 아방가르드!"

나도 모르게 소리 내어 외쳤다. 그리고 곧바로 경기 광주 퇴촌에 있는 음악 카페 '아방가르드'로 불길 소리 CD를 들고 그야말로 '열 불 나게' 달려갔다.

아방가르드는 내가 머리를 식히러 자주 들르는 산속에 있는 음악 카페이다. 특수 음악부터 특수 음향까지 감상할 수 있는 시스템이 완비된 프로급 음악 감상실이었는데, 그곳의 이성주 사장과는 꽤 오랫동안 음악이며 내가 만든 소리에 대해 의견도 나누고, 밤새 오디오 회포도 풀고 했다.

그때 나는 대한민국에서 이 집에만 있다는, 저음만 재생해 주는 '특수 캐논 저음 스피커'가 생각났던 것이다.

나는 허겁지겁 그곳으로 달려가 그 스피커를 통해 '불타는 소리'를 들어 보았다. 아, 그 저음과 박진감을 제대로 들어 본 것은 나 역시 그때가 처음이었다. 너무나 대단했다.

이튿날 나는 극단 미추의 손진책 대표에게 그 '캐논 저음 스피커'

의 위력과 특성을 확인시켜 주고자 함께 아방가르드로 갔다. 문제의 스피커를 통해 엄청난 저음으로 타오르는 '그 불'의 불길 소리를 듣자, 손 대표도 처음 들어 보는 위력에 입을 다물지 못했다.

"이거야, 이거!"

"지, 진짜, 대단하네!"

카페 주인인 이성주 사장은 공연을 위해 그 귀한 저음 스피커를 흔쾌히 무상으로 빌려 주신단다. 이렇게 눈물 나게 고마운 분이 또 있나. 난 "고맙습니다!"라고 크게 감사의 인사를 올린 것으로도 부족해 속으로는 '만세!'를 외쳤다.

캐논 저음 스피커는 재생 음향 중 일반적으로는 잘 들리지 않는 50Hz 미만의 최저음만 픽업하여 재생해 주는 특수 스피커이다. 일단, 생긴 모양부터 특이하다. 일반적인 스피커는 네모로 된 궤짝 모양이 대부분이지만, 이것은 묘하게도 꼭 시커먼 하수도관같이 생겼는데 한 개의 길이가 무려 3미터나 되는 긴 원통형으로, 과학과 기술이 접목된 스피커다.

이 스피커의 원래 주인은, 역시 퇴촌에 사는 '우리의 영원한 통기타 가수' 송창식이다. 송창식으로서도 이 엄청난 크기의 특수 스피커를 놓아둘 적당한 장소가 없어서 어쩔 수 없이 음악 전문 카페인 아방가르드에 맡겨 놓았나 보다.

연극을 위해, 괴물 15843호의 소리를 위해 귀중한 장비를 선뜻 내준 용기들! 소리를 영원히 사랑하며 신나게 사시는 두 분께 이번 기회에 다시 한 번 고마움을 전한다.

아무튼, 그 무더운 여름날, 그 뜨거운 '불 소리'를 위해 동숭동 문예회관 극장의 오케스트라 피트 앞과 객석 사이에 이성주 사장이 직접 그 거대한 저음 스피커 두 대를 과감히 설치하였다. 퇴촌에서 가져온 전용 앰프도, 도명호 씨를 비롯한 문예회관 음향팀의 열렬한 협조로 극장 측 앰프와 성공리에 연결했다.

별난 사운드 디자이너의 못 말리는 극성 덕분에 문예회관에서는 과학과 기술이 랑데부한 특수 음향 시스템이 '그 불'을 통해 첫선을 보이게 되었다.

아, 과연! '아방가르드'에서 들었던 소리는 게임도 안 된다. 큰 극장의 홀을 울려대는 중저음의 울림은 바로 극 중 도예가인 심수관의 영혼이 되살아나는 소리가 아닌가!

이 강력한 중저음의 울림은 문예회관 대극장 아래층에 자리 잡은 소극장까지 전해졌다. 마침 소극장에서는 극단 자유극장의 '페드라'를 공연 중이었는데, 불타는 소리의 여음이 소극장 조명기기까지 우르르 흔들어 놓는 피해(?)를 입혔다.

그 정도의 울림이니 그 소리를 들은 사람들은 어떠했겠는가. 소리의 리듬은 심장의 고동을 조율하고 소리의 높낮이는 감성의 고저를 움직인다. 그것이 소리의 마력이고, 그 스피커 덕분에 소리의 마력은 무한정 증폭될 수 있었다.

과학 기술과 소리가 만난 경험을 또 하나 이야기하자면, '평화의 시계탑'을 빼놓을 수 없다. '평화의 시계탑'은 2002년 1월 3일 정오, 서울 용산 삼각지에 있는 전쟁기념관 정문 입구 평화공원에 세워진

웅장한 조형물이다.

이 '평화의 시계탑'은 공모전에서 당선된 것으로, 경기대학교 안필연 교수의 작품인데, 6·25 당시 남북한이 사용했던 무기 더미 위에서 두 자매가 전쟁과 평화를 상징하는 쌍둥이 시계를 안은 형상이다.

쌍둥이 시계 중 위에 있는 소녀의 시계는 현재 시각을 나타내 주고, 그 아래 소녀의 시계는 1950년 6월 25일 새벽 네 시에 정지된 시간을 보여 준다. 통일이 되는 그날 대대적인 국민적 잔치 속에, 바닥에 있는 시계를 시계탑 위 두 소녀 사이에 설치하고 다시 가동하여 남북이 하나로 통일된 시각을 표시할 수 있기를 간절히 바라는 것이다.

또한, 전쟁과 평화를 상징하는 '평화의 시계탑'은 매 시각 '전쟁 사운드와 평화의 시그널 멜로디'로 정시를 알린다. 따라서, 이 작품은 조형과 소리의 융합, 바로 과학과 기술의 한마당이다.

나는 소리 전략을 다음과 같이 짜보았다. 전쟁과 평화라는 두 단어에서 일단 전쟁은 제쳐 놓고, 평화를 상징하는 사운드를 최우선 핵심으로 했고, 이를 거창한 이념보다는 '가족'이라는 작은 소재에서 시작하기로 했다. 이를 위해 한국인이라면 누구나 알 수 있는 쉬운 소리, 동요 '꽃밭에서'를 채택하였다.

'꽃밭에서'(어효선 작사, 권길성 작곡)는, 가족이라는 작은 울타리 안에서 가족끼리 나누는 행복한 애정을 담은 애틋한 곡이다. 그렇기에, 이는 가족에서 더 나아가 사랑과 평화를 상징하는 천진난만한 곡이다.

꽃밭에서

〈어효선 작사, 권길성 작곡〉

1. 아빠하고 나하고 만든 꽃밭에

   채송화도 봉숭아도 한창입니다.

   아빠가 매어 놓은 새끼줄따라

   나팔꽃도 어울리게 피었습니다.

2. 애들하고 재미있게 뛰어놀다가

   아빠 생각나서 꽃을 봅니다.

   아빠는 꽃 보며 살자 그랬죠.

   날 보고 꽃같이 살자 그랬죠.

사운드의 구성 형태는, 시계라는 조형물에서 내는 소리라는 특성을 고려했다. 즉, 음악적인 측면보다는 시간의 흐름과 시보를 알리고 기능으로서 시그널의 측면을 더욱 두드러지게 강조했다.

시계 고유의 음인 오르골 사운드 형태로 초침의 흐름을 연상하고 느낄 수 있도록 리듬을 일정하게 했다. 주 멜로디는 가야금을 이용하여 우리나라만의 고유 소리가 되도록 변주하였다.

나는 이 작업을 통해 노래를 분석, 해석하면서 나름대로 6·25전쟁이 얼마나 우리 가족에게 가슴 아픈 상처를 남겨 주었는가를 다시 한 번 느끼게 하였다. 작사자 분께 사실 확인을 해보지는 못했지만, 이 노래의 1절에서는 아빠가 살아 있는 데 반해, 2절에서는 왠지 아빠가 없는 상황(혹 전사?)을 짐작하게 하기 때문이다.

과연 이어령 선생은 이런 전쟁의 비극이 이 노래에 숨어 있다는 사실을 알고서 내게 아이디어를 준 것일까? 만약 그렇다고 한다면, 이 노래야말로 시계탑의 콘셉트에 딱 맞는 동요가 아닌가.

사실 이 사운드의 발상은, 맨 처음 '평화의 시계탑' 건립 아이디어를 낸 이어령 선생이 사적인 자리에서 지나가는 말로 "동요도 좋을 것 같은데……."라고 슬쩍 운을 뗀 데에서 발전시킨 것이다. 결국, 그 말씀이 '가야금 소리와 오르골 사운드'의 절묘한 융합 기술로 발전, 완성하게 된 것이니, 또 한 번 선생께 고마움을 전할 수밖에.

1차 사운드 시청회에서는 전쟁기념관의 박익순 회장이 "평화가 있으려면 전쟁의 모티브가 있어야 더욱 절실하게 평화가 대비된다."라는 의견을 제시했다. 우리는 이 의견을 100% 수렴하여, 전쟁을 모르고 자란 세대들을 위하여 전주 형식인 인트로에, 사족 같지만 전쟁 사운드를 과감히 추가 삽입하였다.

이 시계는 매시간 정시마다 위성 시각을 받아(휴대폰 시간처럼) 자동으로 정시 32초 전에 작동하여 정시를 알린다. 듣기로는, 이 시계탑이 제막된 후부터는 기념관 관람을 마친 관람객들이 일부러 이 시계 소리의 32초를 듣고자 몇십 분씩을 '정시'가 될 때까지 기다리는 해프닝이 생겼다고 한다.

이 시계탑의 석대에는 아래와 같은 비장한 문구가 한·중·일·영 네 개 국어로 음각되었다.

시계탑을 세우며

전쟁과 평화를 상징하는
쌍둥이 시계
녹슨 무기 더미 위
새천년의 새 시각을 가리킨다.
6 · 25 전쟁으로 멈춰 버린 부서진 시계
다시 두 소녀의 심장처럼 떠는
통일의 그날을 위하여
이곳에
시계탑을 세운다.

제원 : 2.3 × 1.2 × 9.5m

2002년 1월 1일

전쟁기념사업회 회장 박익순

자문 : 새천년 준비위원장 이어령

작가 : 경기대학교 교수 안필연

음향 : 홍익대학교 교수 김벌래

이 명패가 후대에 누를 끼치지는 말기를 바랄 뿐이다. 또한, 지금
멈추어 있는 시계가 하루빨리 다시 작동되기를, 통일의 그날이 오기
를 이 나라 백성의 한 사람으로 간절히 바란다.

'천마의 꿈' 제작 일지

소리 듣는 방법에는 두 가지가 있어.

'문(聞)'은 일반적인, 아무 소리나 그냥 듣는 거지.

반면에 '청(聽)'은

소리의 감성을 이해하고 자기 것으로 만드는 거야.

소리를 듣되,

'청'을 해야지, '문'을 하면 안 돼.

그래야, 천재 또는 쟁이가 되는 거야.

• • •이번에는 내가 참가했던 공연 작품 중에서 하나를 골라, 그 제작 과정에 대해서 이야기해 보겠다.

소리쟁이 김벌래가 2003년 '경주 세계문화EXPO'의 개막식 공연인 '천마(天馬)의 꿈'에 참가하여 치른 좌충우돌의 전투를 기록한 전투일지라고 하겠다.

'천마의 꿈'은 다듬이 소리를 주제로 했다. '다듬이'라 하면 누구보다도 평창동 이어령 선생이다. 88서울올림픽 폐막식 때에도 선생의 아이디어로 다듬이 퍼포먼스를 만들었는데, 평소 선생이 펼치는 다듬이 예찬론은 보통이 아니다. 그래서 이번 기회에 무대공연으로 올려 보기로 했다. 선생의 평생소원을 풀게 된 것이다.

'다듬이는 깨끗해진 빨래에 주름을 펴는 과정이다. 우리에게 다듬이는 새로운 정신을 가다듬는 의미이자 새로운 시작이다. 또한, 다듬이는 소통의 도구다. 장단이 맞아야 빨래가 잘 펴지듯이 서로 마음이 잘 맞아야 조화를 이룬다. 우리 가락인 다듬이의 조화에 맞춰 새천년의 옷을 짓는다.'

대략 이런 콘셉트로 개막 공연을 짜고, 나는 또 하나의 새로운 소리와 전쟁을 치르려고, 우선 강원도 삼척에 있는 다듬이 제작 장인에게 박달나무 다듬이를 주문했다.

무대에서 일반적인 다듬이 수십 개에서 똑같은 소리를 낸다면, 소리만 클 뿐이지 한국인의 정서가 깃든 청아한 다듬이 본래의 리듬이 표출될 수 없다. 그래서 나는 이를 음악적으로 구분하고자 다듬이마다 밑의 울림통을 파냈다. '도 · 미 · 솔'의 세 개 음계별로 구멍 크기를 조율하여 다르게 파내며 다듬이를 만들기 시작했다.

세 개의 음계를 조율하여 파트별로 수공(手工)으로 구멍을 파내는 작업이 어디 쉬운 일인가. 우리는 무수한 시행착오를 거치며 그야말로 천신만고 끝에 장장 20여 일 만에 원하는 다듬이를 만들어 내는 데 성공하였다. 말하자면, 이 작업은 보통 다듬이를 만든 게 아니라, 음계가 다른 '타악기'를 만들어 낸 것이다.

자! 이제 파트별로 화음이 되어 들릴 소리를 상상해 보라! 마주 보는 일흔 명의 아낙네들이 두드려 댈 방망이는 140개다. 140개의 다듬이가 일제히 악보에 의해 음계별로 쳐대는 다듬이 소리, 그 화음을 상상해 보라! 개봉 박두!

표재순 연출은 무대에 오방색의 다섯 줄에 부챗살 대형으로 다듬이를 배치하였다. 무용 같은 다듬이질을 통해 소리의 움직임(도·미·솔의 화음)을 보여 주는 '보이는 소리 퍼포먼스' 로서, 우리 민속 전통문화를 바탕에 둔 '소리 연희극' 을 연출하는 것이다.

나는 부챗살 모양의 다듬이 대형 위 공중에다 흡음할 마이크 다섯 개를 매달았다. 안무 연출에 따라, 음계 파트별 다듬이 소리와 다섯 줄별 그룹의 다듬이 소리인 '종(縱)' 의 소리를 A 그룹 마이크에, 안무 흐름이 '횡(橫)' 으로 진행될 때의 소리를 B 그룹 마이크에 분배·배치하여, 다듬이를 두드리는 종과 횡의 소리 움직임을 마치 바둑판 라인처럼 서라운드 형식으로 재생하도록 하였다.

연기자에 의한 무대 소리 순서는, 특히 무용적인 요소가 많은 움직임 있는 동작의 서라운드 소리 재생은 컴퓨터에 고정적으로 입력하기가 어렵다. 수고스럽지만, 그때그때 무대 연기자의 상황에 따라 '조이스틱' 을 통해 수동(手動)으로 순발력 있게 대처하는 방법이 최상의 서라운드 효과를 볼 수 있다.

예를 들면, 운동장의 '파도타기' 효과를 내고 싶다면 조이스틱을 좌측에서 우측으로 움직이고, 원하는 속도에 따라 우측 아니면 좌측으로 젖히면 된다. 전후도, 대각선도, 원형도 그야말로 엿장수 맘대로 자기 하고 싶은 대로다.

바로 요런 것이 영어로 '노하우' 라는 것이다. 더 쉽게 말하자면 '소리 재창출 기술' 김벌 아무개의 재간이라는 거다.

네? 이렇게 책에 나왔으니 노하우를 다 들켰다고요? 천만의 말씀! 내가 누군가, '괴물 15843호'가 아닌가. 진짜 노하우는 딱 '꼬불쳐' 두었지. 사실, 그깟 것, 이 나이에 무슨 욕심이라고 혼자 꼬불치겠는가. 다만, 내가 다 풀어놓는다고 해서 아무나 가져갈 수 있는 게 아니라는 것이다.

내 진짜 노하우는, '지금 나오는 소리를 제대로 들을 수 있는가?'이다.

듣는 데는 학벌이나 지식이 필요 없다. 지금 내가 듣는 소리의 느낌은 주관적일 수밖에 없다. 내 귀는 시시각각 변화되는 소리의 세기에 상당히 빨리 순응해야 하는 '쟁이'의 귀이기에, 데시벨(dB)이라는 가청(可聽) 수치, 즉 소리의 값을 감각적으로 이해해야 한다.

그런데 무엇보다 중요한 것은, 어떤 특출한 기술을 익히기 전에 '듣는 귀가 받아들이는 느낌의 값'을 기본적으로 꼭 숙지(Training)해야만 한다는 것이다. 그래야만, 현장에서 듣는 관객의 처지에서 소리를 낼 수 있기 때문이다. 말하자면, 최상급의 사운드 디자이너이기 이전에 최고의 '듣는 명창'이 되어야 한다는 뜻이다. 이것이야말로 내가 꼬불쳐 둔 노하우 제1조이다.

국악 판소리 입문에서는 아예 '득음(得音)보다 귀 명창(名唱)이 먼저 되라!'라는 불문율까지 있을 정도로, 듣는다는 것이 얼마나 중요한 것인지를 강조하고 있다.

불가에서도 '입문하기 전에 제일 먼저 행할 일은 법문을 잘 듣는(聞) 것이고 그다음에는 그것을 생각(思)으로 삼고, 끝으로 들은 바 생각을 바탕으로 닦음(修)을 행해야 한다.'라고 했다. 이것이 바로 그 유명한, 수행자의 법칙인 '문사수(聞思修)'의 세 가지 지혜다.

이렇듯, 소리 예술이나 수도의 길이나 최초의 수련은 모두 듣는 것에서 시작된다.

그런데 내 입으로 듣는 것이 중요하다고 이렇게 말하고는 있지만, 정작 이 '천마의 꿈'을 준비하는 동안에는 내가 듣는 것 때문에 크게 곤혹스러운 일을 겪어야 했다.

2002년 월드컵이 끝나면서 나는 내 신체 일부에 엄청나게 언짢은 '조짐'이 오고 있다는 것을 깨달았다. 평생, 그 긴 시간, 소리와 전쟁하느라 '고주파 청음 쇠퇴증'이라는 직업병(?)이 온 것이다.

학계에서는 사람이 16Hz에서 23000Hz까지 들을 수 있다고 하지만, 보통 일반적으로 30Hz에서 16000Hz 범위의 소리를 들을 수 있다. 대개 청소년들은 20Hz에서 18000Hz도 들을 수 있지만 40대 이상 성인들은 거의 30Hz에서 10000Hz, 60대 이상의 노인들은 30Hz에서 6000Hz 사이이다. 즉, 연령이 높아지면 높은 주파수부터 감청기능이 쇠퇴한다고는 하나, 음향 관계에 종사하는 사람이나 음악가는 평상시 반복된 훈련 덕분에, 일반인보다는 그다지 심하게 줄어들지 않는다고 큰소리 뻥뻥 치던데, 빌어먹을, 내 경우를 보니까 말짱 헛소리인가 보다.

양쪽 귀에 고주파 음이 잘 안 들리는 '직업병'까지 얻어 어쩔 수 없이 보청기 신세를 져야 하는 '보청기 소리쟁이'가 되고 말았다. 나는 보청기라고 부르면 왠지 남들이 편견을 가지는 것 같아, 내 방식대로 그냥 '귓방맹이'로 부르고 주위 사람끼리는 또 그렇게 통한다.

2002년 여름, 광화문 '무성(無聲) 스크린'인 전광판 아래에서 빨간 도깨비들과 어울려 그 엄청난 "대한민국!" 함성을 확성장치로 한 달 가까이 주무르고 났더니, 그때 귀가 완전히 놀랬나 보다.

그것참!

소리쟁이가 귀가 잘 안 들린다니, '직업병'이라는 말만 들어 봤지, 내가 당사자가 될 줄이야! 하지만, 나는 안다, 이렇게 된 데에는 분명한 이유가 있다. 그동안 나는 '완성된 소리'에 혹시 끼어 있을 잡음이나 하자 부분을 찾으려고 항상 가장 큰 소리로 모니터링을 해야 했다. 이 멍청한 짓을 몇십 년이나 계속했으니, 당연히 귀가 지쳐 고장이 날 수밖에. 이거야말로 소리쟁이로선 '그것참!'이다.

그래도 난 베토벤 아저씨한테 비하면 엄청나게 복 받은 놈이다. 그 아저씨는 그 많은 음악을 만들면서, 서른둘 때부터 그놈의 '귓방맹이'가 시원찮더니만 한창 '소리 작업'을 할 나이인 마흔다섯 살부터는 아예 청각장애인으로 살았고, 쉰일곱 죽는 날까지 필담으로 소리를 듣고 말을 했다고 한다. 이 얼마나 안타까운 일인가? 또한, 소리쟁이로선 얼마나 고통스러운 일이겠는가?

젠장! 고대나 근대의 과학과 문명을 이룩해 냈다던 수많은 성현이 그깟 놈의 돼지털인지 디지털인지 보청기를 못 만들어 내서, 베토벤 아저씨 같은 천재 분이 청각장애를 지닌 채 소리 작업을 하게 하다니! 과학과 기술이 20세기에 나타난 게 잘못일까, 아니면 그전에 태어난 베토벤 아저씨가 잘못일까? 참 아깝다.

나같이 보잘것없는 놈도 20세기 과학과 기술을 마음껏 누리고 사는 판국이니, 베토벤 아저씨한테는 정말 송구스럽다.

'천마의 꿈' 공연을 불과 몇 시간 앞두고 문제가 발생했다.

이런 환장할 노릇을 봤나! 일이 꼬이려니 이렇게도 꼬이는가 보다. 베토벤도 구경 못 한 그 귀한 보청기 'SENSO DIVA-CIC'가 간밤에 밥집인지 술집인지를 왔다 갔다 순례(?)하는 동안, 어느 틈에 사라지고 만 것이다. 이런 경우를 보고 흔히 '분실'이라고 한다.

"큰일이 났어, 공연 시간은 다가오는데, 내 귓방맹이를 찾아야 할 것 아니냐고! 그렇게 해야 정확히 서라운드를 돌리는데. 염병할. 노무현 대통령도 내 작품을 보러 온다는데, 미치고 환장하겠네! 비는 왜 이렇게 와?"

보청기 분실을 알게 된 이튿날 새벽부터 나는 어찌나 다급했던지 횡설수설하면서 당황했다.

나는 어젯밤 술 마셨던 자리부터 역추적해 탐색하기로 했다. 만약 보청기를 찾지 못한다면 그동안 계획하고 준비했던 모든 것이 수포로 돌아갈 터였다. 최상의 서라운드 효과를 내려면 무엇보다 정확한 '귀'가 필요했기 때문이다.

얼마나 이 잡듯 뒤졌을까? 천신만고, 기적이 또 일어났다. 숙소 호텔 현관 앞 흙 터는 발판 옆에, 내가 지닌 물건 중 주민등록증보다 더 나를 대신하는, 내 몸에서 가장 귀중한 보물인 '귓방맹이'가 눈물 겹도록 나를 기다리고 있었다. 과학과 기술이 콩알만 한 크기로 집약된 기적의 그 기계를 정말 기적적으로 찾은 것이다. 더욱이 그렇게 쏟아지던 비 한 방울 맞지 않게 한쪽 구석에 얌전히 있었다는 게 그저 고마울 뿐이었다.

벌써 세 번째 분실했다가 두 번은 찾고 한 번은 영영 못 찾아, 이번에는 눈 딱 감고 기계 버전도 높여 장만한 귓방맹이다. 이 사건 덕분에 나는 팔자에 없는 목걸이를 늘 하고 다닌다. 목걸이 끝에는 기계를 임시 보관하는 작은 함(케이스)이 달렸다.

어떤 날인가 네 살짜리 손자 초일(礎一)이 녀석이 목걸이의 용도를 묻기에, "응, 보청기가 자는 곳이야."라고 쉽게 설명해 줬더니, "응, 그러면 얘는 보청기 침대구나!"라며 고개를 끄덕였다.

오, 정말 대단하지 않은가. '보청기 침대'라니! 아이는 자기가 본 눈높이로 쉽게 정보를 받아들인다. '쉬운 것이 명카피다!'란 논리를 손자한테서 다시 한 번 확인하는 순간이었다.

그 이후, 무당벌레 모형이 달린 하얀 줄의 내 목걸이는 온 가족이 국보처럼 챙기면서 '귓방맹이 침대'아니면 '기계 침대'로 통하고 있다.

아무튼, 보청기를 찾고 보니 비도 제법 그쳤다.

"조짐이 좋으면 결과도 좋은 거여."

표재순 형 특유의 '조짐 예감론'이다.

"그다음은 아범 술값이 깨지는 거여. 사백오십만 원짜리, 요 콩알만 한 걸 경주 바닥에서 찾았다는 건 기적이야. 이번 공연은 무조건 잘돼서 밤까지 간다는 조짐이다 이거여. 쌍!"

우리는 표재순 형의 예감론이 그대로 현실이 되기를 바라며, 한바탕 전투태세로 접어들었다.

노무현 대통령 일행은 예정된 공연 시간보다 10분 늦게 공연장에 도착했다. 역시, 공식 행사의 의전 음악인 애국가는 청와대팀이 담당했다. 청와대!

나는 역대 대통령 취임식에서 음향 총괄 감독을 맡았다. 그 일이 영광스러운 일이기는 하지만, 치러야 할 대가도 녹록하지 않다.

'대한민국은 대통령이 참석하는 행사나 공연의 기계적 소리 조절과 음향 관리를 청와대 통신팀이 관장한다.'

이런 염병할 노릇을 봤나. 생각해 보자, 이게 될 법이나 한 얘기인가? 작품 음향을 총괄해야 할 나를 두고 청와대 통신팀이 음향 조절이나 관리를 관장하다니, 웃기는 일 아닌가. 그러려면 나를 왜 그 행사에 불렀느냐 말이다.

8·15 광복절 국립극장에서 있었던 육영수 여사 총기사망 사건, 이른바 '문세광 사건' 이후로는 소리의 크기에서부터 소리 내용까지 검열한다. 김영삼 정권 때부터는 아예 VIP 마이크와 믹싱용 스튜디오 콘솔까지 들고 다닌다. 거기다 한술 더 떠, 국기에 대한 맹세도, 애국가 연주도 청와대 통신팀인지 뭔지 하는 데에서 CD를 가져와 튼다. 한마디로, 지나가던 개들이 배꼽을 잡고 낄낄대며 웃을 얘기다.

심지어는, 작품을 위해 설치·운영할 서라운드 시스템은 아예 무시해야 한다. 그냥 모노(Mono)로 재생되어야 한다. 왜? 공연 도중 특수 장치에 의해 갑자기 소리 변화가 생기면 대통령께서 놀래신단다. 그러면 경호에 지장이 있다나?

나 참, 정신 나간 그분들 거드름 피우는 꼴 보기가 싫어서, 당최 VIP가 참석한다는 행사나 공연은 진짜 일하고 싶지가 않을 지경이다.

하기야 청와대 내의 대소 행사가 좀 많겠는가. 대통령이 참여하는 대소 회의에서부터 기자회견, 대국민 발표……. 그 외에도 우리가 알지 못하는 각종 접대 행사가 수도 없이 많을 것이다. 당연히 VIP 마이크 전용 음향 담당 같은 것도 필요할 터이다.

그런데 대통령과 국가에 엄청나게 충성하는 척하는 '대통령 전속 마이크 맨' 아저씨들은 예술의 음향적 느낌이나 지식은 쥐뿔도 모른다. 그래도 권력은 있어서, 이제는 대통령이 참관·참석하는 외부 국가 문화행사에까지 끼어들어, 음향을 망치고 전체 공연의 감정을 깨트리는 짓만 한다.

이벤트 공연의 음악이나 소리는 경우에 따라서는 엄청난 깜짝쇼를 벌이는 게 관건인데, 이런 것을 아예 못 하도록 검열한다.

이러니 이들이 바로, 음향예술을 하는 사람들의 적군이자 천적이다. 청와대가 아닌 외부 공연 행사에서라도 천적을 완전히 소탕하는 날이 음향예술 전투에서 완전한 승리의 날이 될 것이다.

공연을 본격적으로 시작하기 전, 공연장에는 애국가가 울려 퍼지고 있었다.

음향조정실 안까지 들어와 우리를 감시하는 청와대팀을 보고 있노라니, 부글부글 울화가 들끓었다. 나는 분노를 터뜨리지 않으려고 애써 스스로 설득해야 했다.

'어쩌면 이것이 편할지도 몰라. 만에 하나 의전 행사 중 어떤 피치 못할 사고가 발생해도 우리한테는 아무 책임도 없으니까 말이야. 그

래, 그렇게 생각하고 맘 편히 먹자.'

내가 사납게 날뛰려는 마음을 가까스로 달래고 있을 때, 최종실 씨가 대형 징을 "뎅!" 울린다. 드디어 공연이 시작된 것이다. 꿈을 향해 천마가 달리기 시작하는, 첫 번째 다듬이 소리인 '말발굽 소리'가 무대에 울려 퍼졌다.

청와대팀들은 의전 행사가 끝났는데도 음향조정실을 떠나지 않고 나를 째려보고 있었다.

그들은 '천마의 꿈' 공연 날 역시 새벽 총연습 때부터 다듬이 소리의 서라운드 운행을 적극적으로 반대하고 모노를 고집했다. 그것까지 양보한다면 내가 이 일을 하는 의미가 없었다. 그래서 나는 끝까지 내 주장을 밀고 나갔고, 내 완강함에 청와대팀도 몇 가지 안전에 대한 다짐을 받고서야 겨우 허락했다.

그것참!

불현듯, 아까 표재순 형이 삐쭉 한 말이 떠올랐다.

"아범, 우리가 시방꺼정 연십(연습)한 대로 못 허면 이 작품도, 평창동 할배도, 우리도 그냥 죄다 공멸하는 거여, 안 되면 다 거치(같이) 죽자 이거여!"

나는 믹싱 콘솔에서 서라운드 전환 소프트웨어의 서라운드 버튼을 눌렀다. 그리고 이미 오른손은 '조이스틱'을 잡고, 연습한 대로 실행하고 있었다.

객석의 관중이 꽉 차니, 연습 때보다 소리가 더욱 무게 있게 전후 좌우로 움직이는 것 같았다. 연기자도, 무대 테크니컬도, 특수 장치도 한 치의 오차 없이 10분간의 다듬이 공연이 서라운드로 무사히 끝났다.

　청아하게, 때로는 웅장하게 객석을 자유자재로 휘감고 맴도는 다듬이 소리! 입체적으로 울리는 서라운드 사운드의 위력은 정말 대단했다.

　다음은 청와대팀, 그들은 소리에 대해서는 관심도 없다. 공연 현장을 노려보던 청와대팀들은 우리 공연이 끝나자마자 삽시간에 콘솔을 점검하기 시작했다. 다음은 바로 그분들이 해야 할 진짜 임무가 기다리고 있었기 때문이다. 그들은 대통령의 개회식 축사를 위하여 대통령 전용 모노 마이크를 30초라는 짧은 시간 안에 조정, 배치, 설치해야 한다.

　어느 누가 축사를 하든지 축포를 쏘든지 내가 알게 뭐냐? 나는 음향조정실에서 후딱 나와, 산 뒤로 가서 긴장으로 수축되었던 가슴을 활짝 열고 담배 연기를 후련하게 내뿜었다. 어떤 놈이 뭐라 하든지 나는 해냈다는 자부심이 담배 연기 속에 들어 있었다.

　경호원들은 산 요소요소에서 나를 보지 않는 척 바라보며 경비태세를 취하고 있었다. 노무현 대통령 특유의 어조로 축사가 시작됐다. 대통령이 축사를 끝내고 이 극장을 떠나야만 내가 움직일 수 있다. 그리고 축사가 시작된 이상, 지금 서 있는 자리에서 한 발자국도 움직여선 안 된다는 것도 잘 안다.

　난 서 있던 자리에서 그대로 풀썩 주저앉아 애꿎은 담배만 또 꺼내어 물었다. 노무현 대통령의 축사가 계속 들려오고 있었다. 구구절절 좋은 말씀이겠지. 아무튼, 나는 또 그렇게 하나의 전투를 끝낼 수 있었다.

　쌍!

만여 편 제작 김벌래 수상 1986 대한민국 체육부장
관 표창 체육문화공로상 1988 대한민국 국무총리
표창 국가사회문화공로상 1988 한국방송광고공사
TV CF 음향효과 부문 대상 1988 한국영화진흥공
사 문화영화 금관상 음악효과 부문 대상 1990 한국
영화진흥공사 다큐멘타리 금관상 음악효과 부문
대상 1991 대한민국 문화부장관 표창 효시상(嚆矢
賞) 1993 대한민국 영상음반대상 '한국소리 100
년' 골든 비디오 대상 1993 대한민국 영상음반대
상 '한국소리 100년' 음향효과 기술상 1993 제1회
대한민국 에밀레대상 1994 서울 정도 600주년 '자
랑스러운 서울시민 600인' 선정 1997 KCU 97 최
우수광고인상 특수음향 대상 2004 국립체신고등학
교 "자랑스런 동문상" 2006 KCD 한국광고영화감
독협회 "음향효과부문 공로상" 김벌래 연극 출연,
작, 연출 1960 '목격자' 출연. 〈국립극장〉 1961
'미스터 로버츠' 출연. 〈국립극장〉 1962 행동무대
창립공연 "생쥐와

제4막_ 고난은 나의 힘!

지금이야 신나는 인생 김벌랩니다만,

제 어린 시절은 그리 신나지 않았을 뿐 아니라

앞이 보이지 않을 만큼 암울했습니다.

그래도 저는 '신나는 인생'을 외치며

즐겁게 살고자 했습니다.

제가 어떠한 고난도 신나게 받아들이게 된 이유,

신나는 힘, 이번에 확인하실 수 있을 것입니다.

내가 괜히 신나는 이유

volume

min   max

무엇인가를 얻으려고 한다면

다른 것을 잃어야 할 경우가 많지.

그러니 지금 잃은 것을 너무 아까워 말게.

다만, 분명한 사실은,

잃는 것이 클수록 얻는 것도 크다는 거야.

그게 인생의 진리라네.

• • • "여보세요?"

"네, 안녕하세요? 김벌래 씨죠?"

"네, 신나는 인생 김벌랩니다."

전화를 받을 때면 늘 반복되는 대사다.

신나는 인생! 이것이 내 삶의 모토다. 아무리 어렵고 힘든 일이
있더라도 신나는 인생이다. 틈날 때마다 굳이 이 말을 하는 이유는,
이왕이면 듣는 사람도 즐겁고 신날 수 있는 소리를 내 입으로 내고
자 하는 것이다. '신나는 인생', 듣기만 해도 신나지 않는가?

따지고 보면, 나는 아픔이나 그늘이 더 많은 환경에서 살아왔다.

제4막 ― 고난은 나의 힘!

어렸을 때에는 참혹한 전쟁에다 가슴 아픈 가족사도 겪어야 했다. 꿈을 찾아 가출도 해보았고, 가난하고 못 배운 탓에 설움도 많이 겪었다.

그래도 '신나는 인생'이다. 이것은 내가 어머니한테서 물려받은 유산과도 같은 것이다.

이왕에 글을 쓰기 시작했으니, 돌아보는 것만으로 가슴 아픈 그 이야기도 해야겠다.

얼마 전까지 천호동에서 광주, 경안으로 가려면, 황산리를 지나 동남쪽으로 한 30여 리, 고개 몇 개를 넘어야 했는데, 이 길은 양쪽으로 일반 생활용품 장터가 5,600미터 정도 형성된 신작로다.

이 국도는 동경주, 석바대, 광지원, 남한산성 동문 입구를 지나 광주 읍내에서 여주, 이천, 곤지암, 용인으로 빠지는 중부 국도인데, 여기 초입에 있는 아주 작은 전형적인 농촌 읍내가 바로 '신장'이다. 지금은 서울시 주변 위성도시로 막강하게 변해 '하남시'라 불리는 도시가 바로 신장이었다.

이 큰길을 경계로, 남한산성 밑 서쪽을 경기도 광주군 서부면, 지금의 조정 경기장이 있는 팔당 동쪽을 동부면이라고 했는데, 신장 읍내에서도 10여 리가량 더 떨어진 동쪽 마을 검단산(그 동네 말로는 '검둥산') 아래에 열댓 가구 남짓 모여 사는 '창모루 독박골'이라는 작은 동네가 바로 내 고향이다.

나의 선조님은 고려에서 평장사(平章事 : 내사문하성의 정2품)를 지

내고 금화군(金化君)에 봉해짐으로써, 후손들이 그를 시조로 하여 본관을 금화 김씨로 삼았다. 대대로 평안도와 연백(연안, 백천) 등에 뿌리내리고 살다가 신장에 핏줄을 계승한 김만섭 할아버지의 4남인 김재덕 아버지와, 방연 외할아버지의 2녀인 방자 어머니 사이에서, 삼형제 중 장남으로 태어난 것이 바로 나 김평호다. 일제 강점기 중 가장 핍박이 심했던 1941년, 그것도 숨이 턱턱 막힌다는 무더운 오뉴월 중복에, 나는 태어났다.

내가 이 세상에 와서 처음으로 고고의 소리를 낸 고향 땅은 창모루라는 이름의 '깡촌'이었는데, 정식 행정명칭인 창우리보다 창모루라는 별칭이 더 친숙했다. 마치 본명 김평호보다 김벌래라는 별명이 친숙해진 것처럼.

돌아가신 어머니를 잊지 못하는 것은 누구나 자식으로서 당연하겠지만, 내 어머니를 생각하면 유달리 가슴이 저며 온다.

흔히들 인생을 '생로병사(生老病死)'라 한다만 우리 어머니는 '생소병사(生少病死)' 하셨다. 스물에 나를 낳으시고 내가 아홉 살 때 갑작스런 중병으로 돌아가셨으니, 스물아홉, 죽기에는 너무나 젊은 나이 아닌가. 얼마나 안타깝고 억울하시겠는가.

게다가, 아, 어머니! 어머니는 왼쪽 발을 절뚝절뚝 저는, 소아마비 지체 장애인이셨다. 그 짧은 일생이나마 편히 살지 못하고, 그 몸으로 얼마나 많은 눈물을 안으로 삼키며 가슴속에 흘리며 가셨을까?

어머니는 신장 읍내 서쪽인 서부면 춘궁리의 '고골'이라는 동네가 친정이다. 서쪽에서 한길 건너 동쪽 창모루로 시집을 온 셈이니, 말하자면 친정과 시댁이 한동네라는 얘기다. 하지만, 어머니는 불편한 몸으로 시집온 출가외인이니. 마음 놓고 친정에도 갈 수가 없는 처지였다.

얼굴은 예쁘장하고 키는 나처럼 아담했는데, 그 가냘픈 몸매에 다리를 쩔뚝거리며 '돼지죽'을 챙기면서 어린 우리 삼형제를 키우셨다 (당시엔 특별한 돼지 사료가 없어 동네 집집을 돌며 잔반통을 수거해야 했다).

목발이나 휠체어의 도움도 없이, 몸이 성한 사람처럼 한시도 쉬지 않고 집안일이며 동네일을 거드셨다. 그 몸에 '짬밥통' 리어카를 끄는 어머니가 안쓰러워, 동네 아주머니들은 일부러 돼지죽(음식 찌꺼기)을 우리 집까지 들고 오시곤 했다.

"어이구, 핑오(평호) 엄마는 복 받을 거여, 저렇게 돼지를 정성껏 돌보니 새끼도 많이 낳을 거라고. 우리 집 것은 내가 갖고 올 테니까, 우리 집엔 구루마 끌고 오지 마. 그럼 핑오 엄마, 나 가우!"

그 시절, 일곱, 여덟 먹은 꼬마가 뭘 알고 무슨 철이 들었겠는가. 어머니가 어딘가 행차할 때면 어머니 걷는 모습이 뭐 그리 재미있었는지, 내 또래 아이들은 괜히 "띤다 띤다 실쭉 잘쑥!"이라거나 "라쿰 파루씨타, 짠짠짠 간다!"라고 소리를 지르고는 골목길로 숨는 놀이(?)를 했다.

왜 그랬을까? 난 지금도 그 애들이 야속하다. 그들도 이젠 예순이 훌쩍 넘어 늙고 병들어, 꾸부정하게 '어기적어기적, 비실비척' 거리며 옛날 우리 엄마처럼 '경쾌한 쩔뚝이'보다 훨씬 맥없이 걷겠지. 이 자식들아! 제아무리 잘난 놈도 결국 인생은 생로병사 한다는 거다. 알아들었느냐? 욘석들아!

아무튼, 그런 언짢은 일을 옆에서 지켜보는 나는 어땠겠는가. 엄마와 읍내를 갈 때면 절뚝거리며 걷는 엄마가 창피해 으레 나는 저만치 떨어져 뒤따라갔다. 소풍가기 전날 밤, 엄마에게 아예 따라오지도 말라고 투정을 부렸을 때 엄마는 나를 껴안고 흐느꼈다.

한편, 우리 아버지는 허구한 날 술에 취해 시끄럽게 주정을 부리며 서부면을 향해 고래고래 고함을 지르는 게 일상이었다.

그 당시에는, 결혼할 상대방의 얼굴도 잘 모르면서 혼인했던 시절이었다. 오로지 양쪽 집안 어른들의 결정에 따라 장가나 시집을 가던 시절이었는데 장가를 턱 가서 보니, 아뿔싸, 마누라가 한쪽 다리를 저는 장애인이 아닌가.

그때는 장애인에 대한 편견이 지금보다도 훨씬 심할 때였으니, 아버지로선 얼마나 황당한 일이었을까.

그것참!

나중에 밝혀지기를, 서쪽 '고골'의 외가에서 어머니의 신체적 장애를 참작하여 최대한의 성의 표시로 '지참금'을, 그것도 양쪽 어른들끼리만 아는 '논마지기 몇천 평'을 주고받아 성사된 혼인이었다. 이 사실을 안 아버지는 당연히 조용히 있을 리가 없었다. 그렇지 않아도 한창 피가 끓어오르는 젊은 나이가 아닌가. 내 기억에도, 할아버지와 친척들에게 막무가내로 대드시던 아버지 모습이 어렴풋이 떠오른다.

"그 땅이 누구 거여, 그 논은 내 마누라가 시집올 때 '쩔뚝이' 값으로 가져온 거다, 이거여! 내놓으라, 이거여, 쌍!"

아버지의 목청은 엄청난 하이톤이었는데, 술만 드셨다 하면 신장,

동경주, 석바대 할 것 없이 온 동네가 떠나갈 듯 주정 겸 울분을 토하니, 창모루 할아버지나 고골 할아버지나 누가 이를 감당하겠는가.

동네 체면도 말이 아니요, 이만저만 괴로운 게 아닌지라, 할아버지는 중대한 결정을 내렸다. 이미 분가해 자리를 잡으신 셋째 큰아버지가 계신 경기도 용인으로, 우리 식구는 반 강제로 이사를 해야 했다.

그때 내 나이 다섯 살. 따지고 보면, 고향을 떠나 객지 생활을 해야만 하는 역마살 낀 인생행로가 시작된 것이 바로 이때부터다.

1940년대 목탄 자동차는 그야말로 최고의 이동 수단으로, 신식 달구지였다. 8·15 광복 이후 아버지는 운 좋게도 '마루보시' 회사(현 대한통운 전신)의 도라꾸(트럭) 조수직으로 일을 하셨다.

아버지가 타고 다니던 트럭은 그야말로 환상이었다. 트럭 화물칸 앞쪽에 흡사 큰 난로 같은 것이 있어 거기에 불을 때는 '목탄 트럭'이다. 그 당시 나로선 왜 불을 때야 하고 그것이 어떤 원리로 차를 움직이는지 몰랐다.

아버지는 바로 이 차의 운전사도 아닌 조수다. 시동을 걸 때면 아버지는 화물칸 큰 난로에 불을 지피고 차 앞에 있는 보닛의 중앙 구멍에 Z자 모양의 쇠를 넣고 한동안 힘껏 돌려야만 "푸득푸득!" 하고 발동이 걸린다. 이 일을 기차게 해내는 게 A급 조수의 일차적인 업무다. 그 외에 화물의 탑재, 하역 등 화물차에서 할 수 있는 잡일을 모두 도맡아 처리해야만 하는 막노동꾼이 바로 트럭의 조수 자리다.

실상 트럭 조수라는 게 말만 차 조수일 뿐, 하는 일은 막노동 일이니, 밤늦게 일이 끝나는 게 거의 일상이었다. 게다가 지방으로 출장 운행을 나가실 때면 며칠씩 집에 못 들어오는 날도 많았다. 직업이 이렇다 보니, 그 고된 피로를 결국 술과 여자로 씻어 내는 '노가다' 잡일꾼과 다를 바가 하나도 없었다.

그래도 수입은 좋으셨던지, 출장 가셨다 돌아오실 땐 엄마 화장품이며 장난감이나 과자가 한 보따리씩 생겼으니, 나는 아버지가 매일 출장 가시길 바라기도 했다.

어쩌다 우리 집 앞에 아버지가 탄 목탄차가 들어오면 동네 아이들은 그 매콤한 목탄 매음과 휘발유 냄새를 맡으러 트럭 뒤꽁무니를 줄기차게 쫓아다녔다. 위대한 트럭 조수인 아버지 덕분에, 비록 화물칸이긴 해도 당당히 트럭에 올라타 읍내를 달리는, 마치 왕자가 된 듯한 그 기분을 그 누가 알겠는가. 아이들은 또 나를 어찌나 부러워했던지.

어린 마음에 엄마에게 느끼는 여러 가지 불만을, 시간이 있을 때마다 차에 태워 주시며 마음을 어루만져 주시던 아버지가 나에게는 이 세상에서 제일 멋있었다.

창모루에서 이주해 온 후 전화위복의 기분으로 타향에서 새 생활을 시작하다 보니, 우리 아버지의 목청은 아주 낮은 톤으로 변해 가고 있었다. 엄마에 대한 언짢은 감정도 적잖이 눅쳐, 아버지는 조금씩 안정을 되찾아가는 듯했다.

우리 식구가 쫓겨나듯 고향을 떠나왔지만, 양쪽 집안의 특별한 정착금(?) 지원 덕분에, 두메산골인 창모루 때보다는 생활이 나았다. 그 귀하다는 '제니스' 라디오에 재봉틀까지 있었으니 말이다.

우리가 사는 집 또한 그 흔한 초가집 한옥이 아니라 양철 지붕의 적산 가옥으로, 목욕탕, 화장실까지 있는 신식 집이다. 마루에는 유리 미닫이문이 마루 전체에 달렸고, 크고 작은 방이 무려 여섯 개씩이나 되며, 마당 가운데엔 우람한 단풍나무에 꽃밭 동산까지 있는, 소위 말하는 '저택'이었다.

집 뒤뜰에는 큼지막한 돼지우리가 두 채씩이나 있었다. 어머니는 소일 삼아 돼지를 키우셨다. 내가 어렸을 때 본 시커먼 수컷 씨돼지는 얼마나 컸던지, 황소만 했다. 어머니는 아침부터 교배 붙이기, 새끼 받기, 돼지거름 치기, 돼지죽 수거 등이 하루 일과의 전부였다.

처음에는 아마도 취미로 시작했을 것이다. 그러다가, 당신의 처지가 차마 떳떳하게 나설 형편이 못 되다 보니, 온갖 번민과 한을 '돼지 기르기'에 쏟으신 것 같다. 나중에는 일대에서 돼지 엄마, 돼지 박사로 알아줄 정도로 엄마에게 '돼지 기르기'는 삶을 지탱하는 '집념'이자 삶 자체였다.

그러던 1949년 여름, 어머니가 병이 나셨다. 돼지 기르기로 그 몸에 무리를 하셨나? 한시도 가만히 앉아 있질 못하는 성격의 엄마가 얼마나 아프시면 이 더위에 저렇게 누워만 계실까. 셋째 숙모가 오셔서 우리를 챙겨 주며 엄마의 병시중을 들었다.

집안이 뒤숭숭했다. 좋다는 약재는 백방으로 다 수소문해 써보고 용하다는 의원도 모두 다녀갔지만, 아무런 차도가 없었다. 제법 선선한 바람이 이는 시월상달이 되도록 엄마는 계속 누워 계셨다.

이듬해 봄, 그 매서운 꽃샘추위도 지나가고 빨간 진달래꽃 빛깔이 고갯마루에 울긋불긋 고개를 내밀고, 노릇노릇 개나리 꽃잎이 뾰족

산 산등성이에 자리 잡기 시작하는 3월. 그렇게 꽃피는 춘삼월 꽃망울들이 눈을 뜨기 시작할 때 우리 엄마는 초롱초롱한 눈망울을 조용히 감으셨다.

1950년 3월 26일 오후, 고골에서 태어난 방자 여사는 29년의 짧은 생을 마감하고, '펑오' 엄마, 돼지 엄마로서, 그리고 이승의 인연을 영원히 끊었다. 평호 나이 아홉, 밑에 찬호가 여섯, 그리고 막내 철호가 세 살 때의 일이었다.

엄마의 죽음을 생각하면 언제나 가슴 먹먹한 아픔이 느껴지지만, 반면에 그 덕분(?)에 얻은 것도 많다고 생각한다. '신나게'와 '집념'이라는 세상 사는 방법을, 어린 나이에 그것도 두 가지씩이나 배우고 터득했으니 말이다.

요즈음 같은 세상에 '세상 사는 방법' 같은 것을 제대로 배우기가 어디 보통 어려운 일인가. 얼마나 비싼 수업료를 바쳐야 할지, 보통 배짱 아니면 차마 시도도 못 할 일이다. 게다가 이거 엉터리로 배워 시커먼 돈에 시커먼 집념 갖고 나만 신나게 잘살겠다는 놈, 어영부영 정치판에서 집념도 아닌 개똥 같은 흑심이나 품고 헛소리 뻥뻥 치는 놈, 멀쩡한 여자 피눈물 흘리게 하는 놈(내 얘긴가?) 등, 요따위로 써먹다가 형무소에 간 사람이 어디 한둘인가.

하지만, 나는 그런 것을 어머니한테서 제대로 배웠다. 장애로 말미암아 받아야 했던 차별과 설움을 모두 참아내면서도, 온 정성을 다 바쳐 돼지를 기르시던 어머니의 그 집념은, 내가 소리로써 숱하게 벌여 왔던 전투에서 한 치도 물러서지 않게 하는 힘이 되었다.

또, 스스로 현실을 극복하려는 어머니의 모습을 보면서, 나 역시 내가 처한 상황에 탄식하고 좌절하기보다는 '신나고' 즐겁게 극복하려고 노력할 수 있었다.

나는 동네 또래 아이보다 훨씬 작은 키에, 체구 역시 나약하기 그지없었다. 첫째로 태어난 녀석은 '무녀리'라고 해서 다른 형제들보다는 대체로 왜소하고 허약한 경우가 많다고 하는데, 내가 거기에 해당했나 보다.

학교에서 또래들이 신나게 공 차고 뛰어놀 때도 난 힘에 부쳐 만날 뒷전에 처져 있었으니, 만만한 친구 하나 없이 늘 혼자서 사부작사부작 노는 게 전부였다. 그런데다가 엄마가 장애인이니, 성격이 활달하지 못하고 내성적이었다.

엄마 역시 그다지 말이 없는 분이셨지만, 우리 집이 사랑방 노릇을 할 정도로 동네 아주머니들이 자주 떼 지어 놀러 오곤 했다. 엄마가 키우는 돼지를 보면서 아주머니들이 호들갑을 떠는 소리에 집안이 늘 왁자지껄하게 들떠 있을 정도였다. 어머니의 대접도 융숭했는데, 아마도 어머니는 그렇게라도 사람의 온기를 느끼고 싶었던 것 같다.

나는 어머니의 그런 모습을 보면서 내성적인 성격을 바꾸기로 했던 것 같다. 어느 때부터인가, 나는 의식적으로 신나게 떠들어대며 열심히 조잘거리고 있었다. 외향적이면서 소탈하고 자유분방한 성격으로 바꾸고자 의식적으로 노력한 것이다.

그것이 내 허약한 체구와 내성적인 성격, 어린 나이에 받은 어두운 상처에서 벗어나는 방법을, 내 나름대로 '세상 사는 처방'을 내린 셈이다.

　이따금 용인 친구들이나 주위 동료와 한잔할 때면 한바탕 소동이
난다. 제발 조용히 먹자고 핀잔도 듣지만 막무가내다.

　"얼씨구, 좋다! 짠(술잔 부딪치는 소리)! 으하하하."

　이렇게 시종 신나게 웃고 떠들면서 우스갯소리로 좌중의 흥을 돋
우며 마셔야 엔도르핀이 팍팍 솟는다는데 누가 나를 말리겠는가.

　"마셔! 욘석들아, 히히……."

시련이 한꺼번에 닥쳐도

오리무중, 사면초가의 상황에 부닥쳐 본 적이 있나?

자기 자신이 너무나 무력해서

도무지 아무것도 할 수 없을 때,

그냥 잠시 멈춰 서서 땀을 식히는 것도 나쁘지 않아.

벽을 뚫든 뒤돌아가든 다른 길을 택하든,

또다시 힘이 필요할 테니까 말이야.

하지만, 그 자리에 주저앉지는 마.

그러면 그걸로 끝나버리니까.

· · ·엄마가 돌아가신 지 며칠이 지났다. 아버지는 매일 트럭과 함께 밤낮을 보내셨다.

집안 살림은 고골 춘궁리 외숙모께서 하셨지만 이제 겨우 걸음마를 뗀 세 살짜리 막내 철호, 천방지축 나대는 여섯 살 찬호, 그리고 용인초등학교 3학년에 다니는 아홉 살 평호의 뒤치다꺼리까지 보살피기가 어디 만만한 일인가.

막내 철호는, '용인의 명물'인 '되미'라는 여자가 늘 업고 다녔다. 약간 정신지체 장애가 있는 그 여자는 그녀의 엄마가 '두엄자리'에서 낳았다고 해서 '되미'라는 예쁜(?) 이름이 붙었다고 한다.

특히 되미는 우리 엄마가 돼지를 키울 때에 매일같이 돼지죽 리어카를 끌어 주곤 했다. 초록은 동색인가, 엄마도 그런 되미가 고마워, 철마다 옷가지도 해주고 끼니때가 되면 밥도 같이 먹곤 했다.

되미는 기찻길 옆 개울을 접한 움막집에서 엄마와 함께 살았는데, 몇 년 전에 엄마와 사별하고 혼자 살고 있었다. 비록 정신지체 장애가 있어 나이보다 정신연령은 낮았지만, 온 동네 큰일 때마다 궂은일을 도맡아 해주고 생계를 해결하는, 쉽게 말해 '온 동네 궂은일 담당 도우미' 였다. 또한, 절대로 남의 것에는 손을 대지 않는, 심성 바른 여자였다.

'꿩오' 라는 내 이름도 그 여자가 나를 부를 때 붙여진, 어눌하지만 정감 있는 발음이었기에 온 동네 아주머니들한테도 거의 '꿩오' 로 통했다.

엄마 없이 고만고만한 아들 삼형제가 오죽 측은했으면 동네 이웃 아주머니들까지 돌아가며 자기 자식처럼 집으로 데려가 보살펴 주었을까. 하지만, 어디 그 짓이 하루 이틀에 끝날 일도 아니잖은가. 급기야는 어린 삼형제를 돌보려고 외숙모 댁의 열네 살짜리 큰누나까지 고골 춘궁리에서 용인 우리 집에 추가로 파견되는 상황에 이르렀다. 그야말로 우리 집 살림 모양새가 말이 아니었다.

며칠 전에는 큰아버지가 오시더니, 그 우람하던 시꺼먼 씨돼지도, 새끼들도 모두 어디론가 보내 버리는 게 아닌가. 휑하니 텅 빈 돼지우리 한쪽에는 아버지가 트럭에 쓰는 고물 부속품들이 돼지 대신 들어차기 시작했다.

나는 우리 집 앞 작은 동산에 자주 올라갔다. 그럴 때마다 외숙모는 거기는 왜 자꾸 올라가느냐고 짐짓 퉁명스럽게 야단을 치셨다. 거기 올라서서 서쪽 하늘을 보면 멀리 '동진이' 삼거리 공동묘지 산 등성이에 아직도 뗏장이 듬성듬성한 엄마 산소가 보였다.

그것참!

그러던 어느 날, 우리 집에 엄청난 사건이 벌어졌다. 엄마의 산소 봉분에 흙이 채 마르기도 전에, '새엄마'가 들어온 것이다.

새엄마는 고향이 강원도 춘천 변두리 두메산골에, 세 자매 중 맏이로, 한 번 결혼했다가 자식을 못 낳는다는 이유로 결혼에 실패했다고 한다. 돌아가신 엄마보다 몸집이 훨씬 크고 우락부락한, 흔히 말하는 '호랑이 상'에다 무학문맹에, 게다가 아버지보다 세 살 연상으로, 전형적인 시골 억척 아낙네 같았다.

아버지로서는, 일단 어린 우리 삼형제를 키워 주고 보살필 수 있는 여자라면, 무슨 조건이나 어떤 환경의 여자인들 따지고 들 경황이 없었다. 시쳇말로, 발등에 불이 떨어진 판국에 찬밥 더운밥 가릴 때인가. 자식들을 위해 과감히 재혼의 용단을 내렸다. "상처한 지 한 달밖에 안 됐는데."라고 동네 사람들이 수군거리는 말들은 아버지에게 아무런 의미도 없는 감상적인 말들에 불과했을 것이다.

새엄마가 온 지 한 달, 외숙모도 외사촌 누님도 고골로 돌아갔다. 삭막하기만 했던 우리 집은 새엄마를 맞이한 후 그런대로 안정을 찾아가고 있었다.

아뿔싸! 그런데 이게 웬 날벼락인가. 민족의 비극, 6·25전쟁이 터지고 만 것이다. 나와 동생 찬호는 짐짝으로 위장한 상자에 실려 다른 짐짝들과 함께 트럭을 타고 피난 가는 행운(?)을 누렸고, 차를 타기에는 너무 어렸던 철호는 어쩔 수 없이 새엄마 등에 업혀 큰댁 식구들과 함께 피난길에 올라야만 했다.

이 엄청난 사건들이 엄마가 돌아가신 지 꼭 석 달 만에 일어난 일이었다.

9·28 수복 이후 온갖 고난을 겪으며 우리는 다시 용인으로 돌아왔다. 용인 읍내는 온통 불타고 폭격 맞고 그야말로 쑥대밭이었다. 물론 그 널찍했던 우리 집도 온데간데없이 사라졌다.

학교 역시 천막 교실이었고, 동네 집들은 임시로 '하꼬방'(판잣집)을 짓기 시작했다. 그런데 아버지는 왠지 우리 집터에 판잣집조차 짓지를 않고 장터 한쪽 다른 집에 세를 얻는 게 아닌가. 한참 나중에 안 사실은, 그 넓었던 우리 집이 개인 땅이 아니라 적산 가옥으로 해방 후 군청에서 소위 임대주택 형식으로 관리했던 국유 재산이었다는 것이다.

수복 이후 아버지는 트럭 차주 겸 조수의 자격으로 전쟁 유사시 군수물품 수송대원으로, 좋게 말하자면 나랏일에 트럭 한 대를 갖고 동참하게 되었다. '보국대'란 이름의 운송 대원, 일명 '민병대'라고도 불렀다.

아버지가 하는 일은 군수물품 수송 일을 하청받아 군의 일부 업무를 대행했다. 쉽게 말해, 정식 군인은 아닌데, 돈을 받고 개인 차량으로 군수품을 운송하는 '지입제 민간 운송 부대'라고 이해하면 쉬울 것이다.

그런데 압록강까지 북진했던 유엔군과 우리 군은 중공군의 뜻하지 않은 개입으로 말미암아 뼈아픈 후퇴를 감행한다. 이름하여 1·4 후

퇴. 이 뼈아픈 전쟁의 역사가 우리 가족에게 엄청난 재앙이 될 줄 누가 알았겠는가.

이 화급한 후퇴 작전이 떨어지자 아버지도 전방 군수물품을 후방으로 수송하는 작전에 투입되었다. 아버지는 칠흑같이 어두운 한밤중에 군수물품을 싣고 남하하던 중, 경기도 전곡 근처에서 이미 끊어진 교량인 것도 모르고 통과하려다가, 트럭이 순식간에 수십 미터 낭떠러지로 곤두박질치는 끔찍한 사고를 당하고 말았다.

아버지가 고용한 트럭 운전사 박 씨와, 조수석에 탔던 군 수송 책임병 한 명은 그 자리에서 숨졌다. 아버지는 트럭 뒤 화물칸에서 추위를 견딜 양으로 여러 장의 담요로 온몸을 둘둘 감싸고 있다가, 차가 추락하는 순간 차 밖으로 튕겨 나와 개골창에 처박혔다. 그 바람에 척추 세 개가 부스러지는 중상을 입고 헬기로 서울위생병원에 후송되었다.

아버지는 부스러진 세 개의 척추 뼈를 추슬러, 그 주위를 인공 뼈로 고정하여 재생될 때까지 무한정 기다려 보는, 당시 의료기술로서는 최선책이었던 장기재생 치료방법으로 수술을 받았다.

끝내는 머리와 배변 구멍만 뚫린, 어깨에서 몸통, 양 무릎까지 통짜로 된 거대한 전신 깁스를 몸뚱이에 감은 채, 두 달 전 아버지가 타고 나갔던 트럭이 아닌 낯선 응급차를 타고 새 아내와 세 아들이 기다리는 집으로 돌아왔다.

그것참!

병원 측에선 3년짜리 시한부 목숨이라고 통고해 주었다. 무려 3년이란 긴 나날을 꼼짝도 하지 못하고 전신 깁스라는 감옥에 갇힌 채

지내야 하는 고난의 수감 생활이 시작되었다.

정녕 우리 식구는 그 긴 시간을 말로는 표현하지 못할 만큼 온갖 풍상을 겪으며 지냈다. 그 좋던 '위대한 트럭' 돈벌이 시절이 언제였던가? 가세가 순식간에 기울어져 가니 어쩌겠는가. 급기야 새엄마는 장날마다 장터 싸전 거리 중앙에서 국수 장사를 시작했다.

닷새마다 서는 시골장이지만 장사를 시작한 지 한 달이 지나자, 새엄마의 얼큰한 국수 맛이 소문을 타고 유명해졌는지, 천만다행으로 국수 손님이 제법 많아졌다. 새엄마는 다음 장날 장사를 위해 국수 뽑기와 양념 재료를 준비하느라 안성장이나 이천장까지 발품을 팔며 쫓아다녔다.

설거지 담당은 역시 되미 몫이었고, 국수를 삶을 땔나무 담당이 바로 나였다. 나는 두부집 아들인 영부와 함께 새벽 일찍 지게를 지고 땔감을 찾아 지금의 3군단 사령부가 있는 지장실 석성산 뒷산까지 나서야만 했다.

말이 나무하러 간 거지, 사실은 남의 산에 들어가 '칠월비' 쌓아 둔 것 주인 몰래 훔쳐 오는 일이니 가능한 한 꼭두새벽에 나설 수밖에(칠월비는 칠팔월에 삭정이, 고주박은 물론 큰 나무를 가지치기해서 땔나무로 말리려고 쌓아 둔 나뭇더미인데, 용인 사투리인가?).

그것참!

한창 클 나이에 그놈의 지긋지긋한 지게질을 너무 많이 해서 지금의 키가 요 모양 요 꼴인가. 당시에는 학생의 키로 번호를 매겼기에, 용인초등학교 전 학년을 1번으로 장식하고 출석부 명단에도 제일 첫번째로 기재되어 있으며, 태성중학교에서 또다시 대망의 1번을 배정

받았다.

내가 중학교에 입학한 날도 아버지는 학교 교정에 모습을 드러내지 못했다. 아버지는 이날도 언제나 그랬듯 나의 첫 발명품인 '배변 구멍이 뚫린 군용 목침대' 위에서 꼼짝달싹 못하는 '우주 캡슐'(나는 전신 깁스를 이렇게 불렀다)에 갇힌 채 멍하니 색 바랜 천장만 바라보고 있었을 것이다.

새엄마는 국숫집을 시작한 지 1년 만에 가게를 처음보다 두 배 가까이 크게 확장했다. 용인에서 장터 국숫집이라 하면 이제는 누가 뭐래도 우리 집을 첫 번째로 꼽을 만큼 인기를 끌었다.

장날에만 장사를 했던 보통 분식집에서, 매일 가게 문을 열고 국수뿐만 아니라 백반, 술, 갈비, 순대 등도 파는, 일반 유흥 음식점으로 바뀌었다. 본격적인 음식점 영업을 위해 고골 외숙모도 다시 왔고 새엄마의 동생 두 명도 가게 일손을 도우려고 합세했다.

공교롭게도 두 이모 모두 결혼에 실패한 젊은 여인들이었으니, 새엄마를 포함해 세 자매가 모두 과부인 셈이 아닌가. 거기다 고골 외숙모 역시 수년 전 남편을 잃었으니 이건 삽시간에 '네 과부 음식점'이 탄생한 셈이었다.

어쨌거나, 네 여자가 열심히 뛴 덕에 가게는 날로 번창해 갔다. 이렇게 되면서 서서히 집안의 경제권을 새엄마가 갖게 되었다.

그런데 아뿔싸! 두 이모의 씀씀이가 상식을 넘는다고, 어느 날 고골 외숙모가 내게 귀띔해 주는 것이다. 강원도 산골에서 지겹게 가난했던 두 이모로선 새엄마가 가뭄에 물 만난 못자리판이 아닌가.

나는 학교에 다녀오면 카운터 일을 보았는데, 매월 수입과 지출을 결산하는 일이 내 몫이었다. 외숙모의 말대로 매상이 많아질수록 문제가 있음을 알 수 있었다. 일단 외숙모와 나는 모르는 척하면서 주시하기로 하고 더더욱 가게 장부 정리에 신경을 기울였다.

그런데 이게 웬일인가. 이번에는 두 이모와 아는 사이라는 중년 남자 한 명과 젊은 여자 두 명이 가게 일을 돕는다는 명목으로 합세해 인건비를 챙기는 것이 아닌가. 얼마 후 안 사실은 그 건달 같은 중년 남자는 큰이모와 내연의 관계였고 여자는 그 남자의 먼 친척 여동생이었다.

믿고 있었던 새엄마마저도 서서히 '나쁜 계모'의 심성으로 변해 가고 있었다. 술 한잔했다 싶으면, 으레 만나는 동네 사람이나 손님들한테 "난 돈 같은 것은 필요 없고 오직 애들 삼형제 키우러 왔다."라고 천연덕스럽게 말을 한다. 동네 사람들은 아버지 상황이나 어린 우리를 잘 아니까, 당연히 그 얘기를 100% 믿었다. 때로는 고생이 많다며 위로의 술까지 권하기도 했다.

젠장! 이런 미치고 환장할 노릇을 봤나! 동네 사람이 없는 집에선 180도 정반대다. 술만 마셨다 하면 하루가 멀다 하고 하찮은 일에도 아버지에게 쌍소리로 대들었다. 나를 보고는 아예 학교를 때려치우고 장사 일이나 하라면서, 책가방을 아궁이에 처넣고 불까지 질렀으니, 이 어찌 몹쓸 계모가 아닌가!

이런 일들을 아버지와 의논하자니 아버지 속만 더 상할 것 같아서, 타다 남은 책가방을 들고 큰집으로 가서 이 사실을 알렸다. 큰어머니는 서슬이 퍼렇게 새엄마에게 자초지종을 따졌지만, 번번이 완패를 당했다.

새엄마의 변명인즉슨, 이모네 식구들이 여럿 들어온 건 영업을 위해 사정사정해서 모셔 왔다는 둥, 평호는 내가 손님들하고 술 먹는 게 마음에 안 들어 시기한다는 둥, 이 책가방은 평호가 다른 데서 태워 먹고 와서 나한테 뒤집어씌우려고 생거짓말을 한다는 것이다. 그러다가 상황이 불리하게 돌아간다 싶으면, 철호를 업고 피난까지 갔다 온 사실에 아버지 병간호를 내세우며 찔찔 우는 척하니, 어느 누군들 감당하겠는가. 심증만 있고 확고한 물증이 없어 환장할 노릇이었다.

그래도 새엄마를 믿었던 순진한 나로서는, 새엄마가 인간의 탈을 쓰고 이처럼 표리부동하게 큰어머니까지 속이는 모습을 보니, 눈이 뒤집히는 것 같았다. 하지만, 어린 나 혼자 분노한들 무슨 용빼는 재간이 있었겠는가.

애초부터 이 세 자매가 어린 삼형제를 돌본다는 위장 전략을 무기로 삼아 우리 집 재산을 보고 접근한 것임을 어찌 알았으랴. 으악! 세 자매가 한잔 마시고 시시덕거리며 가게 돈 챙기는 이야기를 우연히 듣고는, 나는 너무 억울하고 황당해 미쳐 버리는 줄 알았다.

이런 이야기를 누구한테 하랴. 누가 그런 엄청난 이야기를 아이의 말만 듣고 믿겠는가. 그나마 우리 집 현실을 잘 알고 있던 유일한 아군인 고골 외숙모 역시 "일손도 많아졌으니 이제는 좀 쉬세요."라는 얄팍한 말로 떠밀다시피 강제로 고골로 돌려보내 버렸다. 요즈음 말로 '코드'가 맞지 않아서 파면을 한 것이다. 이로써 가게는 새엄마의

제목을 못 정한 책

234

인해전술에 완전히 점령당하고 말았다.

　난 상당히 혼란스러웠다. 막무가내로 친척들을 끌어들이는 것도 문제지만 나중에 우리 집 재산과 가게 운영권은 어떻게 될까? 더 끔찍한 것은, 저 정도로 못된 여자라면 전신 깁스라는 '캡슐'에 갇힌 척추 장애 아버지를 서서히 독살하고 모든 것을 손쉽게 수중에 넣을 수도 있다는, 소설 같은 상상을 털어 버릴 수 없다는 사실이다.

　난 집요하게 새엄마의 일거수일투족을 주시했다. 기분이 언짢은 날이면 아예 학교 결석까지 해가면서 경계했다. 한창 뛰어놀아야 할 나이에 나는 그렇게 우울한 상황에 부닥쳐 있었다.

　그렇게 우울한 나날이 반복되던 나에게 유일하게 위로가 되었던 것은 만화였다. 그 나이 때는 누구나 마찬가지겠지만 나 역시 만화책을 좋아했다.

　밤늦게 가게 청소를 하다 보면 손님들이 놓고 가는 사소한 물건들이 이것저것 꽤 많았다. 그중에, 당시로선 꽤 귀한 '밀림의 왕자 타잔'이라는 만화책이 한 권 있는 게 아닌가.

　나는 내일이라도 손님이 찾으러 올까 싶어 밤새 모두 읽어버렸다. 다행히 한 달이 넘도록 책 주인은 나타나지 않았다. 이 재미있는 책을 찾으러 오지 않다니, 그렇다면, 이건 내 것이다.

　책 내용이며 대사까지 달달 외울 정도로, 아마 잘은 몰라도 백 번 이상은 읽었을 것이다. 난 너덜너덜해진 책 겉장을 두꺼운 마분지로 새롭게 포장했다. 그리고 내가 제일 아끼는 책 1호로 명명했다.

나는 이 재미있는 만화책을 아버지와 동네 친구들에게 자랑할 겸 환등기를 만들기 시작했다. 큼지막한 상자 안에 100와트짜리 전구를 설치하고 뒷면은 만화책이 비칠 만큼 네모로 오려 내고, 앞부분에는 큼지막한 돋보기 확대경 두 개를 이중으로 붙여, 평호표 영사기 렌즈를 만들었다. 몇 번의 시행착오를 거치자 제법 그럴듯하게 수동 환등기 역할을 하게 되었다.

일단 첫 시사회(?)는 아버지 방에서 했다. 동생들과 아버지는 몇 년 만에 처음으로 환하게 웃으며 손뼉을 쳤다. 대성공이었다.

어느 날 나는 광고 전단을 큼지막하게 우리 집 벽에 붙였다.

오늘 밤 6시 평호네 집 뒤뜰에서
대망의 '밀림의 왕자 타잔' 영화 상영이 있음.
입장료는 성냥 한 갑!

이윽고 되미를 비롯해 동네 친구들이 열댓 명 모였다. 책 내용이야 달달 외겠다, 해설, 대사는 자동이고, 환등기 주변에는 각종 소리 나는 물건들(소품)을 배치해 놓고 만화 진행상황에 따라 소품들을 발로 차고 때리고 흔들고, 그야말로 서라운드 입체음향이 울리는 신나는 라이브 야외극장이었다.

그 후 색다른 만화가 생기면 우리 동네 친구들은 종종 우리 집 야외극장에 모여 정말 신나게 놀았다. 이때가 나이 열두 살 때, 평호 인생 최초의 사운드 디자이너 소리 작업이었다.

꿈은 고난을 이기게 한다

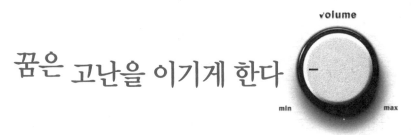

volume
min max

절실한 꿈이 있다면 과감히 도전하게.

남들은 불가능하다고 말려도

스스로 멈추기 전까지는 끝까지 도전해 보는 것이 좋아.

그렇게 하면 실패하더라도 더 크게 얻을 수 있어.

도전하지 못하는 것은

꿈이 불가능하거나 상황이 여의치 않아서가 아니라

그 꿈이 절실하지 않아서 그런 거야.

• • •어느 날, 용인 공회당(지금의 '문예회관' 이랄까?)에
악극 공연이 들어왔다. 제목은 기억나지 않지만 생전 처음 본 신파
연극이었다. 나를 한없이 웃기고 울린 연극, 그리고 그 멋진 배우들!
아, 나로선 엄청나게 감동했다. 그렇구나! 나처럼 머리 복잡한 사
람도 저런 공연을 보면 잠깐이나마 고통에서 벗어날 수 있구나. 저
런 멋있는 직업이 있다니! 나는 이렇게 속으로 연극에 대한 동경을
품기 시작했다.

새엄마한테 핍박을 받은 날이면, 나는 습관처럼 만화책과 환등기
를 가지고 놀았다. 손수 흙으로 만들거나 색종이를 오려 만든 작은

인형들(콩쥐 팥쥐, 홍길동 등)을 실에 매달아 불빛에 비춰 가며 줄거리에 따라 움직이게 하는 놀이를 하고는 했다. 지금의 '영상 인형극'이나 '그림자 연극'인 셈이다.

인형극 놀이는 무척 재미있었다. 내가 만든 주인공이 정의의 사도가 되어 재물에 눈이 먼 탐관오리(새엄마 일당?)를 혼내 주기도 했다. 나만의 세계를 나만의 스토리로 만들어 간다는 것은 마치 내가 전지전능한 조물주가 된 것 같아서 무척 신나는 일이었다.

아무리 새엄마한테 받은 상처가 커도, 나는 이 인형극 놀이를 하면서 나 혼자 미친놈처럼 낄낄댔다. 그러다 보면 그 상처도 '신나게' 넘길 수 있었다.

아마도, 막연하나마 연극과 배우를 동경하는 심성이 싹튼 게 바로 이때가 아닌가 한다.

그것참!

이것이 내가 평생 붙들고 씨름해야 할 연극과 만화영화 작업의 전초전이 될 줄을 그 누가 알았겠는가. 이때가 평호 나이 열네 살 때였다. 바로 병원에서 아버지에게 통고한 3년이 되던 해였다.

꽃피는 춘삼월, 되미가 싱글벙글 웃으며 나타났다. 되미가 나타나는 집에는 틀림없이 중요한 행사가 있다는 것쯤은 동네 개까지 알 정도가 아닌가.

바로 오늘은 서울 위생병원에서 나와서 아버지의 전신 깁스를 해체하는 날이다. 이 역사적인 해체 작업을 구경하려고 아침부터 큰집 식구들은 물론, 소문을 들은 동네 사람들이 우리 집으로 모여들어 온 동네가 시끌벅적 무슨 잔칫날 같았다.

동네 공의(지금의 공중보건의)인 대동병원 이대영 원장님, 지성당 한의원 원장님도, 용인약국 아저씨도, 회춘당 의원의 이만희 아버지도, 최영진 면장님까지도 보였다.

앰뷸런스 차에서 별난 의료 도구와 연장을 꺼냈고, 별로 넓지도 않은 마루에는 마치 철근 앵글만으로 된 수술 침대 같은, 이상스럽게 생긴 침상을 조립했다. 이윽고 아버지가 침상으로 옮겨졌다. 아버지는 사람들한테 히죽 웃음을 보냈지만 나를 바라보는 눈에는 긴장의 빛이 역력했다.

깁스 해체 작업은 뜻밖에도 시간이 걸렸다. 가슴 쪽부터 조심스럽게 조금씩 실톱과 드릴로 절단해 가슴이 드러나도록, 즉 양 옆구리를 켜 가는 작업이다. 하체 부분은 상체보다는 쉽게 진행됐다.

마당에서 이 광경을 숨죽이고 바라보는 동네 사람들은 측은한 표정으로, 앙상하게 드러나는 아버지의 몸매를 바라보고 있었다.

동네 사람만 보면 자기가 이 세상에서 제일 박복한 년이라고 시도 때도 없이 설쳐대던 새엄마는, 오늘은 별별 동네 사람들이 다 모였는데도 찍소리가 없다. 저것도 또 다른 전략이겠지. 새엄마 패거리 모두 이상하리만큼 조용하다.

다만, 큰어머니만 부엌 저쪽에서 이쪽 마루를 힐끔 보고는, 그동안 온갖 풍상을 겪은 '서방님'이 애처로운지 소리를 죽인 채 눈물을 훔치고 있었다.

아, 아버지의 엄청난 척추 수술 자국! 흡사 심한 화상을 입어 엉겨 붙은 살을 되는대로 꿰맨 듯, 어깨에서 시작해 꼬리뼈 항문 있는 데까지 얼기설기 꿰매었고, 꼬리뼈에서 세 번째 척추 근처엔 두 줄로 동서로 꿰매져 있었다. 한마디로, 척추를 중심으로 등 전체를 항문 쪽까지 완전히 열었다 덮은 대수술이 분명했다.

그 고통의 3년 척추 재생 접목 전쟁은 이렇게 끝났다. 난 울퉁불퉁 불규칙하게 아물어 버린 수술 자국을 떨리는 손으로 몇 번인가 천천히 쓰다듬어 보았다. 속으로 한없이 울면서, 어금니를 벌써 몇 번째 깨물었는지 모른다.

3년 전에는 목숨이 위태롭던 아버지는, 온전치는 못하지만 대지를 딛고 일어나셨다. 아버지도 일어섰으니 이제는 내 차례였다. 나도 이제는 진짜 나를 찾아야 할 때라고 생각했다. 새엄마의 눈치를 보면서 숨죽여 사는 일상을 참아 내는 것은 도저히 더는 못 할 노릇이었다. 그래서 용기를 냈다.

"그래, 김평호. 무슨 일이야?"

"선생님, 말씀드릴 게 있습니다."

나는 태성중학교 정구영 담임선생님을 세 차례나 찾아갔다. 앞으로 연극이나 배우 일을 하고 싶은데 앞으로 어떻게 해야 하는지, 아버지의 형편과 새엄마 등의 가정 사정을 말씀드리고 내 장래에 대해서 진심으로 의논드렸다.

당시 연극이나 배우는 '키 크고 잘생긴' 사람들의 일자리라는 게 일반적인 상식이었다. 그런데 선생님은 반에서도 1번인, 제일 작고 보잘것없는 평호의 생각을 뜻밖에도 긍정적으로 받아 주었다.

"네가 그 일을 정말 하고 싶다면 반드시 앞으로 6년은 더 공부를 해야 해."

그러면서 내가 앞으로 6년 동안 해야 할 일에 대해서 자상하게 들려주었다. 선생님이 그때 내게 차근차근 설명한 것은, 고등학생으로 3년, 그다음 졸업 후 직장인(공무원)으로 3년, 통틀어 6년 인생 숙제였다.

"첫째, 무슨 수를 쓰든, 네가 꼭 그 일을 하려면 서울에 있는 고등학교에 진학해야만 해. 예술을 하려면 기본적인 공부가 필요하니까 말이다. 둘째로는, 네 가정 형편이 어려우니까 일단은, 기숙사가 있고 국비로 운영되는 철도학교나 체신학교, 그것도 아니면 사범학교에 꼭 들어가라. 그러면 졸업 후 3년 의무복무 규정 덕분에 직장도 3년은 안심할 수 있어. 중요한 건, 바로 그 3년 동안이야. 네가 하고 싶은 일을 공부할 수도 있고 대학 진학 준비도 할 수 있어."

아마도 내가 하도 악착같이 배우가 되겠다고 매달리니까 선생님도 기가 막혀서 우선 6년의 숙제를 내주셨을 것이다. 내가 연극배우가 되는 것은 누가 봐도 가당치 않은 일이었으니까.

아무튼, 정구영 선생님, 숙제 고맙습니다! 그 숙제 덕에 여기까지 올 수 있었습니다.

우여곡절 끝에 중학교를 졸업할 즈음, 나는 새엄마보다 더 못된 결심을 했다.

6년의 숙제를 위해, 가자! 서울로! 지금 생각해 보면 어린 치기였지만, 나는 마치 독립군이라도 된 듯 비장한 기분이 되어 거사를 치르기로 했다. 거사 일은 가게 매상이 제일 많은 장날로 택했다.

드디어 어느 장날, 오후 네 시 반, 떨리는 가슴으로 큼지막한 가방 하나를 짊어지고, 수원을 향해 용인을 통과하는 '수여선' 열차에 몸을 실었다. 내 결심을 미리 알릴 사람이 가족 중에 없다는 사실이 몹시 참담하게 느껴졌다.

"꽤액! 칙 칙 폭 폭, 칙칙폭폭……"

평호를 태운 기차는 힘겹게 '메주 고개'를 오르기 시작했다.

난 괜히 가방을 비집고 손을 넣어 보았다. 그 가방 안에는 가게에서 장사한 돈을 담아 두는 돈 궤짝 겸 탁상 수제 금고 대용으로 쓰는 'M1 탄피 통'이 통째로 들어 있었다. 이렇게 돈까지 훔쳤으니 도저히 새엄마한테 다시 돌아갈 수는 없었다.

난 달리는 기차 난간에 기대어, 멀어져 가는 기차역을 향해 소리를 질렀다.

"잘 있어라! 나는 간다! 아버지, 건강하세요!"

서울에서 어떻게 할 것인지 미래에 대한 계획을 미처 세우기도 전에 기차는 서울에 다다랐다. 그렇게 찾아온 서울, 낯선 곳이라 그런지 용인보다 더 춥게 느껴졌다.

먼 앞날이 불안하기는 했지만, 우선은 정구영 선생님이 내준 숙제대로 하기로 했다. 다른 수가 없었다. 미래에 대한 계획이 그것밖에 없었기 때문이다.

나는 가장 먼저 치러진 사범학교 입학시험을 보았지만, 어멈, 보기 좋게 떨어졌다. 사흘 후, 이번에는 체신학교 시험을 봤다. 그런데 이런 환장할 노릇이 있나! 경쟁률은 무려 35대1!

그것참!

35대1, 공부라면 그리 자랑할 만한 실력이 못 되니, 나도 일찌감치 마음을 접었다. 하지만, 죽은 엄마의 은총이 발동했나, 정구영 선생님의 축원이 통했나? 정말로 하늘이 도왔는지, 35대1, 그까짓 게 대수냐, 나는 당당히 합격해 버렸다.

'무작정 가출'을 한 처지라 체신학교 시험에 떨어졌다면 별다른 대책도 없었기에, 천만다행인 합격이 아닐 수 없었다. 공짜로 공부하면서 생활비까지 받고 기숙사 생활을 하게 되었으니, 고등학교 시절에 대해서는 아무런 불만도 있을 수가 없다.

내 성질머리가 정구영 선생님의 6년 숙제를 차곡차곡 차분히 할 만큼 여유 만만한 성미는 못 되었다. 그래서 나는, 앞에서도 이야기했듯 학교를 다니면서도 극단에 뛰어들었다.

비록 못난 체격 때문에 원하던 배우 생활은 하지 못했지만, 어떤 마음으로 올라온 서울이고 어떻게 뛰어든 극단인데, 단지 체격 때문에 연극을 포기하고 물러설 수 있었겠는가. 여기서 물러선다면 학교를 다니는 것도 아무 필요 없는 게 되고, 결국 용인으로 돌아갈 수밖에 없었다.

이순신 장군께서도 말씀하시지 않았나, "죽으려고 하는 자는 살 것이요, 살고자 하는 자는 죽을 것이다."라고. 그렇게 물러서면 끝이라는 생각, 그렇게 절실했기에 나의 전투는 계속 이어졌다.

청춘, 아, 빌어먹을 청춘

청춘이란,

지금 비록 가진 것 없어도

항상 가슴을 펴고

가슴속으로는 세상을 몇천 번 세우고 무너뜨리는

꿈과 용기, 배포가 있어야지.

그런 면에서

나보다 청춘이라고 말할 자신 있어?

　　• • •청춘, 이는 밝은 대낮이든 캄캄한 밤중이 됐든, 듣는 순간 가슴이 확 트이는 싱싱한 소리요, 덥거나 춥거나 계절에 관계없이, 글자 모양이 어떻게 생겼든, Youth, せいしゅん(세이슝), 靑春, 누가 봐도 멋있고 활기찬 글자임이 틀림없다.

　청춘 시절, 나의 그 시절은 '싱싱한' 이나 '활기찬' 과 같은 호사스런 말과 어울리지 않았다. 남들처럼 집안 형편이 좋아 마음 편히 대학에 다닌 것도 아니고, 남들처럼 신체가 건강해 군대에 갈 수 있었던 것도 아니다.

　대학이야 그렇다 치더라도, 군대는 대한민국 남자에게 주어진 당연한 의무가 아닌가. 내가 의무를 지키겠다는 데도 국방부에서는 오지 말라고 했다.

나 원, 더러워서! 군대 얘기만 나오면 슬며시 부아가 난다. 나는 두 번이나 육군에 입대를 자원했는데, 논산 훈련소에서 체중 미달 (45kg 미만)을 이유로 번번이 불합격 귀향 조치를 당했다.

특히, 두 번째 지원입대를 했을 때의 일은 아직도 생각난다. 40년이 지난 지금도 그때만 생각하면 울화통에 부아가 치민다. 쌍!

지금은 어떤지 잘 모르겠지만 그때만 해도, 논산으로 집결한 장병의 신원을 확인하려고 일일이 호명하면서 신상명세서를 원본과 대조해 가며 키와 체중만 재검사했다.

나는 이미 미역국 먹어 본 경험이 있어 내 딴에는 머리를 썼다. 체중 담당하는 놈한테 그때 돈으로, 천 환짜리 빨간 지폐 두 장을 특별히 만든 팬티 주머니에서 꺼내 스윽 찔러줬다. 녀석은 의미심장하게 내 아래위를 훑어본다.

이날도 실제 체중은 45kg을 넘질 못했다. 고개를 끄덕이며 뭔가 메모지에 적는 것 같았다. 역시 약발이 먹혔는가? 내 명세서를 서랍에 따로 넣는다. 옳다꾸나! 이젠 됐다 싶어, 그날 밤은 대기 막사 사이를 돌아다니는 행상인 '이동 주보'를 통해 막걸리를 샀다. 마치 당장에라도 '육군 김 일병'이 된 듯, 소속 중대 배치를 기다리는 대기 장병과 희희낙락 마셔댔다. 정말 신나는 밤이었다.

상쾌한 아침이었다. 군대 아침밥이 이렇게 맛있을 줄은 몰랐다. 어젯밤 함께 막걸리를 마셨던 친구들은 기관 사병이 호명하는 대로 배치받은 중대로 가려고 악수를 하고 하나 둘 대기 막사를 떠나갔다.

"서울 서대문구에서 온 김평호!"

꽤 시간이 지났을 때인데 웬 놈이 들어오더니 내 이름을 부르는 게 아닌가! 와, 드디어 내 차례다! '김평호' 란 내 이름 석 자가 이처럼 멋있게 들리다니! 나는 잽싸게 그놈 앞에 달려가 거수경례를 척 붙이고 차렷 부동자세다. 그런데 도무지 몇 중대로 가라는 명령이 없다. 그 대신 어라, 이놈이 슬며시 내 귀에 대고 속삭인다.

"너, 체중을 다시 검사해 봐야 하니까 나 좀 따라와!"

그놈이 막사를 나가 버리자, 그놈을 따라나서면서 나는 어저께 해본 장단도 있고 해서 이번에도 팬티 주머니에서 빨간 돈 두 장을 꺼내 그놈 주머니에 찔러 넣었다. '돈만 있으면 귀신 두억시니도 부린다.' 라는 속담도 있지 않은가, 그래, 팬티 고무줄 끊어진 김에 홀딱 벗고 잔다고, 오냐, 초지일관 밀어붙여 보자.

나는 애원하듯 그놈에게 말했다.

"잘 좀 부탁합니다. 전 꼭 군대에 가야 합니다!"

"알았어, 내 담당관한테 잘 얘기해 놓을 테니까 걱정하지 말고 들어가 기다리고 있어."

그러고는 그놈은 저쪽 신체검사장 막사 쪽으로 휭허케 가버렸다.

저녁 먹을 때가 됐는데도 그놈은 나타나지 않았다. 군대 밥이 그렇게 맛대가리 없다는 걸 그때 알았다. 대기 막사에는 그 많던, 이름 모를 전우들도 다 빠져나가고 예닐곱 명의 장병밖에 없었다.

이제 주머닛돈도 6백 환밖에 없었다. 아까 그놈을 찾아볼까도 생각해 보았지만, 천만의 말씀이다. 군대는 군복만 입혀 놓으면 그놈이 그놈이잖은가. 종로에서 김 서방 찾기다. 썩을! 이제는 그 자식 얼굴도 기억이 안 난다.

그날 밤은 잠도 오지 않았다. 이튿날, 그 맛없는 군대 아침밥을 먹고 나니까 또 웬 놈이 내 이름을 씩씩하게 부른다. 또 잽싸게 달려가 거수경례를 붙이고 차렷 부동자세다. '혹시나……' 하고 기대했다. 제기랄, '역시나!'였다.

"김평호 체중미달, 지원입대 불합격! 여기 귀향증이다. 이것만 보여 주면 논산역에서 기차는 무료다. 이상!"

우리질 놈! 논산역 좋아하네! 여기는 지선인 연무대역이다, 이놈아! 이 썩을 놈의 기차는 서울 쪽으로 안 가고 반대로 강경역으로 일단 갔다가 거기서 화통 대가리를 반대 방향으로 다시 연결해 대전 쪽으로 가는 거지같은 지선 열차다. 염병할! 불합격도 서러운데 기차마저 오락가락 지랄 맞다.

이 얼마나 분통이 터질 노릇인가. 서울로 향하는 완행열차 객차 사이 연결 계단에서 훈련소 쪽을 향해 진짜 큰 소리로 울분을 마구 질러댔다.

"야, 이 개새끼들아, 잘 처먹고 잘 뒈져라!"

아무리 소리를 질러도 분이 안 풀린다. 진짜 울화가 치밀었다. '미성'이란 막소주 한 병을 그냥 병나발을 불었다. 그래도 분이 안 풀리기는 마찬가지였다. 나도 모르게 서러움의 눈물이 나왔다.

그 돈이 어떤 돈인가. '소리' 한번 해보겠다고 독한 마음으로 모아오던 거금 1만 환으로 장만한 '백조 표 오르겐'을, 군대 갔다 와서 다시 살 요량으로 5천 환 헐값에 팔아서 마련한 돈이다. 돈 처먹고 불합격이면 고만이지, 돌아가며 사기를 치고 엿을 먹여?

있는 대로 울분을 토하며, 이름도 모를 군바리(이런 놈들은 군인이 아니라 군바리다)의 30대 조상까지 욕하다 보니 어느새 기차는 대전 역에 도착했다.

얼씨구! 또 놀고 있네! 하필이면 내가 탄 이 거지같은 열차는 대전 역에서 다시 화통 대가리를 반대 방향으로 바꿔 달아야 서울로 가는 웃기는 호남선이다.

이렇게 화통 대가리를 바꾸는 시간이 되면 대전역 플랫폼은 삽시 간에 양재기 우동 장터로 변한다. 승객들은 기차에서 우르르 내려 너나할 것 없이 체면 몰수하고, 플랫폼에 있는 우동 가게에서 거지 처럼 서서 허겁지겁 잽싸게 우동을 먹어댄다. 어쨌거나 나도 이 걸 신들린 거지들 틈에 끼어 요기를 해야만 했다.

요즈음 사람들은 60년대 대전역에서 파는 양재기 우동의 낭만을 모를 것이다. 그 삽시간에 먹어치워야만 하는 그 우동 맛은 진짜 환 장할 정도로 맛있었다.

그것참!

다시 열차가 움직이자 사람들은 내렸던 것보다 더 빠르게 열차에 올라탔다. 열차는 점점 속도를 내더니, 내 울화통쯤이야 알게 뭐냐 는 듯 완행열차의 기차 화통 소리는 천안 삼거리를 지나고 있었다.

누구든지 군대라면 어떻게든 빠지려고 하는 요즈음 세태를 보자면, 이렇게 뒷돈까지 써 가며 입대에 목숨 건 내가 이해하기 어려울 수도 있을 것이다. 하지만, 나는 정말 군대에 가고 싶었다.

군대에 갈 수 있다는 것은 내가 '표준적인 남성'이라는 의미이다. 그것도 국가에서 공식적으로 인정하는 표준! 표준이 아닌 사람에게 우리 사회가 얼마나 살기 어려운 곳인지는, 내가 장애인인 어머니를 보면서 컸으니 너무나 뼈저리게 잘 안다. 아마도 키 작고 못나고 못 배운 김평호 역시 표준적인 사회구성원이라는 것을 인정받고 싶었던 게 아닐까.

사실, 그런 표준쯤은 무시하고 살아도 이렇게 신나기만 하는데, 왜 그때는 그렇게 그 속에 포함되고 싶었을까? 어쩌면, 그때만 해도 자기 자신에 대한 자부심이 부족했던 탓이리라. 내 환경, 외적 조건이 볼품없다 보니, 나도 모르게 주눅이 들었던 게 사실이니까 말이다.

지금이야, 남이 어떻든 내 갈 길만 가면 된다고 생각한다. 그까짓 표준, 내가 만들면 되는 일 아닌가.

아무튼, 그때 이후로 나는 '극' 자가 붙은 단체라면 어디건 가리지 않고 무조건 뛰어들어, 극단의 정식 스태프도 아닌 급사 노릇으로 내 청춘을 만끽해야만 했다. '박박 기는 군대'를 가지 못했으니 그 대신 극단 밑바닥에서부터 박박 기기로 했던 것이다.

그 당시 내 임시 숙소였던 시공관 경비실, 한 평 남짓한 그 다다미 방에는 '정신일도 하사불성(情神一到 何事不成)' 대신 '일일삼식 하사불성(一日三食 何事不成)'이란 글귀가 붙여졌다. 연극무대 뒤 잡일로 보내는 청춘, 오죽 못 먹었으면 '하루 세 끼 먹으면 무슨 일이든 못하겠는가.'라고 썼겠는가.

그때 우연히 극작가 신봉승 형(당시 국립극장 무대계장쯤?)의 책장에서 꺼내어 읽고 '이거 참 멋있는 시로구나!' 라고 생각했던 시가 바로 사무엘 울만의 '청춘'이다. 나는 그 시를 쪽지에 적어, 힘들고 답답할 때면 꺼내 읽었다.

청춘

사무엘 울만

청춘이란 인생의 어떤 기간이 아니라 그 마음가짐이라네.
장밋빛 뺨, 붉은 입술, 유연한 무릎이 아니라
늠름한 의지, 빼어난 상상력, 불타는 정열.
삶의 깊은 데서 솟아나는 샘물의 신선함이라네.

청춘은 겁 없는 용기, 안이함을 뿌리치는 모험심을 말하는 것이라네.
때로는 스무 살 청년이 아니라 예순 살 노인에게서 청춘을 보듯이
나이를 먹어서 늙는 것이 아니라 잃어서 늙어 간다네.

세월의 흐름은 피부의 주름살을 늘리나
정열의 상실은 영혼의 주름살을 늘리고
고뇌, 공포, 실망은 우리를 좌절과 굴욕으로 몰아간다네.

예순이든, 열여섯이든 사람의 가슴속에는
경이로움에의 선망, 어린이 같은 미지에의 탐구심,

그리고 삶에의 즐거움이 있게 마련이네.

또한, 너나없이 우리 마음속에는 영감의 수신탑이 있어
사람에게 그리고 신에게
아름다움, 희망, 희열, 용기, 힘의 전파를 받는 한
당신은 청춘이라네.

그러나 영감은 끊어지고
마음속에 싸늘한 냉소의 눈은 내리고,
비탄의 얼음이 덮여올 때
스물의 한창나이에도 늙어 버리나
영감의 안테나를 더 높이 세우고 희망의 전파를 끊임없이 잡는 한
여든의 노인도 청춘으로 죽을 수 있네.

　　이른바 '애송시'임에도, 어라, 지금도 전부를 다 외우지는 못한다. 외우는 것에는 소질도 없고 또 외우는 그 짓 자체가 싫은 걸 어쩌랴. 그러다 보니, 요즈음 외우는 두뇌는 거의 폐기처분 상태가 되었는지 특히 숫자 외우는 것이 영 빵점이다.
　　그런데 대학에서 학생들을 가르치다 보면 꼭 한두 놈, 짓궂은 질문을 던지는 녀석이 있다.
　　"교수님, 그러면 바그너가 몇 년도에 '이졸데'를 쓰고 브람스를 몇 살에 만납니까?"
　　내가 그 정도까지 '빠삭하게' 외울 정도면 내가 왜 여기서 너희 놈

들을 가르치겠느냐. 미 항공우주국 나사(NASA)에 가 있겠지.

"야, 이놈들아, 내가 양주동 박사처럼 외우는 데 천재냐! 나도 기억 못혀!"

이렇게 말하면 학생들은 아무 대꾸도 하지 않는다. 얼굴을 훑어보면 '어라! 뭔 교수가 저 모양이지?' 라는 표정이다.

"자세한 건 인터넷 검색 창에 쳐 보세요! 십 분간 휴식!"

이렇게 구렁이 담 넘듯 넘어갈 수밖에.

그것참!

그래, 애들아! 이제 갓 시작하는 새내기들아, 더 넓은 세상으로 나가고자 여기에 온 너희인데, 그까짓 숫자 몇 개, 단어 몇 개, 이름 몇 개 좔좔 못 외우면 또 어떠냐!

주머니보다, 머리보다 마음을 크게 불려야 한다. 배짱을 키우면 자신감도 커지고, 자신감이 쌓이고 쌓이면 자부심이 된단다. 자부심이 생기면 어떤 어려움이 닥쳐도 흔들림이 없지. 청춘은 잔챙이 숫자로 현실의 이익만 계산하기보다는 배짱으로 도전해야 진정한 청춘이란다.

나는 논산에서 4천 환 사기당한 후 지금까지 살아오면서 자질구레한 숫자 따위 외우지 않기로 마음먹었단다. 그랬더니 배짱이 얼마나 커졌는지 아니? 너희는 상상도 못할 만큼 커졌다.

내 배짱이 얼마나 크냐 하면 청와대를 사칭할 정도란다. 하하!

1970년대 말 즈음이었을 게다.

"뭐야? 차는 가는데, 운전사가 안 보이잖아!"

차가 큰 건지 내가 작은 건지 친구 녀석들은 내 애마였던 검정 '코티나'를 몰고 갈 때면 한마디씩 조롱하거나 빈정대는 소리로 시시덕거렸다. 코티나는 꽤 큼지막한 세단 자동차였다.

나는 그들의 마음을 이해한다. 정작 녀석들은 운전면허도 없었으니까 말이다. 부럽기도 했겠지. 얼씨구, 이 썩을 놈들아! 지금 현재 내가 끌고 다니는 차는 코티나보다 훨씬 더 크다.

그것참!

그날은 종합청사 뒤에 있는 현대녹음실에서 녹음 작업을 끝내고 용산에 있는 군 방송국으로 가려는데, 마침 한남동에 있는 한일기획의 추남(秋男) 감독이 같은 방향이라고 함께 탔다(추남이란 이상한 이름은 배승남의 예명인데, 현 용산 CCTV 사장이다).

녹음실에서 광화문 큰길 쪽으로 나오면 사직동으로 올라가는 길 초입에 건널목 신호등이 있었다. 그 당시의 그 신호등은 종합청사 뒷길이라는 위치 때문에 설치된 것이지 통행인도 별로 없었다.

여기서 200여 미터 떨어진 현대녹음실을 십여 년 넘도록 드나들어도 이 신호등을 지키는 차량은 별로 없었던 것 같다. 그날도 우리가 막 광화문으로 돌아 나가려는데 신호등이 빨간색이다. 당연히 건널목을 건너는 사람도 없다. 당연히 나는 습관처럼 통과해 우회전하려는데, 이런 젠장맞을! 종합청사 뒷길과 세종문화회관 쪽에 있는 경찰기동대에서 마침 출동하려던 사이드카가 우리를 발견한 게 아닌가. 사이드카는 요란한 경적을 울리며 "신호위반 정지!"라면서 우리를 쫓아오기 시작했다.

"이런 염병! 재수 옴 붙었네. 설까 말까? 에이, 모르겠다."

난 순간적으로 '그곳'을 향해 달리기 시작했다. 나는 쌍라이트며 비상 깜빡이까지 끔벅이며 광화문의 이순신 장군 동상을 끼고 돌아 중앙청 쪽으로 부리나케 달려갔다. 바로 뒤에는 기동대 사이드카가 연방 "삐욱삐욱!" 하고 비명을 지르면서 내 차를 뒤쫓아 왔다.

"아니, 쟤가 계속 신호위반, 세우라는데 대체 어디로 가는 거야?"

"신호위반을 했으니까 내빼는 거지."

나의 시커먼 코티나는 폼 나게 경복궁 담을 끼고 가차없이 또 우회전, 이윽고 청와대 앞 일차 임시 검문소 바리케이드를 지나 좌회전, 드디어 청와대 정문으로 휙 들어선 것이다.

"아니, 여긴 청와대 아냐!"

"맞아, 여긴 정확히 말해 청와대 주차장이거든. 뒤에 있는 그 서류 봉투 들고 일단 내려서 저쪽 경비실 쪽으로 무게 잡고 갔다 와 봐! 저 자식, 아직도 안 가고 있잖아."

추남 감독은 이름과는 달리, 덩치도 크고 풍채가 아주 좋은 미남형에 배짱도 든든한 호남이다. 하지만, 여기가 어딘가, 비록 주차장이라지만 청와대가 아닌가. 추 감독은 긴장한 얼굴로 '공보부'라 인쇄된 서류 봉투를 들고 차에서 내려 경비실 쪽으로 천천히 걸어갔다.

나는 백미러로 입구 쪽에 있는 기동대 사이드카 쪽을 봤다. 녀석은 한동안 이쪽 상황을 째려보더니 제 딴에는 아, 진짜 정부의 어떤 분(놈?)쯤으로 판단했는지, 사이드카를 발로 질질 밀어 방향을 잡더니 슬며시 시동을 걸고는 가버리는 게 아닌가. 공습경계 해제!

사실 나는 이 장소를 정부의 VIP 외국귀빈 환영 공연차 꽤 여러 번 여기서 내려 본 경험이 있었다. 그때 여긴 청와대와는 별개 장소인, 그냥 청와대 전용 주차장이라는 것을 알았을 뿐이다. 얼마 후 추 감독이 자기가 무슨 '높은 놈' 인 양 의젓하게 차 뒷문을 열고 타는 게 아닌가. 차문 닫는 소리가 유난히 크게 들렸다.

"그 새끼 갔어?"

"응……."

얼떨결에 정부 요인의 차가 된 내 중고 코티나는 효자동 길을 유유히 빠져나왔다. 나는 담배에 불을 붙이면서 조용하게 물어봤다.

"어이, 빨뿌리 감독, 수위실 가서 뭐랬어?"

추 감독은 '빨뿌리', 즉 담배 파이프를 꺼내 문다. 그는 담배를 피지도 않으면서 작업을 할 때 뭔 일이 생기거나 무료하면 괜히 빈 담배 파이프를 무는 습관을 지니고 있었다. 그래서 별명도 '빨뿌리' 다.

"그냥, 김평호 경호원을 보러 왔다고 했더니, 한참 장부를 뒤적이더니 그런 사람 없다고 하더군. 전근 갔나?"

"김평호? 걔가 거기 왜 있어? 하하하!"

우리는 신나게 웃었다.

"그런데 어떻게 그 순간에 그런 생각을 다 했어? 청와대를 사칭하다니 말이야."

"예끼, 애먼 사람을 사기꾼 만드네. 이게 다 아이디어지. 이 정도 순발력 없이 이 업계에서 버티겠어?"

"햐, 역시 괴물이야, 괴물."

보라고, 내 배짱이 이 정도란다. 염병할!

두드려라, 그러면 열릴 것이다

내 앞길이 아무리

칠흑 같은 어둠, 막다른 길로 보이더라도

길은 어디엔가 있더라.

그러니,

'두드려라, 그러면 열릴 것이다.' 라는 말은

'열릴 때까지 두드려라.' 로 바뀌어야 해.

• • • 때는 대한민국이 4.19와 5.16이라는 험난한 역사를 만들어 가고 있을 무렵, 나 역시 새로운 역사를 만들고 있었다.

1961년, 연극을 미치도록 좋아하는 또래의 동호인들, 이호재, 조명남, 김무영, 박흥신, 김영식, 김태연, 전양자, 남정림, 손경자, 이태옥 등과 의기투합하여, '말로만 하는 연극이 아니라 무엇인가 행동으로 보여 주는 연극 작업을 하겠다.' 라는 의미로, 이름도 거창하게 극단 '행동무대(行動舞臺)' 를 창단했다. 약관(弱冠) 스무 살의 나이에 정통연극 극단 대표라니, 아마 내가 최연소가 아닐까?.

극단 사무실 겸 연습장은, 김무영 씨의 부친께서 을지로 5가에서 자신이 경영하는 신성금고 공장의 창고 일부를 흔쾌히 내주어 그런 대로 해결을 보았다.

예나 지금이나 배고픈 신세의 연극배우다 보니, 단원들이 내는 회비라고 해봤자 극단 운영에는 큰 도움이 되지는 못했다. 내가 받는 공무원 월급과 수당에서 하숙비만 빼고 모조리 투입하였지만, 극단을 원활하게 이끌고 가기엔 재정적으로도 너무나 힘들었다. 게다가 공무원 일에 극단 대표까지 하려니 몸이 두 개라도 모자랄 지경이었다.

창단기념공연의 제작비를 충당하려고 전 단원들이 동분서주할 때, 나는 우연히 신문에서 '동두천읍 시가지 건립을 위한 하천 둑 보호 자갈 망(網) 설치 토목공사 입찰 공고'를 보고 나는 무작정 동두천읍사무소로 달려갔다. 막노동이라도 해야 했기 때문이다.

이름도 모르는 생면부지의 담당 공무원인 '그분'(까마득한 옛날이라 이름을 기억하지 못해 송구스럽지만 이렇게 칭한다)을 붙들고, 젊은이들의 야망과 꿈을 이룰 수 있게 우리 극단이 꼭 공사를 수주할 수 있도록 도와달라고 극단 대표로서 애타게 호소했다.

"도와주십시오. 이 목숨 살려 준다 생각하시고 꼭 좀 도와주세요."

"안 돼요. 공무원이라면서, 알 만한 사람이 왜 이러시나?"

"젊은이들끼리 대한민국 연극 한번 제대로 해보려고 그럽니다. 몸으로라도 때울 테니, 제발 부탁합니다."

따지고 보면 체신부 공무원이 내무부 공무원에게 부정 입찰을 해달라고 절실하게 매달린 셈이다. 물론 뇌물이 오가거나 하지는 않았고 그럴 금전적 여유도 없었지만, 공무원으로서는 해서는 안 될 부정을 저지른 것 같아 아직도 마음 한구석이 찜찜하다. 지금 같으면 그만큼 두 놈 다 볼 것 없이 형무소감일 텐데⋯⋯. 나는 연극에 눈이 멀어 있었고 지푸라기라도 잡아야 하는 심정이었다.

하루가 멀다 하고 나는 그분을 찾아가서 허리를 굽히고 머리를 조아렸다. 그렇게 며칠이 지나자, 그분은 "직원들과 상의해서 도움을 주는 방법을 찾겠다."라며 뜻밖에도 희망의 답을 주는 게 아닌가.

그것참!

연극 제작비를 위해 단원들 모두 막노동도 마다하지 않겠다는 용기가 기특했는지, 아니면 그 예술혼에 감동했는지, 이도 저도 아니면 그저 이 작은 덩치의 어린 극단 대표가 애처로워서였는지 알 수는 없지만, '두드려라, 그러면 열릴 것이다.'라는 말처럼 끊임없이 두드린 끝에 그분의 마음을 열 수가 있었던 것이다.

우리가 가진 거라고는 젊음과 열정뿐이라고 했지만, 사실은 그것이야말로 무엇보다도 중요한 것이었다. 땀과 눈물이 밴 작품만이 관객들에게 큰 감동을 주는 것처럼, 우리는 젊음과 열정으로 온 정성을 다해 공무원 그분을 설득했고, 다행히 그분은 우리의 노력을 넉넉하게 받아 주었던 것이다.

아무튼, 우여곡절 끝에, 엄밀히 따지자면 입찰 낙찰이 아닌 수의계약으로, 동두천읍에서 H 건축회사의 이름으로 된 공사 수주권이 우리 극단에 떨어졌다.

둑 자갈 철망 공사는 하도급 형식으로 H 건축회사가 6개월간 시공을 했고, 공사비는 건축회사의 본사 격인 극단 '행동무대'의 김평호 대표에게 매달 지급되었다.

그 6개월 동안, 아닌 밤중에 홍두깨로 연극 극단이 갑자기 건축회사가 되어야만 했다. 우리 단원들은 차례로 현장에 나가 공사의 감리, 감독을 했고, 돌아올 때면 읍사무소에 들러 창단공연 준비진행 과정을 그분께 보고도 하고 매번 감사의 인사를 올렸다.

그것참!

그분이 베푸신 은혜는 몇십 번, 아니 몇백 번 감사의 절을 올려도 다 못 갚을 것만 같다. 이 자리를 빌려 다시 한 번 감사의 마음을 전한다.

"그분 님! 정말 고맙습니다."

극단 행동무대는 명동 국립극장(예전의 시공관)에 대관 신청을 했다. 창단기념공연 준비가 본격화된 것이다. 이듬해인 1962년 봄에 무대에 올릴 예정으로, 작품은 존 스타인벡 원작인 '생쥐와 인간' 으로 정했고, 김평호 각색, 김벌래 연출로 하여 순풍에 돛 단 듯 힘차게 움직이기 시작했다.

당시 우리나라 극단들은, 여성국극단이나 신협 같은 몇몇 극단을 제외하고는, 소극장 운동을 하는 극단 대부분이 가난하다 못해 거지나 다름없는 상황이었다. 그런 면에서 젊은 행동무대가 행동으로 보여 준 '여유' 는 연극계에 신선한 충격을 주었다. 비록 그 여유가 무대가 아니라 막노동판에 뛰어들어 번 돈이긴 했지만, 덕분에 창단기념공연을 준비하면서 제작비에 큰 부담 없이 착착 진행할 수 있었다.

연습장이 철제 금고를 제작하는 공장 한쪽 창고다 보니, 낮에는 연습이 거의 불가능한 상태였다. 낮이면 온갖 철제를 다루는 해머의

굉음과 쇠망치 소리, 철판을 절단하면서 찢어지듯 비명을 지르는 높은음의 다이아몬드 전기톱 소리, 연마 드릴 소리, 용접 소리 등으로 고막이 얼얼할 지경이었다.

까짓것, 낮에 연습 좀 못하는 것이 무슨 대순가. 낮 상황이 그러니, 오히려 나로서는 공무원으로서 낮 근무시간에 충실할 수 있었다. 상황 자체가 이중생활을 하도록 부추기니, 이 얼마나 축복받은 공무원 '연극쟁이'인가.

공장 직원들이 퇴근하고 조용해지고 나면 그때부터는 그 넓은 공장 전체가 우리 극단 연습장이 되었다. 우리는 그 긴긴 추운 겨우내 뜨겁게 불타올랐다. 김무영의 아버님께서 베풀어 주신 대형 연탄난로의 열기가 뜨겁기는 했지만, 밤늦게까지 연극 연습으로 쏟아 내는 우리의 땀방울은 단지 난로의 열기 때문에 흐르는 것이 아니었다. 우리 가슴속에 있는 열정보다 뜨거운 것은 없다.

"어이, 벌레. 철공장 창고에서 연습이 돼? 안 시끄러워?"

"무슨 소리야. 우리처럼 호강하면서 연습하는 극단은 대한민국 어디에도 없다고."

'뻥'이나 허세라고? 천만의 말씀! 1960년대 초 대한민국 어디에도 행동무대처럼 따끈하게 돈 벌고 호강하며 연습하는 극단은 없었다. 국립극단 정도만 좀 나았을까?

다른 극단 사람들은 그해 겨울을 엄청나게 춥게 보냈다지만, 우리 단원들은 그해 겨울을 몸도 마음도 정말 따뜻하게 보냈다. 야식으로 고구마나 오징어 따위를 연탄난로에 신나게 구워 먹기도 하고, 가끔 소주를 곁들이는 건 당연지사, 그야말로 화기애애한 분위기에서 연습에 몰입할 수 있었다.

그렇게 겨울을 보내고 1962년 봄, 우리는 대망의 장막극 '생쥐와 인간'을 명동 국립극장에서 닷새 동안 무대에 펼쳤다. 물론 그 자리에는 우리의 영원한 은인들인, 동두천 공무원 '그분 일행'과 의정부 'H 건축회사' 분들을 자리에 모셨고, 그분들의 은혜에 보답하고자 우리 젊은이들은 우리의 꿈을 몸짓으로 뜨겁게 토해 냈다.

'생쥐와 인간' 공연을 끝내고 탄력을 받은 우리는 곧바로, 그해 여름 국립극장이 주최하는 '하계 전국연극대회'에 출전하고자 유보상 작, 김벌래 연출로 '묵해(默海)'라는 창작극을 준비했다.

역시 공장 한쪽에서, 이번에는 연탄난로가 아니라 대형 선풍기를 돌려가며 비지땀을 흘렸다. 열성 단원들의 진지한 연기 덕분에 우리 극단은 과분하게도 작품상과 신인연출상까지 받는 성과를 올렸다. 그야말로 신나는 여름이었다.

차분히 돌이켜 보면, 참으로 무모했던 시절이다. 열정 하나만으로 무엇을 이룬다는 게 얼마나 어려운 일인가. 그나마도 그런 열정을 좋게 봐 준 사람들이 옆에 있었던 게 천만다행이었다.

연습장을 흔쾌히 내주신, 김무영의 아버님! 그분은 3, 4년인가 후에 숙환으로 우리 곁을 영영 떠나셨다. 남달리 자상하신 그분의 도움이 없었다면 그 겨울이 그렇게 따뜻할 수는 없었을 것이다.

김무영은 KBS-TV 인기 드라마였던 '여로'에서 악역인 '달중이' 역으로 명성을 날렸던 바로 그 친구였는데, 현재는 노인들이 흔히 겪는 '부자유스런 몸'으로 지팡이를 짚고 투병 중이다. 예쁘장했던 전양자와 남정림은 탤런트에 영화배우로 일약 '스타'로 발돋움했고, 이호재, 조명남은 현재도 중진 연극배우로 왕성한 활동을 보이고 있다.

지금이야 이렇게 각자 자기 자리에서 '원로' 소리 들으며 늙어 가고 있지만, 그 옛날 우리는 너무나 젊고 뜨거웠다. 그랬기 때문에, 조건이나 상황이 나아지기를 가만히 앉아서 마냥 기다리고 있을 수만은 없었던 것이다.

잠재울 수 없는 열정은 '두드려라, 그러면 열릴 것이다.'라는 말을 '열릴 때까지 두드려라.'로 받아들이게 했다. 열정과 노력이야말로, 그때뿐 아니라 지금까지도 나를 이끌어 주는 힘이다.

맨땅에 헤딩하다 실패한들 머리밖에 더 깨지겠는가. 안 그려요?

제목을 못 정한 책

262

그것참, 그 빌어먹을 차별!

volume
min   max

나는 한때
　　나만 잘하면 된다는 생각에
　세상의 불합리함에 맞서는 동료와 함께하지 못했네.
그런데 나만 잘한다고 되는 게 아니더군.
　　세상의 온갖 모순과 차별은 언제든지 내게 닥칠 수 있어.
　　　　　그러니, 불합리한 것과는 언제든지 맞서야 하네.
그래야, 스스로 강해질 수 있을 걸세.

• • •앞에서 잠깐 나왔던 얘기지만 정말 하고 싶은 이야기가 하나 있다. '차별'에 대한 이야기다.

어떤 집회에서 한 연사가 자기주장을 역설하는데, 청중들이 일제히 야유를 보낸다. "야, 이 병신아, 미친 소리 집어치워라!" 이에 연사는 "히야, 졸지에 병신 됐네!"라고 중얼거린다.

병신, 이는 장애인을 낮잡아 쓰는 말이다. 많은 사람이 이 말을 아무 거리낌 없이 욕으로 쓰는 것을 보면 나는 피가 끓는다. 잘못이나 실수를 저지른 사람, 못된 사람, 인간쓰레기에게 왜 병신, 즉 장애인이라고 욕을 하느냐 말이다. 이것은 언어폭력이다. 장애인에 대해

편견의 차별을 가하는 것이다.

앞서 말했듯 내 어머니도 장애인이셨고 내 아버지도 그러했다. 특히, 내 어머니의 고달픈 삶을 옆에서 지켜보고 컸으니, 장애에 대한 차별은 도저히 참을 수가 없다. 게다가 지금은 나 역시 '귀방맹이' 없이는 듣지 못하는 신세 아닌가.

일반적으로 사람들은 '차이'와 '차별'을 잘못 인식하고 있다. 장애인과 비장애인의 차이가 차별이 된다. 키 큰 사람도 있고 나처럼 키 작은 사람도 있고, 피부가 흰 사람도 있고 검은 사람도 있다. 말을 잘하는 사람도 있고 어눌한 사람도 있다. 이들은 서로 다를 뿐이다. 차이를 가지고 있다는 말이다.

마찬가지로, 말을 더듬는 사람도 있고 아예 못하는 사람도 있고, 팔이 하나뿐이거나 모두 잃은 사람도 있다. 하지만, 이들은 다른 존재가 아니라 '틀린' 존재 취급을 받는다. 차이가 아니라 차별이 가해지는 것이다.

그것참!

배타적 성향이 강한 우리 사회에 '차이'는 더욱 큰 의미로 다가온다. 우리는 누가 우리와 다른 것을 이상하리만치 참지 못한다. 같은 부류끼리만 모여 다른 부류를 배척하고, 끼리끼리 단합 대회를 열심히 벌인다.

그래서 우리 사회에서 '다르다'는 것이 소수에 속한다는 말이다. 또한, 소수는 약자이다. 다수에 속함으로써 강자가 되어 소수를 차별한다. 하지만, 이 기준이 얼마나 공정치 못한 것인가. 다수에 속하는 것이 '옳은 것'이라는 사고방식. 그래서 소수인 왼손잡이들은 때려서라도 오른손잡이로 바꾸어 놓으려는 것이 아닐까.

그러나 '차이'는 결코 '우열'의 근거가 아니다. '차이'는 단지 '다르다'는 의미이지 '틀린 것', '잘못된 것'을 나타내는 게 아니다.

맹인이라고 책을 못 읽는 것이 아니다, 손끝으로 읽는다. 농아라고 말을 못하는 것이 아니다. 양손으로 말한다. 발이 없다고 걷지 못하는 것이 아니다. 휠체어로 어디든 갈 수 있다.

아니, 책을 못 읽든, 말을 못하든, 아무 데도 움직이지 못하든, 그것은 차이일 뿐이다. 그런 차이를 얼마나 넉넉하게 이해하고 배려하느냐, 이것이 사회의 성숙도를 말해 주는 것이리라.

그런데 소수가 다수를 차별하는 경우도 있다. '엘리트'라 불리는 소수의 이야기다. 바로 학벌!

대한민국에서 '학벌'이라는 말처럼 일상적으로 쓰이면서 사회 메커니즘에 광범위한 영향력을 끼치는 단어도 없을 것이다. 대한민국에서 학벌은 하나의 권력이자 신분이며 끈끈한 사회적 관계를 뜻하기도 한다.

동문끼리 옛 추억이나 되새기면 노는 것까지고 뭐라 할 사람은 없다. 문제는 이 작자들이 동창회가 아닌 분야에서도 서로 잘못을 눈감아 주거나 편의를 봐줌으로써 공정함과 원칙을 지키지 않는다는 데에 있다.

대다수 지식인도 학벌 의식에서 벗어나지 못한다. 우리 시대의 기인 도올 김용옥까지도 TV 강연에서 젊은 시절 서울대 콤플렉스에

시달렸음을 고백하면서도, 수시로 자신의 학위를 들먹이며 콤플렉스를 만회하려는 이중성을 보이고 있다.

평생 본질적 사유의 훈련을 쌓아 온 철학자도 끝내 그것에서 벗어날 수 없을 만큼 학벌의 위력은 대단하다. 그러니 거꾸로 말해, 학벌 관념에서 벗어난 사람이어야만 한국사회에서 '진정한 자유인'이라는 것이다.

그것참!

나는 학벌이라면 치를 떠는 사람이다. 86아시안게임과 88서울올림픽 때 하도 이리저리 치여서 그렇다. 그 두 대회를 준비하느라 무려 5년을 잠실 주경기장에서 보내면서, 그 무지막지한 학벌과 매일 전쟁을 치르고도 이처럼 '신나는 인생'으로 살아 있다니, 이 김벌래란 놈도 참으로 어지간히 독한 놈이다.

그 5년 동안, 대한민국에서 서울대학 출신이 그렇게 똑똑하다는 것도, 명문대학 출신이 그렇게 대단한 힘이 있다는 것도 그때 알았다. 이런 우라질 노릇을 봤나, 예술 좀 하자는데, 웬 학벌의 노예들은 그리 많은지.

내가 무슨 아이디어를 하나 내면, 조금이라도 고민하는 기색도 없이 곧바로 튀어나오는 소리가 "그건 좀……"이었다. 세계 육상 스타인 칼 루이스의 100미터 경주 스타트도 그렇게 빠를 수 없을 것이다.

"이런 큰 행사 마무리에 들입다 두들기는 잡소리가 말이나 됩니까?"

"일단 시끄럽다는 것은 음악 행위가 아닌 거죠."

이것이 그 잘난 교수님들이 〈안녕〉의 다듬이 소리 음악에 퍼부은 비난이다. 세계인이 감동했지만 그분들은 감동은커녕 배만 아팠을 것이다.

그분들이 그토록 나를 무시한 것도 다 학벌 때문이다. 어디서 튀어나왔는지, 못 배운 놈 하나가 자기네 구역에서 멋모르고 날뛰니, 지그시 밟아 줘야겠다고 생각했던 모양이다.

특히, 앞에서 말한 바 있는 성화점화용 음악이 말썽의 불씨가 되었다. 당시 흡사하다고 해서 문제가 되었던 독일 음반과 비교하고자, 나는 성화점화용 음악과 독일 음악, 이 둘을 카세트테이프에 복사해 스태프들에게 나누어 준 적이 있다. 혹시 다른 문제가 있지 않은지, 안전을 기해 보자는 의도였다. 하지만, 이것이 화근이 되었다.

누군가 그 테이프가 있는 차에 함께 탔다가 우연히 이 비교 음악을 들었고, 그 사실이 끝내는 '그분들'의 귀에까지 들어간 모양이다. 나야 순수한 의도로 그랬다지만, 나에 대해 곱지 않은 시선으로 보던 사람에게는 이 비교 검증이 그야말로 '건방지고 무엄한' 짓으로 보였을 것이다.

그러던 차에 내가 '다듬이 소리'를 만들어 왔다고 하니, '기회는 이때다.' 하고 학벌 모독 괘씸죄에 해당하는 징계를 내린 셈이다.

내가 검증 작업의 순서를 잘못 진행하여 오해를 샀다고 치더라도, 그래도 대한민국 제일의 '서울대' 교수님들인데, 큰 행사를 수행하는 과정에 충분히 발생할 수 있는 문제라는 식으로 넉넉하게 받아들일 수는 없었을까? 그렇게 넉넉함을 가지고 타인에 대해 배려할 때, 비로소 고수임을 인정받고 존경을 얻을 수 있는 것이 아닌가.

그것참!

내가 대학 강단에 선 것이 어언 17년이다 보니, 학벌 문제가 가장

심각한 곳이 바로 강단에 서는 사람들이란 것도 알았다. 그러고 보면 이 학벌이란 말 자체에는 공부한 사람들이란 의미가 있지 않은가. '배운 놈들이 더하다.'라는 말이 괜히 나온 말은 아닌가 보다.

우리 사회의 전근대적 비합리성에 대해 가장 날카로운 비판의 메스를 들이대야 할 지식인 집단인 교수 사회가 그러고 있으니, 어찌 우리 사회를 정상적이라고 자신할 수 있겠나. 참으로 빌어먹을 세상이다.

하지만, 뒤집어 생각해 보면, 내가 학벌 패거리들에게 감사해야 하겠다. 그들 덕분에 내가 더욱 강해진 것도 사실 아닌가. 그들의 차별과 멸시가 아니었다면, 내가 그리 독하게 내 소리를 밀고 나가지도 않았을 것이고, '당신 좋고 나 좋은' 선에서 정치적(?)으로 타협했을 수도 있었을 테니까 말이다.

그들과 부딪치며 확실히 배운 게 있다면, 분노나 증오와 같은 감정이 때로는 거꾸로 힘이 되기도 하지만, 그런 것은 털어 버릴 수 있다면 빨리 털어 버리는 게 낫다는 것이다.

학벌들이 원했던 A 버튼 대신, 내가 원했던 다듬이 소리가 담긴 B 버튼을 눌렀던 것처럼, 분노의 감정은 차라리 한 방에 털어 버리는 게 낫다. 학벌 따위에 대한 미움으로 내 마음속에 그늘을 만들 필요는 없다는 것이다. 그늘은 그늘이고, 내가 가장 집중하고 신경 써야 할 것은 언제나 소리 그 자체다.

얼씨구, 이게 웬일인가!

2004년 1월 28일, 이 김벌래가 '자랑스러운 동문'으로 선정되어 LG아트타워 아모리스홀에서 열린 동문 신년인사회 식장에서 은사님은 물론 선후배들에게서 축하를 듬뿍 받았다. 이 또한 '가문의 영광'이 아니고 뭔가. 평호는 지금도 다른 어떤 상보다도 이 금(Gold 99.99%, 11.25g)으로 된 상패가 가장 소중하다.

바로 좀 전까지 학벌이 싫다고 게거품을 물더니 갑자기 웬 학벌 자랑이냐고?

이 상을 준 동문회는 학벌 좋은 명문대도, 지방대학도 아니다. 이미 40여 년 전에 폐교가 된 고등학교 동문회이다. 폐교가 되었으니 그때부터 후배는 한 명도 배출되지 않았다. '학벌'을 만들고 싶어도 그럴 수가 없다는 소리다.

잘난 학벌 동문회와는 전혀 다른, 매년 동문회원 수가 줄어드는 '폐교' 동문회한테서 받았으니, 이것이야말로 정말 귀한 상을 받은 게 아니고 뭐겠는가.

아! 지금 살아 있는 동문의 나이가 얼마인가? 스무 살에 졸업을 했다손 치더라도 제일 어린 나이가 예순셋일 테고…… . 앞으로 2, 30년 후면 모두 죽어 이 세상에는 없을 동문이 아닌가. 동문이 다 죽고 난 다음, 그때는 이 동문회는 어떻게 되는 걸까? 자동 소멸이 아니라 자동 사망이 아닌가. '괴물 15843호'의 유일한 학벌 연줄인 동문회도 영원히 소멸하고 말 것이 아닌가.

나는 떨리는 목소리로 수상 소감을 떠듬떠듬 말했다.

"동문 여러분, 감사합니다…… . 이 상은 제 생애에서 가장 소중하고 값진 상……(중략)……제 생애가 마감될 즈음이면, 이 비운의 동

문회 역시 거의 그 생명력을 상실한 채 죽어갈 것입니다. 그런 생각
을 하니……"

나는 차마 말을 잇지 못했다. 회의장의 동문도 모두 숙연해져 눈을
감고 있었다. 나는, 꽃다발까지 들고 축하차 동행했던 집사람과 큰
며느리인 배우 민윤재가 보는 앞에서 끝내는 눈물을 보이고 말았다.

자랑스러운 동문상

홍익대학 교수 김평호(통신과 4회)

Sound designer 김벌래

귀하께서는 88서울올림픽, 02월드컵, 대전 세계박람회, 경주 문화
EXPO 등에서 한국 고유의 음향효과를 연출하여 한국의 전통소리를
세계로 전파하는 데 크게 이바지하였고 또한 음향시나리오만으로 된
영상다큐멘터리 '한국소리 100년 대한국인'을 제작하여 우리의 전통
소리를 세계적인 문화 예술의 경지로 승화하여 국위를 크게 선양하고,
모교의 명예와 위상을 드높임은 물론 동문의 자긍심을 크게 북돋아 주
심으로써 귀 동문의 장인정신에 대한 노고와 공로를 기리고자 전 동문
의 고마운 마음을 이 패에 담아 드립니다.

2004. 1. 28

국립 체신고등학교 총동창회

회장 심춘보

다시 한 번 상패를 보니 체신고등학교도 국립이었다는 사실이 새삼스럽다. 같은 국립인데, 서울에 있는 그 잘난 국립대학은 왜 그리 학벌을 내세워 같은 국립 출신인 나를 못살게 굴었을까? 최고 학부라는 대학교는 고등학교와는 다르다는 건가?

하지만, 아무리 그들이 잘난 척해도 내가 있는 곳은 소리의 영역이다. 음악과 소리의 아름다움, 그 감동은 졸업장 따위로 규정되는 게 아니다. 소리는 정직하기 때문이다.

학벌의 무리가 졸업장의 울타리 안에 안주해 자기들끼리만 희희낙락하는 동안, 이 김벌래는 지금까지 그래 왔듯 신나게 소리로써 예술의 문을 힘껏 두드릴 것이다. 새로운 세계가 열릴 때까지.

그러니, 학벌? 차별? 그깟 개지랄, 엿이나 드셔!

인간" 극본, 연출. 〈국립극장〉 1962 '묵해' 전국 하계연극대회 연출. 〈국립극장〉 1963 '어떤 수난기' 극본, 연출. 〈국립극장〉 1964 '검찰관' 출연. 〈국립극장〉 1964 카페 살롱 드라마 '춤추는 벌레' 극본, 연출. 1965 '안경 가족' 작, 연출〈국립극장〉 1966 카페 살롱 모노드라마 '발자국' 작, 연출. 1967 '바람 속에 지푸라기' 총체 전위극 작. 명동 〈르 씨랑스〉 1972 극단 〈자유〉 '슬픈 카페의 노래' 출연. 〈국립극장〉 1987 〈강릉단오제〉 소리총체극 '짚단 87' 작, 연출. 〈국립극장〉 1993 한국인의 생활도구와 컴퓨터 사물놀이의 협연 총체극 '20세기 최후의 음악' 작, 연출. 〈대전 EXPO극장〉 2000 〈서울연극제〉 초청 작품 '11월' 출연. 문예회관 소극장〉 2001 "성공시대" MBC-TV Sound 다큐멘터리 제작 2002 연극 '등신과 머저리' 1인4역 우정출연. 극단 〈김상열 연극사랑〉 2007 "눈의 여왕" KBS-TV 미니시리즈 출연 2007 영화 "어린왕자" 출연 기타 조연출 및 무대감독 30여 편, 각 연극 음향효과 제작 300여 편

제5막_ 대중적으로, 한국적으로, 세계적으로

쉽게, 대중적으로, 한국적으로,

그런 소리가 가장 세계적이다!

이것이 제 소리 철학의 기본이자,

40여 년 소리 작업 끝에 얻은 결론입니다.

이번에는, 제가 진행한 작업 중에서 그 철학에 맞는

작품 몇 가지를 뽑아 보았습니다.

제가 어떤 마음을 가지고 어떤 과정을 통해서

그것을 만들었는지, 또 한바탕 너스레를 떨어볼까요?

평범한 일상에서 비범함을 찾아라

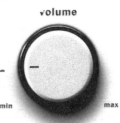

volume

min   max

기막힌 아이디어는 하늘에서 떨어지는 게 아니야.

　'아' 다르고 '어' 다르다는 말처럼

　　　　　　'아' 를 '어' 로 바꾸는 것, 그게 아이디어야.

문제는,

　그런 것 하나 바꾼다고 뭐가 달라지겠느냐며

미리 접어버리는 사람이 많다는 거지.

　　　　　그래, 일단 시도부터 해 보는 거야.

　　• • • '남의 집 좌판에 매달려 오직 그 집 장사 잘되라
고' 하던 광고 소리건, 세계에 한국을 알리는 거대한 이벤트 소리건,
거기에는 확실한 원칙이 있다.

　"소리는, 인간의 장기 중에서 평생을 쉬지 않고 깨어 있는 귀와 관
련되어 있다. 따라서 '적당히' 란 말이 통하지 않는다. 철저하게 완벽
해야 하고, 철저하게 준비되어야 한다."

　이것은 학생들에게도 항상 강조하는 나의 소리 철학이다.

　귀는 늘 열려 있다. 이 글을 읽는 것을 잠시 멈추고 내 주위에서 어
떤 소리가 있는지 귀기울여 보라. 정말 한번 해보라. 자, 어떤 소리

가 들리는가? 조금 전까지는 그 소리들을 의식했던가?

우리는 소리를 무의식적으로 듣고 지나치는 경우가 훨씬 많다. 그러다가 어느 날 문득, 어떤 감동으로 느닷없이 다가오는 소리가 있다. 예전에도 들었던 소리, 그러나 어느 순간에는 전혀 다른 느낌으로 오는 소리. 낯익은 것에서 새로운 것을 느끼고 평범한 것에서 비범한 것을 느낀다. 내가 제일 좋아하는 소리가 '함석지붕에 빗방울 떨어지는 소리' 인 것도 마찬가지 이유에서다.

그동안 쌓아 온 경험에 비추어 볼 때, 비범한 것, 특별한 것, 새로운 것도 이미 언젠가 어디선가 들었던 소리 중에 있었다. 가장 좋은 소리는 우리 삶에 가장 가까이에 있다. 그래서 내가 정말 들려주고 싶은 소리, 그것을 한마디로 말하자면 '우리 소리' 다.

그래서 나는 소리에 대해서 다음과 같은 결론을 얻었다.

"가장 쉽게, 가장 대중적으로, 가장 한국적으로! 그것이 가장 세계적이다!"

이것이 내 소리 작업의 신조이기도 하다. 소리 작업으로 40여 년을 보냈으니, 나도 내 나름의 예술관 같은 게 생긴 것이다.

이번에는, 괴물15843호가 진행한 작업 중에 쉽고 대중적이며 한국적인 소리 작업이라고 할 만한 몇 가지를 뽑아 보았다. 이 기회에 우리 소리 또는 우리 것이 얼마나 훌륭한 것인지, 왜 소중한지 한 번쯤 진지하게 생각해 보면 좋겠다.

1993년 대전 세계 EXPO는 우리나라에서 '박람회' 라는 말 대신

'EXPO'라는 서양말을 처음으로 차용했다.

이 나라는 분명 세종대왕께서 만드신 한글을 쓰는 대한민국인데, 영어로 쓰지 않으면 폼이 안 나나 보다. 하긴, 나도 뭐라 탓할 처지는 못 되는 게, 수업시간에 학생들에게 "현 한국의 광고에선 어떤 형태로든 영어를 꼭 써라."라고 가르치는 처지 아닌가.

학생 여러분 중에 가지고 있는 물건이나 소품 중에 영어 글씨 안 들어간 것 있으면 보여주시겠습니까?(윤석들아, 없을 거다) 참으로 슬픈 이야기다. 광고 중에 한글로 된 게 얼마나 되나 따져보면 한숨이 절로 나올 지경이다. 어디 광고뿐이랴. 담배인삼공사가 KT&G로, 국민은행은 KB, 고속철도 KTX, 이게 무슨 꼴인가? 진짜 혓바닥도 안 돌아간다. 신토불이는 농산물에만 해당하는 게 아니다. 우리말도 그렇다.

아무튼, 이 대전 EXPO에서 (주)38오디오는 개막식 공연의 음악, 음향 제작을 맡았고, 한편으로는 EXPO 기간 중 각국 음악단체가 참가하는 장기 공연인 '세계 현대음악제'에 한국음악 공연물의 국내 참가단체로 선정되었다.

예상했던 대로, 개막식 제작단은 자문에 이어령, 예술 총감독에 표재순, 출연팀은 서울예술단이었다. 전문 연출팀은, 연극 스태프 시절 때부터 함께해 온, 앞에서 그 시절 이야기를 하면서 말한 바 있는 '젊은 스태프 4인방' 유경환, 김상열, 이영식이었다.

대전 EXPO는 유치원 어린이부터 팔순 노인에 이르기까지 수백만 명 이상의 관람객이 기본 입장권만 있으면 모든 기업의 독립시설관은 물론, 각 공연장에서 공연되는 공연물도 공짜로 관람할 수 있었다. 실로, 전 국민의 잔치이자 빅 이벤트였다.

"모든 축전 공연이 공짜이니만큼 공연물은 일단 즐겁고 대중적이고, 예술성이나 난이도를 떠나 무조건 보고 듣기에 쉬워야 합니다."

이것이 이어령 자문 제작단이 우리 연출팀에게 준 일차적인 제작 숙제이었다. 나에게 딱 맞는 숙제였다. '쉽게 볼 수 있는 볼거리와, 쉽게 들을 수 있는 소리와 음악' 을 위해 우리는 또다시 새로운 전투에 도전장을 던졌다.

이영식 군은 별수 없이 PD로 스태프와 EXPO 조직위원회 사이에서 제작비 등의 문제를 중재하는 막중한 역할을 맡았고, 김상열 군은 개막 공연과 현대음악제의 대본을 써내야 했고 유경환 군은 두 작품의 연출을 맡았다.

어럽쇼, 이게 웬일인가! '젊은 스태프 4인방' 이 30여 년 전부터 단골로 드나들던 봉은사 뒷골목 곰바위 곱창집이, 공교롭게도 대전 EXPO 조직위원회 사무실이 있는 코엑스 건너편이니, 이 얼마나 금상첨화인가. 오호, 쾌재라! 시작부터 조짐이 좋았다.

그것참!

우리 같은 '야술가' 들이 이렇게 하늘이 내린 지리적 조건을 내버려둘 리가 만무했다. 우리는 조직위 사무실에서 1차 작전 회의가 끝나는 날이면 작품의 콘셉트를 구체화한다는 핑계로 저녁이면 영락없이 곰바위 집으로 몰려간다. 각자 별 약속이 없어도, 가보면 4인방 녀석들 모두 그 집에 죄다 죽치고 앉아 있었다.

아무튼, 정말로 곰바위 집에서 정했는지, 아니면 사무실에서 정했는지 기억나지는 않지만, 우리는 일단 크리에이티브의 네 가지 기본 원칙을 정했다.

1. 깊게 생각하지 말자. (난이도)
2. 높은 산으로 올라갈수록 골도 그만큼 깊어진다. (기술상의 해결점)
3. 예술성을 너무 집착하다 보면 대중성에서 벗어난다. (남녀노소 불문의 관객)
4. 아주 쉬운 볼거리, 아주 쉬운 소리를 찾아라! (무료 공연의 퍼포먼스)

일주일 만에 김상열 군으로부터 개막식 무용극 대본이 나왔다. 자문단 어르신들의 말씀대로 아주 쉽게 작품을 써왔다. 역시, 나기는 난 놈인가 보다. 쉬운 것 같지만 '꿈돌이의 탄생'을 정확하게 표현하는 작품이었다.

작품 〈문명의 사계〉는, 말 그대로 봄(문명의 태동), 여름(문명의 발전), 가을(현대문명의 공해, 쾌락), 겨울(지구의 멸망), 그리고 새로운 봄(꿈돌이가 만든 새 지구 탄생)으로 진행되는 지극히 상식적인 포맷에, EXPO의 마스코트인 꿈돌이를 통해 '재생'을 접목하였다.

'쉽다'는 것은 사실, 정말 어려운 것이다. 말하고 싶은 주제를 쉽게 표현하려면 예술적 수단이나 기술에 어느 정도 숙련되어야 한다. 게다가, 다양한 대중과 많은 경험을 쌓지 않으면 불가능하다. 쉽게 만든다고 해서 표현하고자 하는 내용의 수준을 낮추어서는 안 되니까 말이다.

아무튼, 나는 우선 종전의 형식인 음악적 멜로디나 리듬을 전적으로 배제했다. 대신, 한국인의 생활 도구에서 발생하는 원초적인 소리인 버들피리 소리, 지게 작대기 리듬, 베틀 소리의 리듬, 불타는 소리, 기차 바퀴의 칙칙폭폭 바퀴 춤, 지하철 소리, 휴대폰 벨, 전자음, 오토바이 질주음 등에 사계의 자연음을 더하여 기본 사운드를 정했다. 일상생활과 가까운 소리만큼 쉬운 소리가 있겠는가. 기본 사운드를 정한 후에는 이 사운드를 이용한 무용 음악을 김정길 교수와 작곡하기 시작하였다.

그것참!

마지막 봄의 재생을 위한 피날레는 김덕수의 사물놀이와 군무로 끝을 맺게 되어 있었다. 그때 내 머릿속으로는, '타타타'라 이름을 붙인 '자동 연주 사물놀이'가 불현듯 떠올랐다.

서울예전 컴퓨터실용음악과의 이인성 교수와, 기계장치 기술자인 권혁찬이 현대음악제에서 쓸 사물놀이 자동연주 기계를 공동으로 연구하다가, 마침내 얼마 전 샘플을 완성했다. 신나게 장구를 두드리는 샘플을 보고 얼떨결에 붙인 이름이 '타타타(打打打)'이다.

전통과 현대의 만남, 과거와 미래의 융합, 이러한 것을 표현하는 데에 이처럼 멋진 아이디어가 또 있겠는가. 비인간화된 기계 문명에 인간의 심장 소리인 타악 리듬을 결합함으로써 인간적인 미래 문명이라는 전망을 보여 주는 것이다.

나는 이미 이 교수와 함께 타타타로 장구 연주를 들어 보았다. 난도가 높은 장구 연주를 척척 해내는 걸 보고 나는 확신을 했다. 그래서 아예 나는 이 타타타를 이번 〈문명의 사계〉 개막식 공연의 마무리에 획기적으로 선보이고자 했다.

무대 공중에서 내려온 컴퓨터에 의한 사물놀이 악기(타타타)와 실제 김덕수 사물놀이패의 협연으로, 다시 말해 문명(과학)과 인간의 만남으로써 공연의 끝을 맺는 획기적인 깜짝쇼를 자신 있게 제안하였다.

작품에 독특한 표현을 더할 수 있음은 물론이고, 개막식 제작비에서 일부라도 지원받을 수 있다면 실질적으로 기계 제작비에 도움이 되지 않겠는가!

제작단은 저 괴물이 또 무슨 소릴 하는가 싶어 어리둥절한 표정이었다. 나는 당장 타타타 샘플을 들어 보자고 했다. 우리 제작단은 영문도 모르고 조용히 조직위 사무실을 빠져나왔다.

문제의 샘플은 코엑스 사무실에서 불과 500여 미터 떨어진 삼성동 이인성 교수의 집 겸 작업장인 2층 연구실에 있었다. 연구실은 온통 음향장비들로 발 디딜 틈도 없는데다가, 현대음악제를 준비하느라 김벌래의 로고가 붙은 각종 녹음테이프가 기계 옆마다 즐비하다.

때마침 타타타 샘플을 만든 권혁찬도 광주 공장에서 와 있었다. 컴퓨터에 의해 자동 연주되는 '장구 치는 기계'를 제작단 앞에서, 그것도 사물놀이 중에서도 장구를 전문 담당하는 김덕수 선수 앞에서 시연하고 검증을 받아 보는 시간이었다.

임시로 얼기설기 조립된 앵글에 장구만 덩그러니 매달려 있었다. 드디어 이 교수가 컴퓨터의 'Enter' 키를 탁 때리자, 장구 옆에 부착된 열채와 궁굴채가 장구를 힘차게 치기 시작했다.

"덩 구궁따구궁 구궁따……."

제작단 일행은 눈이 휘둥그러진 채 조용했다. 이번엔 다른 소스의 디스켓을 넣었다.

"덩 덩 다쿵따쿵……."

이번에는 휘모리 가락을 신나게 쳐댔고, 이 소리에 맞춰 김덕수를 비롯하여 제작단은 손뼉을 쳐댔다. 만장일치로 'OK' 사인이 났다.

일단은 공연의 '깜짝쇼'를 위해 조직위나 외부 언론에 공연 날까지 비밀로 하기로 하고, 우리 일행은 발걸음도 가볍게 큰길을 건너 봉은사 뒷골목 곰바위 집으로 향했다.

뭐, 대단한 것을 개발한 것도 아닌데 웬 비밀이냐 할 테지만, 당시 조직위에서는 일본 기술진에게 거액(?)을 투자해 '사물놀이를 하는 로봇' 네 개를 주문하였는데, 1차 시연회에서 별로 신통한 평가를 받지 못하여 2차 수정 제작에 들어가 있는 시기였다. 하긴 우리가 생각해도, 한국적 가락도 문제겠지만 상모돌리기와 발 디딤의 춤사위가 만만치 않은 작업일 것은 분명했다.

그러나 우리 38오디오팀이 개발·발전시킨 방식은 이미 오래전에 검증을 거쳐 상용화된 방식이다. '소리 울림의 주파수'를 '떨림 주파수'로 바꾸어 주고 동작만 정교하게 전환하는 작업이다. 로봇처럼 직접 손을 움직여 악기를 직접 때리는 작업이 아닌 것이다.

어쨌거나, 당시는 조직위가 그 사물놀이 로봇 때문에 언론으로부터 상당한 스트레스를 받고 있어 사물놀이 소리만 나와도 가슴이 철렁할 때였다.

우리가 타타타를 쓰기로 했다는 사실은, 아예 공연 전까지 무용수 출연자한테도 알릴 필요가 없었다. 어차피 마지막 부분에 무대 공중에 매달렸다가 소리를 내면서 내려올 악기들이니까 신비감을 주려면 미리 떠벌릴 필요가 없었다.

우리 일행은 마치 공연이 성공리에 끝이 난 것처럼 신나게 곱창에

제목을 못 정한 책

282

소주를 마셔댔다.

"어이, 벌래 옹! 어찌 그런 멋진 짱구를 굴렸는감! 한 잔 받으시오."

"짱구는 무슨! 이미 있는 기술을 새로운 방식으로 보여 주는 것뿐이여. 염병할!"

연출을 맡은 유경환이가 제일 좋아하는 것 같았다. 악기를 지탱하는 앵글을 스테인리스 파이프로 산뜻하게 디자인할 것과, 사물의 개수가 네 개 조로 열여섯 개는 무대에 매달려 있어야 그림이 된다는 얘기를 유경환은 벌써 세 번째 반복했다.

"무조건 많아야 해! 적어도 열여섯 개는 돼야 해!"

"미친놈, 술 취했어? 많으면 많을수록 근사하다는 걸 누가 모르나? 제작비가 문제지!"

어쨌든 우리 제작단은 오랜만에 홀가분한 마음으로 한 가지는 해결했다는 기분으로 마셔댔다.

김덕수 역시 컴퓨터 사물놀이 자동연주 기계 제작을 위해, 실제 공연에 출연하여 연주할 가락을 자신이 책임지고 장구, 북, 꽹과리, 징 등 각각의 파트별로 녹음하여 광주 창작기계공작소의 권혁찬에게 전달하기로 하였다.

개막 공연 전날 밤이었다.

우리 4인방과 제작단, 그리고 이인성 교수와 권혁찬은 약속대로 보안을 유지한 채, 내일의 결전을 위해 마지막 설치 작업을 했다.

출연 무용수들까지도 모르게 총연습을 끝낸 다음, 우리 스태프들은 새벽녘까지 무대 천장에 열여섯 개의 사물놀이 악기를 일목요연하게 매달아 내려도 보고, 김덕수 사물놀이패와 타타타와의 협연 연습도 멋지게 끝냈다.

우리는 아무 일 없다는 듯 타타타 장치를 아무도 모르게 천장에 고정해 놓았다. 끝까지 보안을 유지해 환상의 깜짝쇼를 펼치자는 연출진의 의도였다.

그것참!

그런데 이게 웬일인가! 웬 까만 양복을 입은 서너 놈이 나타나더니 무대 천장에 매달린 사물 악기를 철거하라는 게 아닌가. 알고 보니 에구머니나! 청와대 VIP 경호팀이었다.

예나 지금이나 청와대의 VIP가 참석하는 공연이나 행사에서는, 시설물이나 공연의 진행 순서와 상황을 행사 전에 미리 경호팀과 비서진에 통고하여, VIP에게 진행 정보를 알려주게 되어 있다. VIP 경호팀이나 VIP로서도 공연이나 행사에서 예측하지 못한 상황이 발생했을 때 당황하여 의전상의 실수나 차질이 생기는 일을 피하려는 불가피한 조치였다.

이를 '검측'이라고 하는데, 시작하기 몇 시간 전에 모든 제작단과 일체의 관계자를 퇴장시킨 후 제작단에서 통보한 내용과 시설물이 정확한가를 재확인하는 작업이다.

돌발 사태를 대비하여 맨홀 뚜껑은 물론 스피커 앞뒤 뚜껑까지 열어 확인하는 판국에, 통보된 기록에도 없는 타타타가 무대 천장에 열여섯 개나 있으니 당연히 철거하랄 수밖에. 깜짝쇼를 위해 너무 철저하게 보안에 신경 쓴 나머지, 제작단에서 미처 청와대 경호팀에게는 통보를 하지 않았던 것이다.

총감독인 표재순 감독이 이런저런 자초지종을 설명하고 실수에 대해 이해와 양해를 구했지만 그들 처지에서 볼 때는 천만의 말씀이다.

이번엔 내가 나서서 진짜 웃기게 사정했다.

"안녕하세요? 수고가 많습니다. 늘 큰일 때마다 뵙는 김벌랩니다. 허허, 경호에는 별 지장이 없는 타타타라는 사물놀이 악기입니다. 아까 연습할 때 보셔서 아시겠지만 얼마나 재미있습니까? 저거요, 별거 아닌 거 같지만 김벌래의 새 작품입니다. 히히히."

"그래도 일단은……."

"어허! 이 작품 연출단이 누굽니까. 정부 행사 도맡아 해내는 4인방이 한 겁니다. 작년 대선 때, 젠장, 김영삼 대통령 후보를 모시고 한 달 동안 전국 유세 연출을 맡았던 4인방! 그때 1반 유세 연출팀장이 바로 이 작품의 연출인 유경환 씨고, 저기 이영식 씨가 2반장이고, 제가 4반 연출팀장이었던 거, 쌍, 다 아시잖습니까. 허허. 우리 4인방은 '다시 뛰는 신한국당' 의 한 식구입니다요, 제기랄. 하긴 이 작품을 쓴 작가, 저기 저 김상열 친구만, 돈 몇 푼 더 준다는 바람에 정주영 후보 유세 연출을 한 놈이거든요. 웃기는 놈이죠? 에라, 이놈아. 저놈 빼버릴까요? 허허!"

운 좋게도 내 너스레가 통했나 보다. 그쪽 경호팀이나 우리 제작팀이나 한바탕 웃고는 어영부영 '검측' 을 끝냈으니, 사람이 살다 보면 가끔은 어릿광대같이 웃기는 짓도 필요할 때가 있다는 말이 틀린 말은 아닌 것 같다.

우라질! 이때는 운 좋게 어떻게 넘어가긴 했지만, 늘 이렇게 운이 좋을 수는 없다.

VIP가 참석하는 행사 때마다 겪는 일이지만, 획기적인 이벤트의 연출을 기획했다가도 소리나 장치물 때문에 기각(?)당하곤 한다. 역시 연출단의 천적은 예나 지금이나 그놈의 경호를 핑계로 핏대까지 올리며 늘 아옹다옹하는 그 아저씨들이다. 소리나 예술의 모양새와는 전혀 상관이 없는 그들 때문에, 일단은 VIP가 등장하는 공연이나 행사는 늘 찜찜하다.

어쨌거나, 1993년 8월 7일, 김영삼 대통령이 참석한 가운데, 대전 EXPO의 개막식 선포 축전이 벌어지고 이어서 개막식 공연도 진행되었다.

예상했던 대로 〈문명의 사계〉의 마지막 대목은 2천여 명의 관객도, 대통령도, 경호원도, 과학이 전문 분야라는 조직위원장 오명 씨도 감탄을 금치 못했다. 게다가, 이를 생중계하는 바람에 전 국민이 '요건 몰랐지!' 라며 등장하는 타타타의 사물놀이 깜짝쇼를 맛보게 되었다.

개막 공연이 끝나고 본격적으로 시작된 대전 EXPO의 '현대음악제' 는 각 분야의 장르별로 열흘 정도 날짜를 배정하여 90일의 대회 기간 내내 '중극장' 에서 오후 다섯 시에 1회 공연을 하였다.

드디어 10월 21일, '20세기 최후의 음악' 이라는 타이틀을 붙인, 우리 38오디오팀의 연주회 날이 왔다.

평범한 음악 연주회라기보다는, 의상디자이너인 '그레타 리' 의 궁

중의상 패션쇼를 선두로 하여 서른 명의 서울예술단 무용수와 김관영 외 다섯 명의 연극 연기자들이 공연시간 40분 내내, 비언어극인 넌버블 퍼포먼스(Non-Verbal Performance)인 타타타와 무용극을 진행하는 연주회다.

연주자는 이인성 교수, 큰아들 김태근, 작은아들 김태완, 권혁찬, 그리고 나까지 다섯 명에다, 타타타 스무 개, 연기자들이 내는 생활도구 소리까지 합쳐, 모두 쉰 명이 연주하는 오케스트라 규모의 연주회인 셈이었다.

현대음악제에서는 개막식에서 보여 주었던 정통 사물놀이 악기의 타타타가 아니라 '생활도구 타타타' 였다. 징 대신 놋대야와 솥뚜껑, 꽹과리 대신 놋요강과 냄비, 북 대신 플라스틱 물통과 소형 자동차 타이어, 장구 대신에 두께가 다른 함지박 두 개를 합쳤다. 우리가 흔히 볼 수 있는 한국인의 생활도구를 정식 사물악기를 대신하여 장착한 것이다.

그 이외에 연기자들이 연주할 다듬이, 도리깨, 탈곡기, 풍구, 펌프, 자전거, 긴 통나무, 고무호스 등등 총동원되었다.

예전부터 외국에서는 '스텀프(Stomp)' 나 '탭 독스(Tap Dogs)' 처럼 생활도구(쓰레기통, 드럼통 등)를 이용한 연주가 있었는데, 나는 이런 연주를 김벌래 식으로 개량한 것이다(4년 후인 1997년에는 송승환 씨가 넌버블 퍼포먼스인 '난타'를 만들었는데, 이 생활악기 타타타의 개념을 더욱 발전시킨 것으로 볼 수 있다).

아무리 그 소리가 아름답다고 해도 벨칸토 창법으로 대화까지 할 수는 없다. 거창하고 고상한 무엇으로만 귀를 기울이는 것은 겉멋일

287

뿐이다. 나의 소리는 쉽고 친숙한 것에서부터 시작해야 한다. 그래서 생활도구를 선택했다. 왜냐하면, 우리 소리는 우리의 삶이 녹아 있는 소리니, 우리의 일상과 밀접한 생활도구처럼 소리의 소재로 좋은 게 또 어디 있겠는가.

나는 전통악기 소리와 가깝게 하려고 놋대야나 솥뚜껑 등에 다른 철판 여러 장을 용접해 가며 소리를 찾아내야 했다. 이들의 화음과 음계가 거의 실제 악기에 가까운 음색을 갖도록 하려면 무수한 실험과 시행착오를 반복해야 했다. 실제 소리와 비슷한 음이 만들어질 때마다 우리는 또 얼마나 신나게 곰바위 집에서 축배를 들었던가.

드디어 공연 날, 연주회 40분 중 후반 10여 분은, 김덕수 사물놀이 패 없이, 그리고 전통악기가 아니라, 각종 생활도구가 매달린 타타타에 의해 한국 토속 가락의 리듬과 비트가 연주되었다.

본 공연은 정식 무용극이 아니라 음악과 소리를 위한 음악 연주회이었기에, 소리를 위한 움직임 안무를 담당했던 서울예술단의 H씨는 우리가 표현하고자 하는 '소리' 의미에 맞는 3차원적인 슬로모션의 안무를 짜려고 상당한 연습을 해야 했다.

반면, 연출을 맡은 유경환은 어제저녁 총연습 때부터 아예 술에 거나하게 취해, 무대 조명을 음악에 맞추고는 컴퓨터 담당인 권혁찬에게 장면별로 지정 명령만 하고 있었다. 빌어먹을! 그게 연출 일의 전부라니 이럴 줄 누가 알았겠는가?

"김 옹! 좋아. 내가 30여 년 무대에서 살았지만 이렇게 맘 놓고 술 취해서 연출해 보기는 생전 처음이다. 좋다, 좋아! 컴퓨터가 알아서 자동으로 노는데, 내가 할 일이야 술 마시는 일밖에 더 있겠어? 좋아요, 좋아! 히히!"

오후 다섯 시가 가까워지자 사람들이 극장으로 속속 모여들고 있었다. 생활도구의 타타타에서 나는 거창한 소리 소문에 일반 관람객보다도 각 신문사와 방송국의 취재진과 조직위 직원들이 더 많았다.

언제나 겪는 심정이지만 개막을 앞둔 설렘과 초조함은 예나 지금이나 똑같다.

드디어 〈20세기 최후의 음악〉 '생활도구 자동악기 타타타' 의 공연이 시작되고 큰 탈 없이 막바지에 이르자, 마지막에 무대 천장에서 스무 개의 생활도구들이 자동 연주를 하며 내려왔다. 거기에 군무가 어우러지니 피날레는 그야말로 장관이었다.

다음 날 신문기사들은 '새로운 시도의 사물놀이', '인간의 정서를 말살한 기계음악', 'EXPO 축전 중 최고의 대중 퍼포먼스' 등 제각각이다.

하지만, 난 그런 신문 평이나 기사 같은 것엔 전혀 개의치 않는 '괴물' 이니 호평이건 악평이건 아무 상관이 없다. 우리가 어디 신문 보고 장사하나? 관객 보고 장사하지. 나는 오로지 또 하나의 새로운 소리 장르를 개척했다는 것에 신이 나고, 공연도 때마다 만원사례니 더더욱 신날 수밖에.

'만원사례' 는 원래 우리 '딴따라 업계' 에서 나온 말이다. 극장 공연에서 이렇게 전 좌석이 매진되거나 관객이 만원일 때에 '만원사례' 라는 돈 봉투가 공연관계자 전원에게 보너스로 주어지는 관례로부터 나왔다. 나 역시 40여 년을 극장 공연 뒷무대 놀이터에서 놀았지만 정식 '만원사례' 봉투를 받아 본 것은 정작 열 번도 안 된다.

파리만 날리던 현대음악제가 연일 만원이 되니 조직위에서도 타타타 공연이 무척 고마웠나 보다. 규정상으로는 특정 프로그램 안내방송이 금지되어 있는데도, 규정이 알게 뭐냐는 듯 오후 네 시가 넘으면 우리 프로그램을 안내하는 방송까지 했다.

타타타는 조직위원회와 현대음악제의 담당부서 체면을 세워 준 것은 물론, 단번에 EXPO 장내에서 주목받는 주요 음악 퍼포먼스이자 깜짝 인기 프로그램이 되었다.

그것참!

뭐든지, 떴다 싶으면 과거야 어떻든 지가 했다는 게 철밥통들의 습성! 이거 언제 없어지려나, 제기랄!

천년의 소리 에밀레종을 만나다

만들어진 지 천년이 훨씬 지난 소리지만

　　에밀레종 소리에는 사람의 영혼을 뒤흔드는 마력이 있어.

　　그 소리를 들으면서 나는 이런 생각을 해.

내가, 우리가 에밀레종처럼 될 수 있을까?

　　전설처럼 어떤 제물, 어떤 대가를 치러야만

그렇게 될 수 있는 게 아닐까?

　　　　목숨 바쳐 일할 자신 있나?

　　　•••1996년 봄 어느 날. '국보 29호 성덕대왕 신종(일명 봉덕사종, 속칭 에밀레종) 균열 위기'라는 신문기사가 큼지막하게 실렸다.

　'에구, 이거 깨지면 종소리를 영원히 못 듣는 거 아니냐! 안 되지!'

　나는 소리쟁이로서 이 종이 더 균열하기 전에 원음을 녹음·채취해서 보존해야겠다는 생각이 본능적으로 발동했다.

　에밀레. 종의 이름에도 옛 조상의 대단함이 느껴진다. 종소리를, 종을 만들 때 아기를 시주하여 넣었다는 전설과 연결하여 아기의 울음

소리를 '에밀레' 라고 들은 옛 조상의 감각이 정말 대단하지 않은가.

전통의 소리를 잘 모르는 사람도 에밀레종과 그 전설은 안다. 그만 큼 한국을 대표하는 소리라는 말이다. 하지만, 그 소리가 얼마나 대 단한지 세심하게 들어 본 사람이 몇이나 될까.

아무튼, 나는 국립 경주박물관의 지건길 관장에게 신문에 실린 기 사의 진위를 확인했다. 그런데 이게 웬일! 아직은 건재하단다. 다만, 모든 유형의 유산들이 그렇듯이 그 생명력에는 한계가 있어, 박물관 에서는 그동안 연례행사처럼 이어져 오던 개천절이나 제야의 타종 행사를 중단하는 것을 검토하고 있었다는 것이다. 신문 기사는 단지 문화재 보호 측면에서 쓴 경고성 기획 기사라는 것. 천만다행이다.

실제로 요즘에는 에밀레의 종소리는 웬만큼 특별한 날이 아니면 듣기 힘들다. 1200년 전에 만든 종인데 보존을 위해서라니, 아쉬워 도 이해할 수밖에.

그렇다면, 과연 내가 해야 할 일이 무엇이겠는가? 진짜 에밀레종 이 깨지기 전에 녹음하는 일이다! 나는 또 바빠지기 시작했다. 종소 리 녹음을 위한 특별 전략을 짜기 시작한 것이다.

일단 한국음향학회 회장인 경희대학 진용옥 교수와 의논하면서, 일간지에 에밀레종의 훼손과 균열 상태가 심각하다는 내용을 좀 더 구체적으로 확산시켜 보존의 심각성과 문제점을 제기해 보자고 했 다. 그러자, 지건길 경주박물관장은 이번 녹음 작업을 통해서 종의 성분 분석조사와 함께 주조기법, 음향학적 특성, 중량 측정, 정밀 실 측에 이르기까지 확대 전략을 세우자는 것이 아닌가. 그것도 좋은 생각이다!

작업 스태프로는 KIST의 김양한 교수팀, 경희대의 김영수 교수, 포항공대 신형기, 정희돈, 이대열 교수팀, 한국과학기술원 기계공학과팀, 충남대 강준묵 교수팀 등 각계의 '쟁이'들께서 동참하시겠다고 한다. 게다가 KBS '역사 스페셜' 팀까지 가세하겠다니, 이 얼마나 신나는 일인가.

우리는 6월 25일을 디데이로 정하고 일사불란하게 장비들을 준비했다. 문제는 작업비용이었다.

우선 내 파트만 해도 특수 마이크 서른네 대에 디지털 믹서, 저장용 컴퓨터, 사운드 측정 스펙트럼 등이 필요했다. 분야별 정밀작업팀의 인원수가 무려 서른다섯 명이 넘다 보니, 경주박물관에서 책정된 쥐꼬리만 한 예산으론 턱도 없잖은가.

우리는 또 한 번의 작전 회의 끝에 종근당의 후원을 서두르기로 했다. 종근당 제약은 오래전에 마지막 로고 사운드 제작으로, 나와는 끈끈한 유대가 있는 회사다. 더구나 종근당은 1994년 제1회 '세계의 종, 우리의 종'이라는 학술세미나까지 개최한 '종'표 회사가 아닌가.

어쨌거나 숱한 우여곡절 끝에 고촌재단(김두현 이사장)과 종근당(이장한 이사장)의 배려로 에밀레종 녹음작업 비용의 실마리를 풀었고, 제2회 국제 종 학술대회까지 열기로 했으니 정말 꿈만 같았다.

대한민국 개국 이래 국가적인 차원에서도 이행하지 못한 성덕대왕신종의 정밀 실측조사 작업이었다. 1200여 년 전에 만들어진 종의 신비를 학술적으로 규명하는 종합 작업의 시작이었다.

나는 두근거리는 가슴을 꾹 누르며 6월 21일 선발대로 경주에 도착했다. 일단 정식측정 녹음기를 설치하기 전에 주위의 잡음과 녹음

상황을 확인하고자 디지털 녹음기를 설치하고 문제의 종을 타종해 보았다.

아, 그 아름다우면서도 슬프고, 장중하면서도 친근한 그 소리, 세월의 무게에도 전혀 녹슬지 않고 사람의 마음 깊은 곳에서 무엇인가를 끌어올리는 그 소리는 실로 '천년의 소리'가 아닐 수 없다.

여태껏 만들었던 내 소리들이 한낱 잡소리에 불과하다는 자괴감이 들 정도였다. 그렇다고 내가 주눅만 들었다면 괴물이 아니다. 저 소리야말로 실로 '우리 소리'다. 단지 한 번의 타종만으로도 천년의 삶을 설명하는 소리, 그곳이 바로 내가 앞으로 가야 할 곳이다.

그런데 아뿔싸, 이게 웬일인가! 녹음된 종소리를 들어 보니 이건 완전히 실패였다. "데엥!" 하고 타종하는 순간 주위의 새소리며 개구리나 풀벌레 소리, 자동차 소음, 심지어 동네 개 짖는 소리까지 들리는 게 아닌가. 아, 여름철에는 섬세한 종소리를 녹음한다는 게 애당초 무리라는 것을 알았다.

'성덕대왕신종 종합학술조사단'이란 이름으로 명명된 우리는 더더욱 치밀한 세부 계획을 세웠다. 녹음 작업 중에 발생할 수 있는 돌발적인 변수를 제거하고자 모든 상황을 점검하는 섬세한 작업이었다. 박물관을 중심으로 1킬로미터 이내 차량 우회, 열차통과 시 경적 금지와 서행 운행 등의 계획에다 항공기 항로까지 확인하면서 일단은 여름을 피해 10월 3일로 디데이를 연기하기로 했다.

그렇게 시간은 흘러 드디어 10월 3일 개천절 아침, 날씨는 맑았다.

이 순간만을 마냥 기다리며 소풍 전날 초등학생처럼 가슴이 설레고 두근거린 밤이 몇 날이었던가. 소리를 만드는 것이 아니라 소리를 정확하게 기록하는 일이었지만 그 긴장감을 실로 말로 설명하기 어렵다. 그만큼 소리쟁이로서 막중한 '임무'라는 생각이 들었다.

우리 일행은 간밤에 서른다섯 개의 센서 마이크를 종에 부착하고 종 주위에 마이크 스탠드를 설치했다. 또, 종으로부터 5미터, 10미터, 20미터, 30미터 거리에 콘덴서 마이크와 리본 마이크를 설치하고, 설정된 거리마다 타종 시의 지중파를 측정하고자 지하 1미터 땅속에 마이크를 매설하였다. KBS 촬영팀은 이 과정을 세세히 기록하였다.

이 역사적인 '성덕대왕신종 측정작업'의 시작과 무사 진행을 기원하며 불국사 스님들께서는 무사 정밀측정 법회기도까지 정중하게 베풀어 주었다.

스님들의 '반야심경' 독경 소리가 1200년 전 종을 주조하신 옛 선인들의 고뇌를 위로하는 장엄한 불심의 합창곡으로 들려 왔다. 지건길 박물관 관장과 학예원들, 그리고 측정팀 일행은 작업의 책임감에 어깨가 무거웠고, 비장감마저 종각 주위에 감도는 듯했다. 참석자는 모두 숙연한 자세로, 두 손을 합장한 채 우람한 신종만을 응시하고 있었다.

이때가, 소리를 전달하는 공기의 습도 밀도가 가장 낮아지기 시작하는 오전 열한 시 경이었다. 습도 밀도가 낮아진 만큼 측정팀의 숨소리도 낮아졌다. 우리의 도우미 스태프들은 다시 한 번 주위 나무 숲의 각종 새와 풀벌레를 장대로 흔들어 피신시켰다.

"새들아, 내 친구(벌레)들아. 종 칠 동안만 다른 데 가서 놀아라, 미안하다!"

학술 측정 작업의 예식으로 일단 첫 '종 잡이'를 스님들과 관장님, 종근당 재단 측 몇 분만으로 구성했다. 난 드디어 첫 타종팀에게 큐 사인을 내렸다.

"스탠바이, 큐!"

그 당시 내 목소리가 몹시 떨렸다는데, 난 기억이 없다. 김벌래답지 않게 너무나 긴장했던 것 같다.

"데에엥……."

두 번째 타종부터는 타종하는 사람도, 타종 간격도, 우리 측정팀의 작업 진행에 따라야 했기에 종소리 한 번 내는 데 상당히 긴 시간이 필요했다. 시도 때도 없이 날아드는 새며 벌레를 작대기로 쫓아내야 하고, 무수한 장비를 다른 장소로 옮겨야 하고, 그때마다 측정치를 기록하고, 종 밑에 웅덩이처럼 파인 움통을 열고 쳐 보고, 막고도 쳐 보고…….

그것참!

불심은 못 말리는 법인가 보다. 이 얼마나 듣기 귀한 종소리인가! 신종의 종소리를 듣고 모여든 수많은 불자가 출입 제지선 뒤에서 종소리가 날 때마다 합장하고 무릎 꿇고 절하는데, 아예 장기전으로 갈 작정인지 돗자리까지 깔고 자리 잡은 신자도 있다.

"아주머니들, 국보 소리를 녹음하는 거니까 제가 신호를 하면 종을 친다는 신호니까 종소리가 날 땐 숨도 쉬면 안 됩니다. 아셨죠?"

우리의 도우미 스태프들의 일거리가 또 한 가지 늘어난 셈이다.

소리측정 작업은 밤 열한 시가 넘어서까지 계속되었다.

이튿날도 새벽부터 진용옥 교수의 측정 작업팀은 종 상부에 뚫려 있는, 나팔 모양으로 된 음관의 기능과, 종 밑에 파인 웅덩이인 움통에서 일어나는 종소리의 공명(맥놀이) 상태를 알아내려고 발판과 지향성 마이크를 한창 설치하고 있다.

곽동해, 강준묵 교수 측정팀 역시 첨단과학의 정밀기기들을 동원하는데, 종 안팎 동일 좌표의 정밀 사진 측량, 3차원 광파 거리 측정기, 단면 측량, 주물 해석 도화기 등, 나로서는 생전 처음 보는 절묘하고 신기한 장비들이 동원되고 있었다.

그런데 아뿔싸! 타종 순간 음관을 통해 높은 음이 어떤 형태로 공중으로 빠져나가는 소리를 측정해야 하는데, 종을 매단 끝이 바로 종각의 거대한 시멘트 천장이 아닌가. 우리는 음관 속과 움통에 센서 마이크와 지향성 마이크를 종 안쪽 음관, 움통 쪽에 부착하여 측정하는 방법을 택하였다.

청음특성 측정 음향 스펙트럼 스코프를 정리하던 중 난 또 다른 궁금증을 발견했다.

'종 밖에서 듣는 소리의 측정치나 종 안쪽의 측정치가 거의 흡사한 게 아닌가.'

난 불현듯 종 속 움통에 직접 들어가 기계 실측이 아닌 내 귀로 직접 듣고 싶은 욕심이 생겼다. 이 기회 아니면 언제 또 천 년의 소리와 내 몸을 직접 공명시킬 수 있겠는가. 소리의 물결 하나하나를 내 몸에 각인하고 싶었던 것이다.

"진 교수, 내가 이 움통에 들어갈 테니 한번 쳐보라고!"

"뭐요? 고막 나가면 어쩌려고?"

"아냐, 안팎의 측정치가 거의 같잖아."

나 역시 마음 한구석 찜찜함을 버릴 수는 없었지만 난 용기를 내 움통으로 들어갔다. 긴장을 풀려고 긴 숨을 내쉰 후 힘 있는 목소리로 진 교수를 재촉했다.

"뭘 해, 어서 쳐!"

나의 재촉에 진 교수는 잠시 망설이다가 종을 쳤다. 예상했던 대로 아무 사고가 생기지 않았다.

하지만, 나는 슬며시 장난기가 발동했다. 한동안 움통 속에서 아무 소리도 내지 않고 쥐죽은 듯 가만히 있었다. 얼마나 됐을까, 걱정 어린 진 교수 목소리가 들렸다.

"괜찮수? 형! 괜찮아?"

"히히히, 괜찮다마다! 놀랐지!"

난 낄낄대며 움통에서 나왔다. 모두 내 '쟁이' 다운 객기에 깜짝 놀라기도 했겠지만, 기분 좋은 내 표정에 모두 환희의 박수를 보내고 있었다.

지금까지 그 누구도 들어 보지 못했을 것이다. 종 안에서 듣는 신비한 종소리, 아, 이 소리, 내 마음에 켜켜이 쌓인 속세의 허물을 깨끗이 씻어 내는 소리! 참으로 부처의 소리가 아닌가. 나도 모르게 나는 '나무 관세음보살!' 을 가슴속으로 외면서 경건한 마음으로 그 소리를 들었다.

얼씨구! 진 교수와 다른 한 사람이 또 움통에 들어가 그 신비의 종소리를 직접 체험해 보는 게 아닌가.

그것참!

오늘은 어제보다 더 많은 신자가 그 귀한 종소리를 들으려고 출입제지선 펜스 밖에 모여들어 종소리가 날 때마다 경건히 무릎 꿇고, 절하고, 합장하고 있었다. 그들도 나처럼 "나무 관세음보살!"을 마음속으로 외면서.

1996년 11월 22일 세종문화회관 컨벤션 센터에서는 국립경주박물관과 고촌재단, 종근당의 주최로 '우리의 종, 세계의 종', '성덕대왕신종' 국제학술대회가 열렸다. 그리고 우리가 기록한 종소리가 그 학술대회의 주인공이었다.

우리는 귀중한 문화재의 학술 자료는 물론, 과학적으로 검증된 세계적 종소리를 후대에 남기는 일을 해낸 것이다. 이 얼마나 신나는 일인가.

이 대회에서 나는 '에밀레종 소리'를 주된 테마로 하여, 1200년 전 종을 주조한 옛 선인들의 고뇌와 환희를 그린 '에밀레종과의 조우(Winning the Royal Confidence)'라는 음반을 만들었다. 물론, 이 35분짜리 사운드 음악은 좋은 반응을 얻었다.

원재료가 좋으니 그럴 수밖에 없다. 그만큼 에밀레종의 소리에는 사람의 영혼을 뒤흔드는 감동이 있다. 종이 울릴 때마다 합장하고 절을 올리는 사람들, 거기에 가장 알맞은 종소리가 무엇이겠는가. 에밀레종이 역시 최고다.

나도 그런 소리를 만들고 싶다. 신라 사람에게든, 대한민국 사람에게든, 그렇게 천년의 세월을 넘고서도 여전히 사람들의 영혼을 울릴 수 있는 소리 말이다.

네놈이 뭐라고 감히 천년의 무게를 소리에 담으려 하느냐고? 천년 아니라 만년이라도 시도는 해 봐야 할 것이 아닌가. 우리 소리는 생명이 멈춘 박제가 아니라 살아 움직이는 생명체이기 때문이다.

에밀레종 소리를 녹음하면서 나에게 아직도 할 일이, 하고 싶은 일이 많다는 것을 깨달았다. 갈 길은 아직 멀다. 아직도 가야 할 길이 있다는 게 또 얼마나 신나는 일이냐!

아, 그리고 조상님들, 고맙습니다. 천년을 뛰어넘어 건네준 '우리 소리', 이 김벌래도 온몸으로 공명했습니다. 종소리를 위해 아기를 바친 전설처럼, 작고 보잘것없는 이 몸, 소리에 바치겠습니다. 지켜 봐 주세요.

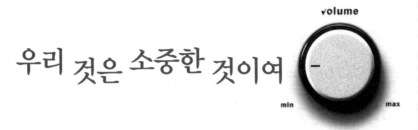

우리 것은 소중한 것이여

우리 소리 제대로 들어본 적 있어?

　우리 소리에는

그 어떤 나라의 소리도 가지지 못한

　　　마력 같은 것이 있어.

　　듣기만 해도 어깨가 들썩거리고 가슴이 시큰해지지.

　아마도 그 속에

　　　　　　고단했던 우리 삶의 역사가 들어 있기 때문일 거야.

　　우리 소리는 그런 소리야.

　· · ·1998년의 '국군의 날'은 건군 50주년으로, 대국민 기념행사는 물론 도보부대 시가행진과 각종 기계화 장비의 퍼레이드를 대대적으로 벌인 해이기도 하다.

　이런 대대적인 행사는 대개 5년에 한 번씩 벌이는 행사다. 이 5년이란 숫자는 바로 대통령의 임기를 의미한다. 새로 취임한 대통령이 국군통수권자로서 전군의 '사열'을 받는 국가적 행사이기도 한 것이다. 1998년은 15대로 취임한 김대중 대통령의 차례였다.

　민간인으로 구성된 표재순 총연출 제작팀과 군에서 차출된 지원 제작팀들은 행사 두 달 전인데도 바쁘다.

내가 국군의 날 행사에 '소리'로 참여하는 게 이 행사까지 네 번째인데, 매번 행사 때마다 느끼는 언짢은 점 중 하나가 '대한민국 국군의 생일날'인데도 한국음악(국악) 하나 없이 서양음악으로 축하 잔치를 치르고 있다는 것이다.

아! 하나도 없는 것은 아니다. '중계'도 되지 않는 식전 행사에서 첫 번째 순서가 '국군 취타대'였다. 노란 옷 입고 '무령지곡'을 연주하면서 본부석 맞은편까지 행진해 오는 것이 전부다. 그래도 무형문화재 46호로 지정된 '대취타' 곡인데 이런 취급을 받고 있다.

"장군님! 이 8분의 〈고공강하〉가, 국군의 날 행사 프로그램 중 가장 정적인 감성을 불러일으키는 꼭지입니다. 보는 이에게는 국군의 위용을 가장 크게 느끼게 하는데, 여기에 '우리 소리'를 과감히 덧씌우면 어떨까요?"

나는 행사를 담당했던 오영우 장군에게 용기를 내어 말했다. 장군은 물끄러미 쳐다보며 나에게 반문했다.

"옛날엔 어땠습니까?"

"매번 죽으나 사나 먼젓번 하던 대로 '코리아 판타지'로 갔는데 솔직히 소리만 스펙터클하지, 감동은 별로입니다."

"우리 소리라면 어떤 걸로?"

"창입니다. 판소리는 아니고 가곡풍의 우조(羽調) 창이죠."

"네?"

국군의 날 행사 프로그램은 '장엄, 위용, 용맹, 거창함' 쪽에 초점을 맞춘 행사다 보니 몹시 요란하다. 대통령 사열 때부터 쿵짝쿵짝 군악대 연주가 시작되고, 열병 때부터는 요란한 탱크 소리에서 수십 대의 저공 헬기 소리와 공군 에어쇼까지, 그야말로 시끌벅적하잖은가.

더구나, 정작 가슴으로 장엄의 감격을 느껴야 할 '고공강하' 음악까지, 종전 그대로를 답습하여 스펙터클한 대목만 편집한 8분짜리 '코리아 판타지' 곡에 합창까지 "만세! 만세!"라는 아우성을 더한다.

하지만, 아무리 격정적인 음악이라 하더라도 처음부터 끝까지 높고 빠른 음만 연주해서는 안 된다. 때로는 느리고 낮고 약한 음이 발판이 되어야 더욱 강렬하면서도 풍부한 느낌이 들게 되는 것이다.

사실, 3,000미터 상공은 보이지도 않는다. 오로지 전광판만을 숨죽이고 봐야 한다. 백여 명이 서로 손을 잡고 2,000미터를 초속 80미터의 속도로 자유낙하를 하다가 1,000미터 상공에서 낙하산을 편다. 실로, 하늘에서 벌이는 인간 몸짓의 장관이다.

이때, '하늘의 감동'을 느끼게 할 수 있는 소리는, 바로 용암이 끓는 듯한 우조 창의 우리 소리가 제격이라고 생각했다. 보이는 것이 장중하면 우리 소리의 우조풍이 찰떡궁합임을, 나는 수도 없이 경험하면서 살아왔다.

'고공강하' 대목 8분 동안만이라도 시끄러움에서 벗어나, 감성적이고 웅대한 '우리 소리'를 들려줌으로써, 앞뒤 프로그램의 시끄러움도 정화해야 한다고 결심했다.

그러한 내 의지를 연출진과 군 지휘부에 거의 애걸하다시피 피력했다.

"아범도 참 한심스러운 놈이다. 애걸까지 해야 할 일이 뭐 있나? 옛날에 그렇게 썼어도 아무 시비가 없는 '코리아 판타지'를 그냥 쓰면 아무 탈이 없는데 왜 시빗거리를 만드느냐고."

유경환 연출은 혀를 끌끌 찼다. 내가 한심해 보이면 또 어떠랴. 우린 '쟁이' 가 아닌가? 새로운 변화와 새로운 정점에 도전해 보는 게 쟁이의 길이고 진리가 아닌가.

"아따, 이번 새 대통령은 '소리의 고장' 전라도 분이 아니냐. 이참에 점수 좀 따 보자고, 쌍!"

그것참!

옛말에, 성인은 귀가 밝아야 군자라 했거늘, 드디어 지휘관인 오 장군이 결단을 내렸다. 안이한 옛 관습에서 과감히 벗어나는 용단을 내린 것이다.

얼씨구! 우리의 예상은 적중했다. 우리는 '고공강하' 라는 프로그램에서 새로운 소리의 장을 여는 대성공을 거둔 것이다. '동방의 등불' 이란 가제가 붙은, 박범훈의 이 곡은 '고공강하 협주곡' 으로 불릴 정도로 감동을 준 우리 창 음악의 쾌거였다.

일주일 후 오 장군은 청와대 사열 답례 만찬에 갔다가, 대통령으로부터 '고공강하' 때 가슴이 뭉클했다는 칭찬을 들었다며, 진짜로 점수 땄다며 고마워했다.

2003년 건군 55주년 국군의 날 제16대 노무현 대통령도 전군의 사열을 받고, '고공강하' 때 그 우렁차고 고고한 우리의 창 소리를 들었다.

나는 우리 소리에 매달려 창작 작업하기를 즐긴다. 서양음악은 일단 큰마음 먹고 공부를 해야 알 수 있지만, 이놈은 그냥 평소의 느낌으로 쉽게 다가갈 수 있다. 쉽고 좋은 게 있는데 왜 굳이 서양음악을 쓰겠는가.

예전에 인기를 끌었던 솔표 우황청심환 광고의 예를 들어 보자.

그 제약회사는 제조 역사가 1925년부터라니, 80년이 넘은, 소위 우황청심환계의 '전통'을 과시한다고 했다. 경쟁제약의 광고를 이리 분석 저리 분석하고 광고의 콘셉트를 잡아 보았다.

광고는 쉬워야 한다는 원칙이 있다. 전통을 자랑하는 제약이라면 전통소리를 내면 제격이 아닌가. 그래서 판소리를 생각하고는, 판소리의 거목이신 박동진 선생을 모델로 하여 흥부가의 한 대목을 전수하는 모습을 광고에 담았다.

"제비 몰러 나간다! 잘헌다, 우리 것은 소중한 것이여!"

얼마나 쉽고 정겨우며 품위까지 있는 광고인가. 판소리가 제약광고에서 가당치도 않다고 들입다 투덜대던 사람들도 찍소리 못하고 항복했다. 이매방 선생의 승무 법고 소리가 나오는 2탄은 또 얼마나 압권인가.

내가 지금 단순히 '우리' 소리니까 써야 한다고 주장하는 것은 아니다. 국적 불문하고 소리의 하나로서 우리 소리가 각별한 에너지를 가지고 있다는 것이다. 요즘 식으로 말하자면 '경쟁력'이 있다는 것이다.

우리 소리, 우리 것에는 확실히 마력이 있다. 우리 음악, 우리 소리에 대해서 긍지를 가져도 좋다. 공연히 유네스코에서 1993년 우리의 판소리를 세계문화유산으로 등재했겠는가. 정작 우리 소리의 위대함을 모르는 것은 우리 자신뿐이다.

우리 음악, 우리 소리에 대해서 이야기하다 보니, 2005년 10월 14일의 일이 또 떠오른다.

그때 나는 공연예술 문화의 새 장을 알리는 대극장의 역사적인 개관식에서 축하 공연을 했다. 그 공연은 대극장인 오페라극장에서 각 부분의 무대 기능을 선보이려는 것이었다.

설렘과 환희에 찬 마음으로 준비하고 있던 차에 드디어 개막 시간을 알리는 소리가 들려온다.

"데엥!"

어라, 이게 무슨 소리인가? 축하 공연을 알리는 시그널 소리(보통 '예비 종'으로 통하는)를 듣는 순간, 나는 순간적으로 성남아트센터가 아닌 다른 극장에 와 있는 듯 착각했다. 내가 들은 그 소리는, 서울 남산의 모 극장에서 40여 년이 넘도록 한결같이 개막 사운드로 써 온 묵직한 범종 소리가 분명했다.

'아, 이건 아닌데.'

그야말로 가슴이 철렁함을 느꼈다. 그 범종 소리는, '익숙함'과 '싫증 남'을 구별하지 못하고 '전형적인 것'과 '구태의연한 것'을 구별하지 못한, 아주 무신경한 소리였기 때문이다.

소리쟁이로서, 아무 소리나 가져다 쓰는 그런 무신경함을 견딜 수가 없었다. 성남아트센터의 범종 소리는 살아 있는 소리가 아니라 감정도 감각도 없는 마네킹의 소리였다.

그렇다면, 어떤 소리가 되어야 할까? 성남아트센터가 어떤 곳인가? '세계 최고의 공연을 가장 먼저 만날 수 있는 곳'이라는 캐치프레이즈를 내걸고 세운, 국내 최고 시설의 공연장이 아닌가. 개막 시그널 로고 사운드야말로 본 센터를 찾아온 관객이 첫 번째로 대면하는 소리이자, 공연 시작 전에 듣는 설렘의 소리다. 이런 소리를 아무렇게나 써서는 안 되는 것이다.

관계자들을 여러 차례 만나 힘들게 설득해, 로고 사운드 제작에 들어갔다. 국제적으로도 자랑할 만한, 한국을 대표하는 성남아트센터 공연장이라는 사실을 표출하고자, 일단은 한국적인 것에 중점을 두기로 했다. 우리 전통 가락과 국악에서 기본 소리의 핵심을 찾기로 하고 수차례에 걸쳐 김영수 국장과 함께 사운드 전개와 구성을 놓고 고심하기 시작했다.

1. **대취타 기본음의 변주(1:17)** : 대취타의 첫 음(音)은 우리의 전통적 임금님의 행차 음악이었지만, 현대에 와선 모든 행사의 시작과 출발을 알린다. 즉, '나발'을 신호음으로 하여 시그널의 이미지를 주는 전통 취주악이다.

2. **수제천 리듬의 현대화 변주(1:31)** : 행차(공연)의 알림을 우리의 전통악기인 '소라 나팔'로 알리며, 그 뒤로 우리 정악의 백미라 할 수 있는 수제천의 장엄하고 숙연한 멜로디를 현대화했다. 리듬은 '설렘'의 템포인 서양의 '볼레로' 형식의 음을 차용하여 시그널의 특성을 시각화하여 현대화했다.

3. **대금과 새소리의 변주(1:05)** : 공연장의 정숙함과 우리 민족의 무한한 문화 저력과 '은근'의 이미지를 고양하고자 했다. 우리나라 사람들은 물론, 서양의 현대 음악의 거장 스트라빈스키 역시 찬사를 아끼지 않았던, 우리 고유의 대중 악기인 대금을 주 멜로디로 차용했다. 대금 가락

의 처량함을 순화하고자 한국의 텃새 소리를 가미하여, 듣는 이로 하여
금 쾌적함과 남한산성의 정취를 느낄 수 있도록 공연장의 환경을 자연
친화적으로 시각화하였다.

4. **종과 삼현육각의 변주(00:42)** : 각 공연장에서 흔히 접할 수 있는 종소
리이다. 본 작품의 기본 구성은 우리 아악 중 '삼현육각'의 장단을 기
본으로 하여 아악 구성적, 타악 장단의 멋을 각종 종소리만으로 단순하
게 현대화해 또 다른 21세기 삼현육각을 재창조했다.

5. **'성남의 빛이여' 합창곡의 변주(1:30)** : 신봉승 작사, 김동성 작곡의 주
제곡을 기본으로 했다. 센터를 찾은 사람의 자부심과, 성남의 예술적
이미지를 고양, 고취하는 시너지 효과를 누릴 수 있도록 세계 최초로
센터의 테마 합창곡을 과감히 시그널 사운드로 차용해 보는 방안이다.

이 작품에 사용된 종소리는 모두 창작 사운드와 에밀레종의 소리
다. 한국음악에 기본 발상을 둔 공연물 개막 시그널을 위한 사운드
작품이기에, 스케일이 큰 합창곡 '성남의 빛이여'에 삽입된 큰 종소
리는 물론, 그밖에 작품에 삽입된 종소리도 모두 기존 범종이나 차
임벨에서 벗어나 다양한 좌종(坐鐘)을 응용하여, 창작 음계를 폭넓
게 발췌하였다.

특히 '수제천' 파트에 삽입된 에밀레종 소리는 앞서 소개했듯 내
가 직접 채록한 것으로, 지금까지 채록된 것 중에서도 국제적으로
공인된, 실제 소리에 가장 가까운 원음으로 보아도 좋을 것이다.

우리는 수차례의 청음 모니터링을 통해 대극장용과 소극장용 두
가지로 소리를 압축했다. 오페라 대극장용은 '성남의 빛이여!'라는

극장 테마 합창곡을 과감히 개막 시그널로 발전시켜 완성한 것이다. 그리고 연극 전용 극장이기도 한 소극장을 위해 만든 시그널은 우리의 전통 정악인 '수제천'을 현대적 이미지로 계승 발전시킨 창작 전통음악으로 재탄생시킨 것이다.

그리고 시간이 흘러 드디어 팡파르를 울렸고 관객들로부터는 전세계에서 하나뿐인 개막 시그널로 극찬을 받았다. 그 후 우리는 각극장 크기에 따라 주파수와 음의 폭을 세 차례에 걸쳐 수정 · 보완함으로써, 성남아트센터만의 독특한 극장 시그널로 자리매김을 할 수 있었다.

소리 하나 바꿈으로써, 세계 최고의 공연장을 모토로 내세운 성남아트센터에서 부족했던 한 조각을 찾았다고나 할까? 그런 자긍심으로 가슴이 뿌듯했다.

그리고 그 자긍심은 우리 소리의 자긍심이다. 진정한 우리 소리는 단지 옛 악기에 켜켜이 쌓인 먼지의 두께에 있는 것이 아니다. 늘 새롭게 갈고닦으려 노력하지 않는다면, 그것은 살아 있는 우리 소리가 아니라 먼지 앉은 박제 기념물에 불과하다.

성남아트센터에 가시면 꼭 세심하게 들어 보세요. 거기에는 살아 있는 우리 소리가 있답니다. 얼쑤!

소리를 찾아가는 기나긴 여정

천재는 결과물을 내니까 천재가 되는 거야.

아무리 재능이 있으면 뭘 해?

아무것도 하지 않고 있으면

그냥 백수야.

타고난 재능보다는

끊임없이 시도하고 도전하고 땀 흘리는 노력이야말로

진정한 천재성이 아닐까?

• • • 2004년 2월, 고양 문화재단의 이상만 총감독으로부터 신축 중인 고양시의 '덕양 어울림 누리' 내의 대극장과 소극장의 개막 시그널 사운드를 의뢰받았다. 그때가 대학로 문예회관에서 표재순 형과 '윤동주' 연극 작업을 하고 있을 때였다.

한국의 텃새 소리를 주제로 시그널화하여 타 극장과 차별화해 보자는 의견이었다. 우리 텃새 소리라니 이 얼마나 소박하면서도 훌륭한 생각인가.

드디어, 5월 14일자로 '한여름 날의 전투'가 시작되었다.

'새 우는 고양 어울림누리'라는 헤드라인처럼 일단 새를 주제로 한 소리를 찾아야 하겠기에, 일차적으로 경희대의 '새 박사' 윤무부 교수를 포함하여 이상만 총감독, 강창일 문예감독, 문광인 무대기술부장 등이 고양시 덕양구청 회의실에 모였다. 우리는 제작 완성 일정을 7월 31일로 정하고 세부적인 진행 내용을 유동적으로 협의하는 회의를 했다.

6월 22일, 이날도 날이 꽤 더웠다.

옛날부터 친분이 있는 윤무부 교수와 실무적인 일을 의논하려고 휘경동 자택으로 갔다. 예나 지금이나 온 집안이 그놈의 새소리 녹음테이프와 그림(영상)으로 꽉 차있다. 마침 제자 한 분이 무슨 자료를 찾아 정리하느라 바쁘다.

나도 바쁘다. 나도 아는 제자라 계절별로 대표적인 한국의 텃새를 뽑아 보라고 재촉했다. 한 분야의 쟁이가 된다는 것, 그 피땀 어린 노력을 알기에, 윤 교수는 같은 쟁이를 만난다는 게 그렇게 신나는 모양이다.

아니나 다를까, 더 즐거워 볼 양으로 퇴계원 쪽으로 나갔다. 우리는 사철탕 집에서 어울림 극장의 시그널 의견을 술잔과 함께 신나게 주고받았다. 우리가 옛날 원효로의 같은 집에서 살았던 생각을 하면 괜히 만나기만 해도 즐거워졌다.

좋다! 즐겁게 마시자!

그러다가 문득, '새가 우는 고양'이라고 하니 최순애 작사, 박태준 작곡의 '오빠 생각'이란 동요가 떠올랐다(그러고 보면, 이놈의 아이디어가 술자리에서는 잘도 떠오른다).

뜸북 뜸북 뜸북새, 논에서 울고,

뻐꾹 뻐꾹 뻐꾹새, 숲에서 울 제,

우리 오빠 말 타고 서울 가시면,

비단 구두 사 가지고 오신다더니.

일단, 이 동요에는 두 가지의 새소리가 등장하니 이 새소리를 음계화하여 벨 소리의 멜로디에 새 소리를 샘플링해 보는 방법을 택하였다. 뜸부기와 뻐꾸기의 조화가 재미있어, 애초에 걱정했던, 노래가 가진 일제강점기 식민지 시대의 어두운 이미지는 꽤 없어진 듯했다.

우리는 일단 청음 프레젠테이션 모니터링을 하였다. 역시 실패였다. 동요가 가진 원래의 애절한 감정은 소리를 어떤 형태로 변형하여도 그 이미지를 어쩔 수 없었는지, 주 시그널로는 적합지 않다는 게 다수 의견이다. 이상만 총감독도 소리의 조화나 발상은 좋은데 메인 시그널로 쓰기엔 너무 '일차원적 이미지'라 단조롭다는 총평이었다.

씁쓸하게 재도전을 기약하고 총감독 방을 나오려는데, 이게 웬일인가, 방 한쪽 구석에 모양과 크기가 다른 '좌종(坐鐘)'들을 발견하였다. 나는 냉큼 좌종들을 쳐 보았다. 소리가 장중하고 아름다웠다. 순간, "소리 좋다!"라며 탄성이 절로 나왔다.

이 좌종들은 바로 이상만 총감독이 평소 머리가 복잡할 때마다 참선하고자 애청하는 개인 애장품들이었다.

나는 이 좌종을 싸들고 38오디오의 스튜디오를 향해 눈썹이 휘날리도록 달려와 종소리 녹음을 위해 여러 각도로 종을 쳐 보기 시작했다. 정말 다양하고 멋있는 소리가 나왔다. 음의 폭이 깊고 장엄하고 환상적인 소리가 있는가 하면 청아한 크리스털 소리도 있었다.

나는 녹음된 여러 가지 음색의 좌종 소리를 밤새도록 듣고 또 들었다. 이 음색에 맞는 음악 장르를 찾는다는 순서인데. 쌍! 생각이 영 못 미친다.

"아이고! 진짜 피곤하다! 잘까?"

시작은 술술 풀리는 듯했지만, 이제는 사방이 꽉 막힌 것 같다. 이럴 때의 심정은, 안 당해 본 사람은 모른다. 피가 마르고 밥맛도 없다. 한마디로 똥줄이 타는 지경이다. 이런 상황을 수도 없이 겪으면서도 매번 새로운 소리를 찾으려 하는 걸 보면, 나도 이 일에 어지간히 중독된 모양이다.

아무튼, 아이디어가 도무지 떠오르지 않을 때에는 쉬는 게 낫다. 재수 좋으면 꿈에서라도 아이디어를 얻을 수 있겠지.

하지만, 그 이튿날도 별 뾰족한 대책이 없었다. 그냥 어영부영 뭉개기만 하다가 또 잠만 잤다. 이렇듯, 프레젠테이션에서 한번 물먹으면 그 충격이 꽤 여러 날 동안 사람을 괴롭힌다.

그것참!

아이디어는 꽉 막혔는데, 웬 놈의 날은 또 왜 이리 찌는가? 진짜 더웠다.

문득 '여름이란 계절에는 어떤 새소리가 있을까?' 라는 생각이 들었다. 그래서 한국의 텃새 소리를 계절별로 확정해 보았다. 그리고 종류별로 우는 소리들을 다시 도 · 미 · 솔, 음계별로 분석해 보았다. 봄은 종달새, 여름은 뻐꾸기, 가을은 휘파람새, 겨울은 꿩, 이렇게 해 보니, 소리의 흐름이 계절의 변화에 따라 드라마틱하게 전개가 되는 것 같았다. 실마리가 조금씩 풀리는 느낌이 들었다.

이번에는, 다양한 좌종 소리와 접목시킬 기본 멜로디의 장르를 정악에서 찾아보기로 하고 '편종'이나 '타악기'가 비교적 많이 사용된 우리 음악 정악을 떠올려 보았다.

찾았다, 얼씨구, 그렇다! '표정만방지곡(表正萬方之曲)'이다. 관악기 중심의 영산회상인 이 곡은 88서울올림픽 개막식 때 허규 선생의 연출로 오른 첫 번째 오프닝 프로그램으로, 수십 개의 북과 어울려 잠실운동장 트랙을 정중하고 화려하게 누볐던 곡이 아닌가.

아, 게다가 허규 선생 그분도 고양 출신 아니던가. 묘한 운명의 예감 같은 것이 느껴졌다.

얼씨구, 그런 곡을 베껴 쓰는 게 아니라 제대로 접목하려면 각별한 창작의 노력이 필요했다.

"야! 표정만방지곡! 너 잘 만났다."

드디어 전통의 영혼이 담긴 창작의 전투에 발동이 걸렸다.

일단은 표정만방지곡에서 시그널로 사용될 대목의 북 장단을 '좌종'으로 대치하는 작업부터 시작하였다. 그다음 단계는 멜로디인 피리와 현의 음을 사계절의 텃새 소리로 바꿔 가면서 소절별로 악센트를 주어 음정을 이어가는 작업이었다.

이 작업들은 음계의 고저장단을 맞추는 고도의 음악적 기술이 필요했다. 이는 당연히 국악 작곡을 전공한 작은아들인 태완이 몫이다.

태완 역시 이 새로운 작업에 상당한 흥미가 있는 듯 시종 진지하다.

시그널의 용도에 적합한 청음적 완성도를 높이고자 우리는 500Hz에서 10,000Hz의 주파수에 음의 폭을 맞추었다.

그렇게 만들어진 '김벌래 식' 표정만방지곡은 전통 정악인 표정만방지곡을 현대 감각의 사운드로만 재구성한 것이다. 이리하여 대극장용 시그널(1:40)과 소극장용 시그널(1:30)을 완성했다.

그리고 찌는 듯한 여름, 2차로 프레젠테이션을 하는 날이 되었다. 이 짓을 한두 번 하는 것도 아닌데, 한번 물먹었으니 더욱 긴장이 되었다.

이상만 총감독과 고양문화재단의 간부들과 직원들이 숨을 죽이고 청취를 한다. 모두 청취 소감 앙케트를 작성해 의견을 종합하고 분석하느라 분주하다.

이윽고 국악평론가인 이상만 총감독의 말씀이 걸작이다.

"좋습니다! 시그널로 쓰기엔 정말 아까운 희대의 명곡이 나왔습니다."

일동은 약속이나 한 듯 환호를 지르며 일제히 나를 향해 손뼉을 치기 시작했다.

"가, 감사합니다!"

나는 얼떨결에 일어나 일동을 향해 넙죽넙죽 인사를 했다. 그리고 후다닥 문을 열고 밖으로 뛰어나오니, 훅 하고 한여름의 열기가 내 얼굴을 감싸는가 싶더니 등에서 식은땀 같은 게 주룩 흐르는 것 같았다.

나는 안경을 벗고 힘차게 얼굴을 몇 번인가 훑어 내렸다. 그것은 땀이 아니라 사실은 눈에 고인 눈물을 맨손으로 닦고 있었던 것이었다. 그런 후 한동안 담배 연기만 길게 내뿜었다.

그것참!

이 '희대의 명곡'은 나와 총감독과의 인터뷰 형식으로 시그널 음악의 해설과 대·소극장 시그널을 담은 CD로 만들었다. 이 시그널 CD 중에는 희귀한 옛날 경성방송국 시절의 한글학습교본 방송 원본과 함께 편집 수록되어, 극장을 찾는 VIP나 이를 찾는 관람객에게 방문 기념품으로 제공되고 있다.

그것참!

왜 그때 나는 박수 소리에 방을 뛰쳐나왔을까? 그리고 왜 눈물이 났을까? 나는 지금도 그 이유를 모른다.

어쩌면, 새소리에서 시작해서 좌종소리로, 거기에서 표정만방지곡에 이르기까지 소리를 찾는 여정이 유난히 힘들었기 때문일 수도 있을 것이다.

아니면, 시대의 광대였던 허규 선생의 생전 모습이 새삼스레 표정만방지곡 작업 때문에 떠올랐기 때문일 수도 있을 것이다. 우리 것과 연극을 위해 살다 가신 그분은, 당뇨로 고생하시면서도 한평생 북채를 손에서 놓지 않은 진정한 광대셨다.

당신께 바친 나의 헌정사에서 말했듯 '이 세상에서 가장 오래 사는 나무'이셨고, 그 가지가 너무나 울창해, 우리는 그 아래에서 소나비를 피하거나 잠시 쉬었다 갈 수도 있었다.

어쩌면, 나도 누군가에게 그런 존재가 될 수 있겠지. 보잘것없는 내가 그렇게 되지는 못하더라도 내가 남긴 소리만큼은 사람의 마음에 시원한 그늘이 되고 쉼터가 되었으면 좋겠다.

'심금(心琴)을 울린다.'라는 표현이 있다. 사람의 마음에 굳이 가야금 금(琴) 자를 사용한 이유는 그만큼 소리와 마음이 공명하기 쉽기 때문이 아닐까? 그러므로 내가 만드는 소리는 그렇게 사람과 공명하는 소리여야 한다.

허규 선생이 끝없이 멀고 먼 광대의 길을 걸었듯이, 나도 사람의 소리를 찾아가는 기나긴 여정을 떠나야 한다. 내가 가는 만큼 뒤에 오는 사람은 좀 더 쉬이 길을 찾을 수 있으리라. 앞만 보고 길이 보이지 않는 가시밭, 울창한 수풀을 헤치며 여기까지 왔다. 이제야 뒤돌아 보니, 내 뒤에 길이 있었다.

하지만, 갈 길이 왜 이렇게 머냐? 그것참!

제 5 막 — 대중적으로, 한국적으로, 세계적으로

Fade Out

가끔은

조용히 눈을 감고

주변의 소리에 귀기울여 보세요.

참으로 많은 소리가 들려올 겁니다.

가끔은

스스로 소리를 내 보세요.

스스로 힘이 되는 주문 같은 게 좋겠죠.

저의 '신나게!' 처럼 말입니다.

지금까지 잘난 척도 꽤나 한 것 같은데, 독자들이 보기에는 "그래, 네 똥 굵다."라고 꼴사납게 생각할 수도 있겠다.

하지만, 나 같은 쟁이한테, 특히 문화예술 분야의 쟁이한테는 칭찬처럼 힘이 되는 것도 없다. 자화자찬도 칭찬이니, 그렇게 해서라도 힘을 내지 않으면 그 엿 같은 멸시, 차별을 이기고 여기까지 올 수

제목을 못 정한 책

318

있었겠는가. 부디, 이 늙은이의 주책을 곱게 봐주시면 고맙겠다.

주저리주저리 늘어놓다 보니 이제 내 너스레도 막바지에 이르렀다. 그러고 보면, 이 김벌 아무개도 참 많은 일을 한 것 같다. 빌어먹을 내 인생은 매 순간이 파란만장했다. 하지만, 삶이 고단하고 파란만장하다고 해서 불평만 할 수는 없다. 그런 고난을 승화시키는 것이 바로 예술이니까.

우리 베토벤 아저씨의 음악도 프랑스혁명이라는 격변의 시대적 상황과, 청각장애라는 개인적 상황이 없었더라면, 그토록 위대할 수 있었을까?

베토벤 아저씨만큼 위대한 음악가는 아니라 하더라도 나 역시 소리 하나에 인생을 바쳤다. 남은 인생이 얼마나 될지 모르지만, 나의 길은 오직 한길, 소리뿐이다.

그런데 하, 남은 인생이라, 정말 얼마나 남았을까?

아버지는 전신 깁스를 푼 이후로, 평생 10원 한 장 벌어 보지 못하고 그 흔한 대중목욕탕도 한 번도 가지 못했다. 나머지 인생 50여 년을 마치 덤처럼 사는 동안, 아버지는 진짜 하늘나라 엄마의 은총을 받았는지, 신기하게도 병원 한 번 안 가고 잘 넘기더니, 81세 때부터 노인병인 치매를 보이기 시작했다.

그것참!

치매 증상도 하필이면 시도 때도 없이 식사 타령에 중점을 둔 '식사 밝힘증(?)' 치매다. 금방 식사를 마치고도 "얘들아, 왜 밥을 안 주

는 거냐! 밥은 가져왔니?"라고 하신다.

어느 날, 집사람이 한 시간가량 시장에 다녀오니 아버지가 집에 안계셔서, 학교에서 강의를 하던 내게 다급히 전화를 했다. 집사람은 아들과 함께 경로당에서부터 버스정류장, 동네 놀이터까지 찾아봤다고 했다.

아하! 순간적으로 어떤 생각이 스치고 지나갔다. 나는 집사람에게 다시 전화를 해서 근처 식당들을 뒤져 보라고 했다. 아니나 다를까, 우리 집에서 200여 미터 떨어진 골목에, 집사람이 그 식당 아주머니한테 '언니'라는 칭호까지 쓰며 가깝게 지내는 '환이네'라는 간이음식점에 있다는 것이다.

"아, 글쎄, 태근이 할아버지가 들어오시더니 배고프니까 밥 좀 달래시잖아."

이 착한 아주머니는 오늘 말고도 저번에도 한 번 잡수고 가셨다고 했다.

정상으로 돌아올 땐 언제 내가 밥 타령을 했느냐는 식으로 점잖게 히죽 웃으면서도, 또 치매 증세가 발동하기만 하면 다른 사람 얼굴도, 이름도 기억하지 못하고 용케 나, '펑오 큰애'만 정확하게 기억하신다.

아예 나는 아버지의 상태를 돌보려고 방 두 개짜리 반지하 방으로 거처를 옮겼다. 방 하나를 내 서재 겸 침실로 쓰고 다른 방은 아버지 거실 겸 병실로 만들었다. 집안 구조를 아버지가 쓰기 편하도록 고쳤다. 아버지 방에서부터 화장실 안 벽면 양쪽까지 '손잡이 파이프 라인'을 설치해, 편히 짚고 몸을 가눌 수 있도록 했고, 화장실 문도 아버지 방 쪽에서 가깝게 하나 더 뚫었다. CCTV도 장착했다.

그것참!

사실 말이지 제아무리 성직자 같은 효자 아들이라도 아버지의 용변을 처리한다는 게 그리 쉬운 일은 아니다. 하물며 며느리가 시아버지의 용변을 매일 처리하는 게 쉽겠는가. 하지만, 집사람 황경자는 그 일을 신통하리만큼 신나게 잘한다.

나도 옆에서 그 일을 보고 배웠다고 가볍게 보다가, 하루는 밖에서 술을 어지간히 마시고 들어와서는 일을 저지르고 말았다.

아버지의 새 기저귀 갈 때는 꼭 비닐장갑을 끼고 하라는 집사람의 신신당부도 하찮게 여기고, 그마저도 대충대충 맨손으로 처리해 버렸다.

나중에 발견한 일이지만 왼쪽 손등에 모기에 물린 아주 작은 상처를 통해 똥독이 침투하여 피부 질환이 생겼는데, 이를 우습게 알고 내버려 두는 바람에 이제는 아주 고약한 상태가 되었다. 이렇게 왼쪽 손등에 아버지의 흔적을 담고 살게 될 줄을 그 누가 알았을까.

대망의 2002년 한일 월드컵이 열리는 6월! 세상은 온통 축구 얘기에, 나라 전체가 시뻘겋게 달아올라 붉은 악마의 함성이 하늘을 찌를 듯했다.

아버지는 병상에 누워 무료함을 달래느라 TV를 온종일 보시곤 했는데, 온통 빨간색밖에 나오지 않는다며 투덜거리셨다. 그래서 축구 경기가 없는 홈쇼핑 채널을 맞춰 드렸는데 그 쇼핑 채널도 며칠 못

갔다. 그러다가 아버지는 당신한테 최적의 채널을 발견하고 만다. 바로 요리 채널.

온종일 먹는 얘기 아니면 맛있는 요리 강좌니, 아버지의 치매 증상에 이보다 잘 맞는 방송이 어디 있겠는가.

한일월드컵에서 큰아들 태근이는 개막식 음향 감독, 작은아들 태완이는 부산 조 추첨 행사와 D-100일 음악 감독을, 그리고 나는 전야제 음향 감독을 맡아 우리 삼부자는 월드컵 행사에서 막강한 실력을 과시했다.

부자끼리 다 해먹는다고 뒤에서 수군거리는 소리를 듣기는 했지만, 나는 조금도 부끄러울 게 없다. 팔은 안으로 굽는다지만, 평생 하는 천직인데 사적인 감정으로 그르친 적은 단 한 번도 없다. 더욱이, 나도 그렇지만 두 아들은 나보다 더한 프로다.

아무튼, 우리 삼부자가 이렇게 신나게 일하고 신나게 응원하는 동안, 아버지의 건강은 점점 시들어 갔다. 그 좋아하던 밥 타령도 시들해졌다.

그러던 2003년 12월의 어느 날이었을 것이다. 아버지와 눈길이 마주쳤을 때, 아버지와 아들만이 통할 수 있는 어떤 끈끈한 전율이 내 머릿속을 섬광처럼 스쳐 지나갔다. 그리고 무거운 어둠 덩어리 같은 것이 내 머리를 짓눌렀다.

나는 초연한 마음으로 집안 식구들 모르게 나를 하나 둘, 정리하기 시작했다. 아버지의 모습이 더 쇠잔해지기 전에 함께 사진 촬영도 했다.

어럽쇼, 이게 웬일인가! 이심전심, 부부는 일심동체라더니, 이미 집사람도 며칠 전부터 아버지가 식사를 거부하시는 걸 보고 철렁한 느낌을 받았는데, 내가 놀랄까 싶어 말할 기회만 기다렸다는 것이다.

그리고 2004년 2월 19일 아침. 아버지의 맥박이 1분에 대여섯 번 정도로 떨어졌다. 난 갑자기 술을 찾았다. 없다.

"아버지, 잠깐만 기다리세요, 내 얼른 갔다 올 테니까요."

난 총알같이 큰길가 편의점에서 소주 한 병을 사들고 왔다.

"아버지, 마지막 가시는 길인데 술 석 잔은 하시고 가셔야죠. 안주는 없어요, 아버지."

숟갈에 술을 따라 입술에 대 드렸다. 쩝쩝 입맛을 다시듯 드셨다.

"이 아들이 평생 한 일이 소리니, 소리나 들려 드릴게요."

나와 아내는 조용필의 '돌아와요 부산항에'를 부르기 시작했다. 아버지는 아들 내외의 노래를 들으며 두 번째 숟갈도 그렇게 드시더니 세 번째는……

김재덕(金在德), 1919년 5월 24일 기미년생. 대한민국 요리 채널의 최고 시청자이신 '위대한 트럭 조수' 아버지. 몸을 다친 이후로 그 답답한 세월도 나름대로 행복하게 사셨던 그분. 강남구 삼성동에서 어딘지도 모르는 동네로 영원히 주민등록을 옮기셨다.

이때가 2004년 2월 19일 오전 아홉 시께였다. 날씨는 참 맑았다.

그것참!

내가 그렇게 신나는 인생을 살 수 있었던 것도, 따지고 보면 '젊은 스태프 4인방'과 같은 아군이 있었기 때문이다.

유경환, 김상열, 이영식, 그리고 나, 우리 4인방. 전공은 각자 다른 파트지만 모두 연극 작업을 위한 스태프로, 1960년대 초에 명동 시 공관 시절 숙명적으로 만나 연극판에서 '카바이드 막걸리'와 일로 똘똘 뭉친 친구들이다. '벗은 곧 술'이라는 이상한 논리를 숭상하는 젊은 애주가들이기도 하다.

당시 연극판 선후배들이 우리 네 녀석이 모여 노는 꼴을 보고 붙여 준 닉네임이, 실제 딴따라 판의 역사에 길이 남을 '젊은 스태프 4인 방'이다.

정말 그 청춘 시절이 눈물겹도록 그립다. 그때 누가 먼저 그렇게 부르기 시작했는지 모르지만 우리 넷은 만나기만 하면 자연스럽게, 그것도 어른들이 젊은이를 점잖게 불러 세워 덕담하듯 인사를 건넨 다. 덕담이 아니라 만담 같다.

평호 : 어이, 젊은 영식 군, 어딜 이리 급히 행차하는 길이신가?
영식 : 외 젊은이, 상열 군, 요즘 글 잘 써지시는가?
상열 : 어이, 젊은 야술가! 경환 군, 연습 잘돼 가시는 감?
경환 : 여보시게나, 젊은 벌래 옹, 가내 별 탈 없으신지?

한마디로 가소롭다. 새파랗게 젊은 우리가 이러고 노는 걸 본 선생 들이나 선배님들께선 우리를 얼마나 가당치 않게 보셨을까?

우리는 머리가 희끗희끗해져서도 만나기만 하면 옛날과 변함없이 예전 그 말투로 덕담을 주고받았으니, 이 얼마나 신나고 유쾌한 청 춘 시절의 연속인가! 우리 동갑내기 '야술가'들은 만날 때마다 그 이상한 논리인 '벗=술'을 악착같이 지켰다.

여보게! 정말 우리 4인방이 한 팀이 되어 그동안 참 술도 많이 마셔 보고 일도 억척스럽게 종횡무진으로 했지! 그 숱한 연극 만들기, 86아시안게임, 88서울올림픽, 91세계잼버리대회, 93대전 EXPO, 97부산동아시안게임, 경주문화 EXPO, 국군의 날에다 이승만, 박정희만 빼고 역대 대통령 취임식, 새천년 밀레니엄 행사, 그 숱한 예술 문화이벤트 등등…… 오죽하면 연극, 오페라, 뮤지컬, 국가 행사건 간에 어렵다 싶은 건 무조건 우리 '젊은 스태프 4인방'을 찾았겠느냐만.

그것참!

1998년 자기가 무슨 박정희라고 10월 26일 날, 젊은 극작가 김상열 군은 뭐가 그리 급했는지 환갑 술도 못 얻어먹고 우리 곁을 훌쩍 떠나 버렸다. 그러더니 2004년에는 유경환 군마저, 자기가 미국 독립기념일하고 무슨 관계가 있다고 7월 4일 날, 상열이 있는 데로 이사를 가 버렸다.

천명이야 어쩌겠는가. 어이, 젊은이들! 우리 다시 만날 때까지 그 동네 쓸 만한 술집이나 하나 개발해 놓게.

그것참!

이리하여 불후의 '젊은 스태프 4인방'은 역사 속으로 사라지고 말았다.

사람이라면 누구나 죽는다. 내 생명도 얼마 남지 않았을 것이다.

나도 끝내는 김상열, 유경환 벗들이 사는 동네로 내 주민등록을 옮길 게 아닌가, 사랑했던 사람들을 하나 둘 떠나보내면서 나도 조금씩 죽음이란 것에 익숙해진다. 그럴 나이가 된 것이리라.

나는 이제부터라도 내가 사랑하는 사람들에게 청춘 시절 못다 준 사랑을 열심히 주면서 꾀부리지 말고 나의 마음과 몸을 유지하려고 노력하련다.

그래서 내 최후의 거취 문제에 대해 가족회의를 열었다. 시간이 얼마 걸리지 않아 나의 '시신기증' 결의가 만장일치 OK로 통과되었다. 배우도 제대로 못한 볼품없는 몸이지만 어떤 이에게는 소중한 생명이 되리라.

나는 상쾌한 마음으로 '시신기증인 유언서'와 '가족동의서'를 연세대학교 의과대학 김준호 담당자 앞으로 등기 우편으로 발송했다. 그날은, 긴 겨울이 가고 꽃피는 봄을 예고한다는 입춘인가 하는 날이었다.

그리고 얼마 후, 연세대학교에서 김평호 앞으로 멋있는 등기 우편물이 왔다.

시신기증등록 확인서
등록번호 : 05 - 069

이름 : 김평호
주민등록번호 : 410729-1XXXXXX
주 소 : 서울시 강남구 삼성동 47번지 16호

시신기증인 유언서와 가족동의서 서류가 2005년 2월 2일자로 접수되었습니다.
김평호 님께서는 서류상으로 모든 절차를 밟으셨습니다. 이에 시신등록증을 보내 드리오니 주민등록증과 같이 지니고 다니시기 바랍니다. 지금보다 좋은 의료 환경과 의료 기술로 우리의 다음 세대는 더욱 건강하고 밝은 세상에서 생활할 수 있기를 바라시어 배우고 연구하는 사람들에게 도움이 되고자 기증하기로 유언하신 김평호 님의 높은 뜻에 무한한 감사와 존경을 드립니다.

저희는 유언인의 뜻에 따라 훌륭한 의사를 길러내는 데 온 힘을 기울이겠습니다.

"주께서 내게 복을 주시려거든 나의 지역을 넓히시고 주의 손으로 나를 도우사, 나로 환난을 벗어나 내게 근심이 없게 하옵소서, 하였더니 하나님이 그가 구하는 것을 허락하셨더라." (대상 4:10)

2005년 2월 3일
김준호 올림
연세대학교 의과대학
해부학 교실

보름 후, 연세대학교에서 집사람 황경자 앞으로도 멋있는 등기 우편물이 왔다. 부창부수라고 했던가, 아내 역시 내 뜻을 존중해 시신 기증에 참가한 것이다. 그렇게 몹쓸 말썽만 부리던 남편과 지금까지 살아온 그대가 이 못난 남편은 그저 고맙고 또 고마울 뿐이라오.

우편물 내용은 내가 받은 '시신기증 등록확인서'와 똑같았다. 다만, 다른 것은 등록번호가 05-090이란 것, 이름과 주민등록번호가 다른 것, 그리고 접수 날짜가 내 접수 날짜보다 보름 늦은 2월 17일로 적혀 있었을 뿐, 다른 건 다 똑같았다.

아무렴, 그렇고말고! 그동안 우리를 사랑해 주었던 사람들에게 우리를 되돌려 주는 게 온당한 보답이 아닌가.

그런 후에는, 떠날 때도 신나게! 그런 게 바로 김벌래와 황경자다운 일이 아니겠나.

이 김벌 아무개의 한바탕 너스레도 이제 막을 내려야겠습니다. 함께해 주신 독자 여러분께 감사의 인사를 드리며 여러분의 앞길에 신나는 인생이 펼쳐지기를 진심으로 바랍니다. 그리고 느리디느린 원고를 몇 년 동안 참고 기다려 주신 〈순정아이북스〉의 여러분께도 박수를 보내 드립니다.

끝으로, 나에게는 신나는, 그러나 옆에서 지켜보기에는 속 터지는 소리 여행을 40여 년 다함없는 애정으로 지켜봐 준 예쁜 아내 황경자, 늠름한 모습으로 아버지가 못 해냈던 작업을 무한한 음악세계로 이어가는 사랑하는 두 아들 태근이, 태완이, 그리고 늘 친딸 같은 며느리 윤재, 미라에게도 다시 한 번 고마움을 전합니다.

이상, 신나는 인생 김벌래였습니다.

아참!

그럴듯한 제목 하나 붙여 주십시오.^^

제목을 못 정한 책

초판 1쇄 발행 2007년 8월 30일
초판 2쇄 발행 2008년 3월 31일

지은이 김벌래
펴낸이 김순정

출력 한국커뮤니케이션
인쇄 대광문화사
제본 동양제본
종이 코파나
표지사진 DANSTUDIO 권동성
표지디자인 맑을叔
내지디자인 엔드디자인

펴낸곳 순정아이북스
출판등록 2002년 10월 8일 제16-2832호

주소 서울시 서초구 서초동 1330-18 현대기림빌딩 704호
전화 02-597-8933 | **팩스** 02-597-8934

홈페이지 www.soonjung.net
이메일 bestedu11@hanmail.net

ISBN 978-89-92337-07-6 03810 **값** 12,000원

순정아이북스는 순수와 열정으로 세상을 바꾸는 책을 만듭니다.